NUEVO TESTAMENTO

CREACIONES MONAR, S.A.
EDITORIAL
08160 MONTMELÒ - Barcelona

Nihil Obstat: El censor
JOSEP M.ª SOLÉ ROMÀ, cmf.
Barcelona, 13 septiembre 1991

JOSEP M.ª SUREDA CAMPS, cmf.
Superior Provincial

Imprímatur:
Por mandato del Sr. Vicario General

JOSEP RAMON PÉREZ, Canciller-Secretario

Printed in Spain - Impreso en España
I.S.B.N. 84-85131-93-2
D.L. B-30884-95

Recuerdo

De ....

Nombre(s) ....

....

Fecha ....

Iglesia ....

....

Padres ....

....

Ciudad ....

INTRODUCCIÓN

Dios es el Creador del género humano, y todo cuanto había creado lo puso a disposición del hombre, para que el hombre, a su vez, sirviéndose de todo lo creado, sirviera a Dios con todo corazón y se hiciese merecedor de la Vida Eterna. Dios puso a prueba la obediencia de nuestros primeros padres, como hizo con los ángeles antes de confirmarles en su Gracia y amistad, pero ellos, Adán y Eva, engañados por el demonio, comieron del fruto del árbol prohibido. Entonces se produjo un rompimiento entre Dios y los hombres, cuya humanidad representaban Adán y Eva, y fueron condenados al dolor y a la muerte; perdieron la Vida sobrenatural de la Gracia y quedaron esclavos de sus propias pasiones.

Compadecido Dios del estado deplorable en que quedaba la humanidad, prometióles un Salvador, su propio Hijo, que en nombre de toda la humanidad, se había de ofrecer como Víctima expiatoria por los pecados de todo el mundo al Eterno Padre. Para ello escogió un pueblo que preparase su venida, el pueblo judío. Selló una alianza con Moisés, le llevó a través del desierto a la Tierra de Promisión, le envió Profetas y, al llegar el Mesías prometido, el Hijo de Dios, fue abolida la Ley Mosaica y establecida la Nueva Ley de la Gracia y del perdón. Entonces fundó Jesús la Iglesia, que es su Pueblo de Dios que comienza y peregrina en este mundo y se perpetúa por toda la eternidad.

El Nuevo Testamento está formado básicamente por el Evangelio (del griego "angello": Buena Nueva), escrito por cuatro escritores sagrados: los Apóstoles San Mateo y San Juan y los discípulos Marcos y Lucas, de San Pedro y de San Pablo, respectivamente. Los Evangelios de San Mateo, San Marcos y San Lucas se llaman Sinópticos y fueron escritos en arameo —hebreo popular— según las más recientes investigaciones (Carmignac), como ya lo habían afirmado Orígenes, Papías, Jerónimo, etc. y comprobado por los numerosos hebraísmos del griego. En el año 50 d.C. ya estaban escritos los tres Evangelios Sinópticos. El Evangelio de San Juan es posterior. Los Evangelistas son testimonios de la Vida de Jesús, que dan fe de un mismo atestado. Los cuatro Evangelios, por tanto, son uno, aunque diversos en su forma literaria según el estilo de cada Evangelista y sus destinatarios. Por eso los hemos unificado salvando, como es natural, su total fidelidad. Su credibilidad y veracidad están fuera de duda. Ninguna historia antigua se les puede comparar; se trata de cuatro testimonios a la vez, bajo la inspiración del Espíritu Santo. "Antiguamente Dios habló a nuestros padres muchas y de diversas maneras por medio de los Profetas; en nuestros últimos días nos ha hablado por el Hijo, etc." (Hebr. I.2). En efecto, en el Evangelio es el mismo Hijo de Dios quien nos ha revelado las Verdades Eternas necesarias para salvarnos, o sea la Fe. Es lo que constituye la Revelación escrita, pero San Juan nos dice que no todo está escrito de Jesús; por tanto la Escritura y la Tradición Apostólica son las dos fuentes de la Revelación.

Siguen los Hechos de los Apóstoles (San Lucas) y las Cartas de San Pedro, San Pablo y otros, y concluye el Nuevo Testamento con el Apocalipsis de San Juan, que anuncia el fin de las persecuciones imperiales y el fin del mundo con la venida segunda de Jesucristo, mientras nosotros caminamos hacia la Patria animados con las promesas y la Gracia de Dios.

EVANGELIOS UNIFICADOS[1]

El Verbo: Jn 1, 1-18[2]

Al principio existía el Verbo, y el Verbo estaba con Dios y el Verbo
   era Dios.

Él mismo estaba ya al principio con Dios.

Todas las cosas comenzaron a existir por Él, y nada de cuanto existe
   comenzó a ser, sino por Él.

En Él estaba la vida, y la vida era la luz de los hombres.

La luz resplandece entre las tinieblas, pero las tinieblas no la
   admitieron.

Surgió un hombre, enviado por Dios, su nombre era Juan[3].

Éste vino como testigo para declarar en favor de la luz, a fin de que
   por medio suyo todos creyesen.

No era él la luz, sino testigo citado a declarar en favor de la luz.

El Verbo era la luz verdadera que, llegando a este mundo, alumbra a
   todos los hombres.

Estaba en el mundo, y el mundo comenzó a ser mediante Él, pero el
   mundo no lo conoció.

Vino a su casa[4], pero los suyos no lo recibieron.

Sin embargo, a los que lo recibieron, a los que creen en Él[5], les
   concedió la dignidad de hijos de Dios:

Los cuales traen origen, no de la sangre, ni del instinto carnal, ni de
   la voluntad libre del hombre, sino de Dios[6].

---

1. El Nuevo Testamento es la plenitud de la Revelación, el cumplimiento de las Promesas del
   Antiguo Testamento y de la Alianza, de la Palabra de Dios hecha a su Pueblo por los
   Profetas. En el Nuevo Testamento es el mismo Hijo de Dios encarnado que nos habla a
   todo el género humano. Su palabra es mensaje de salvación. "El Verbo se hizo carne" para
   salvar al mundo del pecado y de la muerte. Él es Quien nos ha revelado los misterios del
   Reino de Dios.
2. El Verbo es el mismo Hijo de Dios, la segunda Persona de la Santísima Trinidad.
3. Juan el Precursor.
4. A su Pueblo Escogido, para preparar el camino al Salvador.
5. Los Apóstoles y la Iglesia.
6. Filiación divina testimoniada por Juan.

Y el Verbo se hizo hombre y habitó entre nosotros y nosotros hemos
    admirado su gloria, gloria que recibe del Padre como hijo
    Único, lleno de gracia y de verdad.
Juan declara en su favor, y exclama: "éste es Aquél de quien dije: El
    que detrás de mí va a venir tiene preferencia sobre mí,
    porque existía antes que yo."
Porque de su plenitud recibimos todos, gracia tras gracia:
Pues si la Ley se dio mediante Moisés, la gracia y la verdad llegaron
    mediante Jesucristo[1].
Nadie vio jamás a Dios; el Hijo Unigénito, que está en el seno del
    Padre, es quien lo ha revelado.

Juan Bautista: Lc 1, 5-25

En tiempo de Herodes, rey de Judea, hubo un sacerdote llamado
Zacarías, del turno de Abías, casado con una mujer llamada Isabel,
descendiente de Aarón. Ambos eran justos a los ojos de Dios, observando irreprensiblemente todos los mandamientos y disposiciones del
Señor. Y no tenían hijos, por ser Isabel[2] estéril y ambos de edad
avanzada. Ejerciendo él su ministerio sacerdotal delante de Dios, según el turno a que pertenecía[3], le tocó en suerte, conforme al ceremo-
nial litúrgico, entrar en el santuario del Señor para ofrecer el incienso.
Y todo el pueblo aglomerado permanecía fuera, en oración, durante la
oblación del incienso. Y se le apareció un ángel del Señor, de pie, a la
derecha del altar del incienso. Al verlo, Zacarías se turbó y el miedo
se apoderó de él. Mas el ángel le dijo: "Serénate, Zacarías, pues tu
oración ha sido atendida; y tu mujer Isabel te dará un hijo, a quien
pondrás el nombre de Juan; y será tu gozo y tu alegría, y su nacimiento será motivo de regocijo para todos. Porque será grande a los ojos
del Señor, y no beberá vino ni licor alguno, y estará lleno del Espíritu
Santo, ya desde el seno de su madre, y convertirá a muchos de los
hijos de Israel al Señor, Dios de ellos; y caminará delante de Él
revestido del espíritu y del poder de Elías, para establecer la concordia
entre los padres y los hijos (Mal 4, 5-6) e infundir en los contumaces la
cordura de los buenos, preparando así al Señor un pueblo debidamente
dispuesto." Dijo Zacarías al ángel: "¿Cómo podré cerciorarme de

1. La Gracia de Dios.
2. Para los hebreos, los hijos eran la bendición de los matrimonios.
3. Los sacerdotes se dividían en 24 familias que se dividían en 24 grupos, turnándose por
    semanas.

esto? Porque yo soy viejo y mi mujer de edad avanzada." Le respondió el ángel: "Yo soy Gabriel, que estoy en la presencia de Dios y he sido enviado a hablarte y a darte esta grata noticia. Pues bien, estarás en silencio y sin poder hablar hasta el día en que se cumplan estas cosas, por cuanto no has dado fe a mis palabras, las cuales se cumplirán a su debido tiempo." El pueblo estaba aguardando a Zacarías y se extrañaba de que se demorase tanto en el santuario. Y cuando salió no podía hablarles, por lo que comprendieron que había tenido alguna visión en el santuario. Y él les hablaba por señas, pues se había quedado mudo[1]. Cuando acabó el tiempo que había tenido de servicio, se marchó a su casa. Días después concibió su mujer Isabel, y estuvo retirada durante cinco meses, y se decía a sí misma: "Así me ha favorecido el Señor al dignarse poner sus ojos en mí para quitar lo que era motivo de ignominia entre los hombres."[2]

Gabriel anuncia: Lc 1, 26-38

Cuando ya Isabel estaba en el sexto mes, fue enviado el ángel Gabriel de parte de Dios a una ciudad de Galilea, llamada Nazaret[3], a una virgen desposada con un varón llamado José, de la casa de David, y el nombre de la virgen[4] era María. Y entrando hasta donde ella estaba, la saludo así: "Dios te salve, llena de gracia[5], el Señor es contigo." Ella, al oír estas palabras, se turbó y empezó a pensar qué significaba este saludo. Le dijo el ángel: "Tranquilízate, María, pues has hallado gracia a los ojos de Dios. Por eso concebirás y darás a luz un hijo, a quien llamarás Jesús. Éste será grande e hijo del Altísimo y el Señor Dios le dará el trono de David su padre[6], y reinará sobre la casa de Jacob eternamente, y su reino no tendrá fin." Dijo María al ángel: "¿Cómo se realizará esto, pues no conozco varón[7]?" El ángel le contestó: "El Espíritu Santo descenderá sobre ti y el poder del Altísimo te envolverá en su sombra, por lo cual el hijo nacido en ti será santo e hijo de Dios[8]. Mira, ahí tienes a tu prima Isabel que en su vejez también ha concebido un hijo, y la que tenían por estéril está ya en el

1. Por su poca fe.
2. La esterilidad era considerada por los judíos como una ignominia.
3. Aldea desconocida, tuvo el honor de albergar al Verbo Encarnado.
4. La madre del Mesías había de ser virgen según el vaticinio del profeta Isaías.
5. Gracia santificante, exenta de todo pecado incluso el Original.
6. Hijo del Altísimo como Dios, y del linaje de David como hombre.
7. San José no tuvo parte alguna en el nacimiento de Jesús.
8. Con el sí de María, se realizó el acto sublime de la divina Maternidad.

sexto mes, porque para Dios no hay nada imposible." Replicó María: "He aquí la esclava del Señor, cúmplase en mí conforme a tu anuncio." Y el ángel desapareció de su presencia.

Visita a Isabel: Lc 1, 39-45

Por aquellos días, María se puso en camino, dirigiéndose presurosa a la montaña, a una ciudad de Judá. Y entró en la casa de Zacarías y saludó a Isabel. Al oír Isabel el saludo de María, el niño dio saltos de gozo en su seno, y quedó Isabel llena del Espíritu Santo, y exclamó en alta voz: "Bendita tú entre las mujeres y bendito el fruto de tu vientre. ¿Quién soy yo para que venga la madre de mi Señor[1] a mi casa? Porque, fíjate, al percibir tu saludo, el niño ha saltado de alegría en mi seno. Dichosa la que creyó que se cumplirá cuanto se le ha anunciado de parte del Señor."

Magníficat: Lc 1, 46-55

Luego exclamó María: "Mi alma glorifica al Señor, y se regocija mi espíritu en Dios, mi Salvador; porque puso sus ojos en la pequeñez de su esclava. pues bien: desde ahora me llamarán dichosa todas las generaciones; porque ha realizado en mí grandes cosas el Todopoderoso, cuyo nombre es Santo; cuya misericordia se transmite de generación en generación sobre aquellos que le veneran. Ha desplegado el poder de su brazo y desbaratado los planes de los engreídos; ha derrocado de su trono a los potentados y ensalzado a los de condición humilde; ha colmado de bienes a los indigentes y despedido a los ricos con las manos vacías. Ha tomado bajo su amparo a Israel, su siervo, en conformidad con los planes de su misericordia, como lo había anunciado a nuestros antepasados, a favor de Abraham y su descendencia por siempre jamás[2]."

Nacimiento de Juan: Lc 1, 56-66

Permaneció María con ella tres meses[3] y luego regresó a su casa. Mientras tanto, le llegó el tiempo del alumbramiento y dio a luz un hijo. Se enteraron sus vecinos y parientes del gran favor que le había concedido el Señor y se congratulaban con ella. A los ocho días, al ir

---

1. Para los judíos, Dios era el "Señor".
2. El himno del Magníficat de María es el himno de gratitud y alabanza, porque ensalza a los humildes y humilla a los soberbios.
3. La presencia de María llenó de bienes la casa de Isabel.

a circuncidar al niño, querían ponerle el nombre de su padre, Zacarías. Pero intervino su madre, diciendo: "No, pues ha de llamarse Juan." Replicáronle: "Nadie hay en tu familia que lleve ese nombre." Preguntaron por señas a su padre cómo quería que se llamase. Él, pidiendo una tablilla, escribió: "Juan es su nombre." Y todos quedaron extrañados: Inmediatamente recobró el uso de los labios y de la lengua, y comenzó a hablar bendiciendo a Dios. Y en toda la montaña de Judea se comentaban estas cosas. Cuantos las oían, deteniéndose a pensarlas, se preguntaban: "¿Qué llegará a ser este niño?" Porque, a la verdad, una benevolencia especial se reflejaba en él.

Cántico de Zacarías - "Benedictus": Lc 1, 67-80

Y Zacarías, su padre, quedó lleno del Espíritu Santo, y, bajo su Inspiración, hablo así: "Bendito sea el Señor, Dios de Israel, porque ha intervenido en favor de su pueblo realizando su rescate y suscitando para nosotros un poderoso Salvador en la casa de David, su siervo, según lo había anunciado en tiempos remotos por boca de sus santos profetas: Un salvador que nos libera de nuestros enemigos y del poder de todos los que nos odian; de este modo ha puesto en práctica la misericordia para con nuestros antepasados y se ha recordado de su alianza santa, el juramento que hizo Abrahán, nuestro padre, de concedernos que le sirvamos sin temor, libres del poder de nuestros enemigos, en santidad y justicia a lo largo de toda nuestra vida. Y tú, oh niño, serás profeta del Altísimo, pues irás delante del Señor para preparar sus caminos: Para transmitir a su pueblo el conocimiento de la salvación mediante la remisión de los pecados; obra de la misericordia entrañable de nuestro Dios, por la cual nos visitará desde lo alto un sol naciente, para iluminar a los que yacen en la oscuridad y en la sombra de la muerte, para encauzar nuestros pasos por la senda de la paz[1]." Y el niño crecía y se robustecía espiritualmente y vivía en lugares retirados, hasta el día de darse a conocer a Israel[2].

José, Esposo de María: Mt 1, 18-25

El nacimiento de Jesús tuvo lugar de esta manera: Su madre, María, había sido desposada con José; y antes de que conviviesen[3], se

---

1. Al recuperar el habla, entonó un himno de alabanza.
2. Seguramente con los esenios del Qum Ram.
3. José y María habían celebrado los esponsales viviendo en su propia casa, antes de las bodas, legalmente eran esposos.

encontró encinta por obra del Espíritu Santo. José, su esposo, que era justo y no quería denunciarla, estaba pensando repudiarla secretamente. Cuando estaba absorbido por estos pensamientos, se le apareció en sueños el ángel del Señor y le dijo: "José, hijo de David, no sigas temiendo recibir en tu casa a María, tu esposa, pues lo que en ella ha sido concebido es del Espíritu Santo. Ella dará a luz un hijo y tú le pondrás el nombre de Jesús, pues Él salvará a su pueblo de sus pecados." Con esto se cumplió la palabra del Señor, por medio del profeta, que dice: "He aquí que la Virgen concebirá y dará a luz un hijo y le impondrán el nombre de Enmanuel, que quiere decir, Dios con nosotros." Cuando despertó de su sueño, hizo como le había ordenado el ángel del Señor[1] y recibió en casa a su esposa. Y sin haberla él conocido, dio a luz un hijo, y le puso el nombre de Jesús.

Nacimiento de Jesús: Lc 2, 1-7

Por aquel tiempo salió un edicto de César Augusto para que se hiciese el censo[2] de todo el imperio. Este primer censo se hizo siendo Quirino gobernador de Siria. E iban todos a empadronarse, cada cual en su ciudad. Subió también José, desde la ciudad de Nazaret, en Galilea, hasta la ciudad de David, en Judea, que es Belén, por ser él de la casa y familia de David, para empadronarse juntamente con María, su esposa, que estaba encinta. Y, estando ella allí, le llegó el momento de su alumbramiento y dio a luz a su Hijo primogénito, y lo envolvió en pañales y lo recostó en un pesebre[3], pues no había para ellos lugar en la posada..

Ángeles y pastores: Lc 2, 8-14

Había unos pastores en aquella misma demarcación, que pernoctaban al sereno y velaban por turno para guardar su ganado, y un ángel del Señor se presentó ante ellos, y la gloria del Señor los envolvió en su luz, y se estremecieron de espanto. El ángel[4] les dijo: "estad tranquilos, pues sabed que os traigo una grata noticia, que será motivo de grande alegría para vosotros y para todo el pueblo: os ha nacido hoy en la ciudad de David un Salvador que es el Mesías, el Señor. Y esto os servirá de señal para identificarlo: hallaréis al niño envuelto en

---

1. Así se desveló el misterio de la Encarnación.
2. Palestina era un reino asociado a Roma, gobernado por Herodes el Grande, usurpador.
3. Una cueva de alrededor.
4. Probablemente Gabriel, aparecido a Zacarías y a María.

pañales y recostado en un pesebre." Y súbitamente se unió al ángel gran muchedumbre del mundo celeste, que alababa a Dios, diciendo:

"Gloria a Dios en las alturas, y en la tierra paz a los hombres en quienes Dios se complace."

Adoración de los pastores: Lc 2, 15-20

Apenas los ángeles se alejaron hacia el cielo, los pastores comenzaron a decirse unos a otros: "Vayamos, pues, a Belén a ver este acontecimiento que el Señor nos ha notificado." Fueron a toda prisa y hallaron a María y a José, y al niño recostado en el pesebre[1]. Y al verlo comenzaron a divulgar cuanto se les había dicho acerca de este niño[2]. Y cuantos les oían se admiraban de estas cosas y las meditaban en lo profundo de su corazón. Regresaron los pastores glorificando y alabando a Dios por todo lo que oyeron y vieron, conforme se les había anunciado.

Circuncisión: Lc 2,21

Cuando llegó el octavo día, en el cual se le debía circuncidar, le pusieron por nombre Jesús, como había sido llamado por el ángel antes de su concepción.

Presentación: Lc 2, 22-32

Y cuando se cumplió el tiempo, en que, según la Ley de Moisés, debían ser purificados, lo llevaron a Jerusalén para presentarlo al Señor, tal como está mandado en la Ley de Dios: "Todo varón primogénito será consagrado al Señor (Ex 13, 2) y para ofrecer en sacrificio, según lo ordenado en la Ley del Señor, un par de tórtolas o dos pichones (Lv 12, 8)."

Luz de las gentes: Lc 2, 25-32

Había a la sazón un hombre en Jerusalén llamado Simeón. Y era éste hombre recto y piadoso que esperaba la restauración mesiánica de Israel; y el Espíritu Santo moraba en él: y le había sido revelado por el Espíritu Santo que no moriría antes de ver el Ungido del Señor. Vino al templo, impulsado por el Espíritu. Y cuando los padres entra-

---

1. Con esta sublime sencillez se describe el Nacimiento de Jesús.
2. Los pastores fueron a Belén a anunciar a todo el mundo el suceso que habían contemplado con sus propios ojos.

ban con el niño Jesús para cumplir en Él lo prescrito en la Ley, le recibió en sus brazos y bendijo a Dios de este modo[1]:

"Ahora, Señor, puedes dejar a tu siervo ir en paz, según tu palabra;
porque mis ojos han contemplado al que trae la salvación
que has puesto a la vista de todos los pueblos:
luz para iluminar a los gentiles[2] y gloria de tu pueblo Israel."

Simeón y Ana: Lc 2, 33-38

Su padre y su madre estaban asombrados de las cosas que se decían de Él. Simeón los bendijo y dijo a María su Madre: "Ten en cuenta que éste está puesto para caída y resurgimiento de muchos de Israel y como señal de contradicción[3], y a ti misma una espada te traspasará el alma, para que salgan los pensamientos del fondo de muchos corazones."

Estaba también la profetisa Ana, hija de Fanuel, de la tribu de Aser, de edad avanzada. Habiendo vivido con su marido siete años, desde que se casó, era ahora viuda de ochenta y cuatro años. No salía del templo, sirviendo a Dios noche y día, entregada al ayuno y a la oración. Y llegando en aquel preciso momento, comenzó a alabar a Dios y a hablar del niño a todos los que esperaban la salvación de Jerusalén.

Nazaret: Lc 2, 39-40

Una vez cumplido todo lo ordenado en la Ley del Señor, regresaron a Galilea, a su ciudad de Nazaret. El Niño crecía y se robustecía, llenándose de sabiduría, y la benevolencia de Dios se manifestaba en Él.

Adoración de los Magos: Mt 2, 1-12

Nacido Jesús en Belén de Judá en tiempo del rey Herodes, unos magos del Oriente llegaron a Jerusalén preguntando: "¿Dónde está el recién nacido rey de los judíos? Porque vimos su estrella[4] en el Oriente y hemos venido para adorarlo." Cuando lo supo el rey Herodes, perdió la tranquilidad él y toda Jerusalén. Y, reuniendo a todos los

---

1. Simeón no era sacerdote y recibió una gracia señalada del Espíritu y el don de profecía.
2. Salvador universal.
3. Signo de contradicción: para los incrédulos, perdición, y para los creyentes, salvación.
4. La profecía de la estrella de Jacob debieron conocerla los magos del Oriente por los judíos del destierro.

jefes de los sacerdotes y a los escribas del pueblo, se informó de ellos dónde debía nacer el Cristo. Ellos le contestaron: "En Belén de Judá, pues así fue escrito por el profeta:

«Y tú, Belén, en el país de Judá, de ningún modo eres la más pequeña entre las ciudades principales de Judá; pues de ti saldrá el príncipe que será el pastor de mi pueblo de Israel» (Miq 5, 2)."

Entonces Herodes, llamando aparte a los Magos, se informó diligentemente de ellos acerca del tiempo de la aparición de la estrella y, encaminándoles a Belén, les dijo: "Id e investigad detalladamente lo relativo al niño; y, cuando le hayáis encontrado, me lo comunicáis, para ir también a adorarle[1]." Ellos, una vez que recibieron las instrucciones del rey, se fueron. Y la estrella, que habían visto en Oriente, iba delante de ellos hasta que, llegada al lugar donde estaba el niño, se detuvo sobre él. Al ver la estrella, se alegraron extraordinariamente. Entraron en la casa y vieron al niño con María, su madre, y, cayendo en tierra, le adoraron; después, abriendo sus cofres, le ofrecieron presentes de oro, incienso y mirra. Y, advertidos en sueños por Dios de que no volviesen a Herodes, regresaron a su tierra por otro camino.

Los Santos Inocentes: Mt 2, 16-18

Entonces Herodes, viendo que había sido engañado por los Magos, montó en cólera y mandó matar a todos los niños que había en Belén y en sus alrededores, de dos años para abajo, y que correspondían al tiempo del que se había informado diligentemente por los Magos[2].

Huida a Egipto: Mt 2, 13-15

Después de su partida, un ángel del Señor se apareció en sueños a José y le dijo: "Levántate, toma al niño y a su madre y huye a Egipto y permanece allí hasta nueva orden; porque Herodes va a buscar al niño para matarlo." Entonces él se levantó, tomó al niño[3] y a su madre, todavía de noche, y partió para Egipto. Y estuvo allí hasta la muerte de Herodes.

Regreso: Mt 2, 19-23

Muerto Herodes, un ángel del Señor se apareció en sueños a José, en Egipto, y le dijo: "Levántate, toma al niño y a su madre y vuelve a

---

1. El astuto rey pensaba hipócritamente asesinarlo.
2. Pero Dios velaba por el Niño y dio órdenes a José.
3. De Belén a Egipto había nueve jornadas de camino por el desierto.

la tierra de Israel; porque han muerto los que atentaban contra la vida del niño." Él se levantó, tomó al niño y a su madre y entró en tierra de Israel. Pero cuando supo que Arquelao[1] reinaba en Judea, como sucesor de Herodes, su padre, temió ir allá. Y advertido en sueños por Dios, fue a la región de Galilea y puso su domicilio en una ciudad llamada Nazaret.

En el Templo: Lc 2, 41-50

Todos los años iban sus padres a Jerusalén por la fiesta de la Pascua. Y cuando ya tenía doce años subieron, según solían hacerlo en esta fiesta; acabados los días de estancia, al regresar ellos, se quedó el Niño Jesús en Jerusalén, sin que lo advirtiesen sus padres. Y creyendo que Él vendría en la caravana, caminaron durante una jornada; pero luego se pusieron a buscarlo entre los parientes y conocidos; y no hallándole, volvieron a Jerusalén para buscarlo. Al cabo de tres días lo hallaron en el templo, sentado en medio de los maestros, escuchándoles y haciéndoles preguntas[2]; y se pasmaban todos los que le oían de su inteligencia y de sus respuestas[2]. Sus padres, al verlo, se conmovieron; y le dijo su madre: "Hijo, ¿por qué has hecho esto con nosotros[3]? Tu padre y yo te hemos andado buscando, llenos de angustia." Díjoles Él: "¿Por qué os habéis molestado en buscarme? ¿No sabéis que yo debía estar en la casa de mi Padre?" Pero ellos no comprendieron sus palabras.

Vida oculta: Lc 2, 51-52

Luego fue en su compañía a Nazaret, y vivía en perfecta sumisión a ellos. Su madre conservaba todas estas cosas en su corazón. Y Jesús continuaba progresando en sabiduría, en edad y en la complacencia de Dios y de los hombres.

Misión de Juan: Lc 3, 1-6

En el año quince del imperio de Tiberio César, siendo Poncio Pilato procurador en Judea; Herodes, tetrarca de Galilea, y Filipo, su hermano, tetrarca de Iturea y de Traconítide, y Lisanias, tetrarca de Abilinia, bajo el pontificado de Anás y Caifás, llegó la palabra de Dios

---

1. Arquelao era tan cruel como su padre.
2. Oyendo y preguntando, según el sistema didáctico de las sinagogas, en los atrios del Templo.
3. No era un reproche, sino el desahogo de su corazón dolorido.

sobre Juan, hijo de Zacarías, en el desierto[1]. Y se dedicó a recorrer la
región del Jordán predicando un bautismo de penitencia para el perdón
de los pecados, en conformidad con lo escrito en el libro del profeta
Isaías: "Voz del que pregona en el desierto: «Preparad el camino del
Señor, trazad en línea recta sus sendas; todo valle sea rellenado, todo
monte y collado sea desmontado; y lo tortuoso sea alineado, y lo
escarpado sea nivelado; y así todos los hombres podrán ver la salvación que Dios envía[2]» (Is 40, 3-5)."

Penitencia: Mc 1, 5-6

Y salieron a su encuentro todos los habitantes de la comarca de
Judea y Jerusalén; confesando sus pecados se hacían bautizar por él en
el río Jordán. Llevaba Juan un vestido de pelos de camello con un
ceñidor de cuero alrededor de su cintura y se alimentaba de saltamon-
tes y de miel silvestre.

Frutos de arrepentimiento: Lc 3, 7-9

Y decía a las turbas que venían a hacerse bautizar por él: "¿Quién
os ha enseñado a esquivar la ira de Dios que se os viene encima?
Haced, pues, frutos de sincero arrepentimiento. Y no comencéis a
decir en vuestro interior: Tenemos por padre a Abrahám. Porque os
digo que Dios puede hacer surgir de estas piedras hijos de Abraham.
Además ya está el hacha puesta a la raíz de los árboles. Todo árbol,
pues, que no da buen fruto es cortado y arrojado al fuego[3]."

Caridad y justicia: Lc 3, 10-14

La gente le preguntaba: "¿Qué debemos hacer, pues?" Él les respondía: "El que tenga dos túnicas dé una al que no tiene; y el que
tenga provisiones, haga lo mismo." Vinieron también unos publicanos
a hacerse bautizar y le dijeron: "Maestro, ¿qué debemos hacer?" Y él
les dijo: "No exijáis más de la tasa que os ha sido fijada." Le preguntaron también algunos soldados: "Y nosotros, ¿qué debemos hacer?"
Él les contestó: "A nadie hagáis extorsión ni denunciéis en falso."

---

1. Para cumplir su misión.
2. El bautismo de Juan no borraba los pecados, pero preparaba para la penitencia.
3. Fustigaba la soberbia, la hipocresía y las injusticias que obstaculizaban la llegada del
   Salvador. La austeridad de su vida era todo una predicación.

Testimonio: Lc 3, 15-18 (Mt 3, 11-12; Mc 1, 7-8)

Como todo el pueblo estaba intrigado con relación a Juan y se preguntaban todos a sí mismos si acaso no sería él el Mesías, Juan comenzó a decirles: "Yo os bautizo con agua; pero está llegando ya quien es más poderoso que yo, 'detrás de mí', al cual yo no soy digno de desatar postrado la correa de sus sandalias; Él os bautizará con el fuego del Espíritu Santo. Tiene en su mano el bieldo para limpiar su era y reunir el trigo en su granero; mas la paja la quemará con fuego que no se apagará nunca. Así, con estas y otras muchas exhortaciones, anunciaba al pueblo la buena nueva[1]."

Bautismo de Jesús: Mt 3, 14-17 (Mc 1, 9-11; Lc 3, 21-33)

«Después que todo el pueblo se hubo bautizado» «vino Jesús desde Nazaret de Galilea y fue bautizado por Juan en el Jordán[2]». Juan intentaba disuadirlo, diciendo: "Soy yo quien tengo necesidad de ser bautizado por ti y ¿vienes Tú a mí?" Jesús le respondió: "Déjame hacer ahora, porque conviene que cumplamos así toda justicia." Entonces Juan le dejó hacer. Una vez bautizado Jesús salió del agua. «Estando en oración». Súbitamente los cielos se le abrieron; y vio al Espíritu de Dios descender como una paloma y venir sobre Él. Y una voz, que venía del cielo, dijo: "Éste es mi Hijo muy amado en quien me complazco[3]." «Tenía Jesús al comenzar, unos treinta años».

Ayuno y tentaciones: Mt 4, 1-11 (Mc 1, 12-13; Lc 4, 1-13)

Entonces, Jesús fue llevado por el Espíritu al desierto para ser tentado por el diablo, «viviendo con los animales salvajes». Y, después de haber ayunado cuarenta días y cuarenta noches, al fin tuvo hambre. Se acercó a Él el tentador y le dijo: "Si eres Hijo de Dios manda que estas piedras se conviertan en pan[4]." Él respondió: "Está escrito: «El hombre no vive solamente de pan, sino de toda palabra que sale de la boca de Dios» (Deut 8, 3). Entonces el diablo le llevó a la ciudad santa, (Lc) «de Jerusalén», le colocó sobre el pináculo del templo y le dijo: Si eres hijo de Dios, tírate abajo; porque está escrito:

---

1. Había gran expectación por la llegada del Mesías. Se habían cumplido las 70 semanas de años de Daniel.
2. La humildad de Jesús fue correspondida por la de Juan.
3. En el Bautismo de Jesús por el Precursor se dieron cita el Padre, el Hijo y el Espíritu Santo. La Santísima Trinidad.
4. Jesús comienza su misión con un riguroso ayuno.

«Dará órdenes a los ángeles acerca de ti y te cogerán en sus manos, para que tu pie no tropiece en piedra alguna» (Ps 90, 10-11). Jesús le respondió: "También está escrito: «No tentarás al Señor, tu Dios[1] (Dt 6, 10)." De nuevo le llevó el diablo a un monte muy elevado, le hizo ver todos los reinos del mundo con su magnificiencia[2], y le dijo: "Todas estas cosas te daré, si caes a mis pies para adorarme." Entonces Jesús le contestó: "Márchate, Satanás; porque está escrito: «Adorarás al Señor, tu Dios, y solamente a Él darás culto» (Dt 6, 13)." Entonces le dejó el diablo y se acercaron los ángeles para servirle.

Juan Bautista: Jn 1, 19-28

Declaración de Juan, cuando los judíos de Jerusalén le enviaron sacerdotes y levitas para interrogarle: "¿Quién eres tú?" Confesó llanamente la verdad y abiertamente declaró: "No soy yo el Mesías." "Entonces, ¿qué?", le preguntaron. "¿Eres Elías?" Y respondió: "No soy." "¿Eres el Profeta?" Y contestó: "No." Pero le acosaban con insistencia: "¿Quién eres?, para que demos respuesta a los que nos han enviado. ¿Qué dices de ti mismo?" Respondió: "Según dice el profeta Isaías (40, 3), «yo soy la voz del que pregona en el desierto: trazad en línea recta el camino del Señor»." Los enviados eran fariseos, y seguían su interrogatorio: "¿Por qué, pues, bautizas, si no eres el Mesías, ni Elías, ni el Profeta?" Juan les respondió: "Yo bautizo con agua; entre vosotros está Aquel a quien vosotros no conocéis, el que ha de venir de mí, al cual yo no soy digno de soltar la correa de su sandalia[3]." Esto aconteció en Betania, al otro lado del Jordán, donde Juan solía bautizar.

Cordero de Dios[4]: Jn 1, 29-34

Al día siguiente vio a Jesús caminando hacia él, y exclamó: "Éste es el Cordero de Dios, el que borra el pecado del mundo. Éste es Aquel de quien yo dije: Detrás de mí llega uno que ha sido puesto delante de mí, porque existía antes que yo. Y yo no lo conocía; pero he venido a bautizar con agua para manifestarlo a Israel." Juan hizo esta declaración: "He visto el Espíritu bajar del cielo, como una palo-

---

1. Son las tres grandes tentaciones de la humanidad: placeres, honores y riquezas.
2. El mundo de la idolatría son sus reinos.
3. Juan se definió como Precursor y Bautista.
4. Los Profetas llamaron al Mesías Cordero de Dios, víctima de nuestros pecados. Juan lo descubre y presenta.

ma, y posarse sobre Él. Yo no le conocía, pero quien me envió a bautizar con agua, me dijo: 'Aquel sobre quien vieres descender y permanecer el Espíritu, es el que ha de bautizar con Espíritu Santo[1].' Yo lo he visto y declaro que es el Hijo de Dios."

Juan, Andrés y Pedro: Jn 1, 35-42

Al día siguiente continuaba allí Juan con dos de sus discípulos, y viendo pasar a Jesús, dice: "Mirad el Cordero de Dios." Al oír esto los discípulos se fueron en pos de Jesús. Volviéndose Jesús y viendo que le seguían, les dijo: "¿Qué buscáis?" Respondiéronle: "Rabbí (que quiere decir Maestro), ¿dónde vives?" Les contestó: "Venid y lo veréis"; fueron, pues, y vieron dónde vivía y aquel día lo pasaron en su casa; eran las cuatro o cinco de la tarde, poco más o menos. Uno[2], de los dos que había oído a Juan y seguido a Jesús, era Andrés, hermano de Simón Pedro. Con quien primero se encontró fue con su hermano Simón, al cual refirió: "Hemos hallado al Mesías (que quiere decir Cristo)." Le condujo hasta Jesús. Fijando en él su mirada, dijo Jesús: "Tú eres Simón, el hijo de Juan; tú te llamarás Cefas (que quiere decir Pedro)."

Felipe y Natanael: Jn 1, 43-51

Al día siguiente decidió Jesús salir hacia Galilea, y, encontrándose con Felipe, le dijo: "Sígueme." Era Felipe natural de Betsaida, el pueblo de Andrés y de Pedro[3]. Felipe encontró a Natanael[4] y le dijo: "hemos hallado a Aquél de quien escribieron Moisés en la Ley, y los Profetas, a Jesús, Hijo de José el de Nazaret." "De Nazaret, ¿puede salir algo bueno?", le contestó Natanael. Felipe insistió: "Ven y lo verás." Viendo Jesús que Natanael venía hacia él, exclamó: "Aquí llega un auténtico israelita, en quien no cabe doblez." Natanael le preguntó: "¿De qué me conoces?" "Antes que Felipe te llamase, te vi yo cuando estabas debajo de la higuera", le respondió Jesús. Replicó Natanael: "Rabbí, Tú eres el Hijo de Dios, Tú eres el Rey de Israel." Jesús le contestó: "¿Has creído porque te he dicho que te vi debajo de la higuera? Cosas mayores verás." Y añadió: "Ciertamente os digo: Veréis el cielo abierto y a los ángeles de Dios subiendo y bajando sobre el Hijo del hombre."

---

1. El día de Pentecostés.
2. El otro era el apóstol Juan, evangelista.
3. Junto al lago. Eran pescadores.
4. En hebr. = Don de Dios, o sea: Bartolomé, de Caná, más importante que Nazaret.

Bodas de Caná: Jn 2, 1-11

Tres días después, se celebró una boda en Caná de Galilea. La Madre de Jesús estaba entre los invitados. Fueron también invitados a la boda Jesús y sus discípulos. Faltando el vino, dijo a Jesús su Madre: "No tienen vino." "Mujer, le respondió Jesús, ¿por qué te entrometes en mis planes? Todavía no ha llegado mi hora[1]." La madre advirtió a los camareros: "haced lo que Él os mande." Había allí seis tinajas de piedra, para las purificaciones de los judíos, cuya capacidad oscilaba entre los ochenta a los ciento veinte litros. Jesús ordenó a los camareros: "Llenad de agua las tinajas." Y las llenaron hasta arriba. Luego añadió: "Sacad ahora y llevad al jefe de comedor." Así lo hicieron. Apenas el jefe de comedor probó el agua convertida en vino, no sabiendo de dónde era (aunque sí lo sabían los camareros que habían sacado el agua), llamó al novio, para decirle: "Todos ponen al principio el vino mejor; y cuando los invitados ya han bebido bien, sirven el más flojo. Tú has guardado hasta ahora el vino mejor." Éste fue el primer milagro de Jesús. Lo hizo en Caná de Galilea; así manifestó su gloria y sus dicípulos creyeron en Él.

Cafarnaún: Jn 2, 12

Después bajó a Cafarnaún, con su madre, sus parientes y discípulos.

Expulsión de vendedores: Jn 2, 13-25

Próxima ya la Pascua[2] de los judíos, subió Jesús a Jerusalén. Encontró en el templo a los vendedores de bueyes, ovejas y palomas, y también a los cambistas sentados tras de sus mesas. Y, haciendo un látigo con unas cuerdas, los arrojó a todos del templo, también a las ovejas; desparramó el dinero de los cambistas y derribó las mesas. Y dijo a los que vendían palomas: "Llevad esto de aquí; no convirtáis la casa de mi Padre en un mercado." Recordaron sus discípulos la frase de la Escritura: «Me consumirá el celo de tu templo[3]» (Ps 68, 9). Los judíos, encarándose con Él, le preguntaron: "¿Qué señal nos muestras que justifique lo que haces?" Jesús les respondió: "Destruid este templo y yo lo reedificaré en tres días." "Cuarenta y seis años se tardó en la

---

1. María, con su intercesión, la adelantó. Conocía muy bien a Jesús.
2. Una de las tres grandes fiestas que los judíos tenían que celebrar en Jerusalén.
3. Le indignó al ver la profanación del Templo. "La casa de mi Padre es casa de oración".

construcción de este templo, replicaron los judíos, y ¿Tú lo vas a
edificar en tres días?" Mas Él aludía al templo de su cuerpo. Cuando
resucitó de entre los muertos, se percataron los discípulos de lo que
había dicho, y creyeron en la Escritura y en la palabra de Jesús.
Durante su estancia en Jerusalén, por la fiesta de la Pascua, muchos
creyeron en Él, viendo los milagros que hacía.

Nicodemo: Jn 3, 1-13

Un fariseo, aristócrata entre los judíos, llamado Nicodemo, se
acercó a Jesús por la noche para decirle: "Maestro, sabemos que vienes como doctor de parte de Dios, pues nadie puede obrar los prodigios que Tú obras, si Dios no estuviese con él." Le respondió Jesús:
"Francamente te digo: Quien no naciere de arriba, no puede ver el
Reino de Dios." Le replicó Nicodemo: "¿Cómo puede nacer un hombre ya viejo? ¿Podrá acaso entrar nuevamente en el seno de su madre
para nacer?" "Yo te garantizo que quien no naciere del agua y del
Espíritu no puede entrar en el Reino de Dios[1]. Lo que nace de la carne,
carne es; pero lo que nace del Espíritu, espíritu es. No te extrañe de
que te haya dicho: Os conviene nacer de arriba. El viento sopla donde
le place, y tú oyes su rumor, pero no sabes de dónde viene ni a dónde
va. Así sucede con todo el que nace del Espíritu." "¿Cómo puede
realizarse esto?", repuso Nicodemo. Jesús le contestó: "¿Eres doctor en
Israel y no entiendes estas cosas? Sinceramente te digo: Nosotros hablamos de lo que sabemos, y testimoniamos acerca de lo que hemos visto y
todavía no creéis nuestro testimonio. Si no creéis cuando os hablo de
cosas terrenas, ¿cómo vais a creer si os hablo de cosas celestiales? Sin
embargo, nadie ha subido al cielo, sino quien del cielo ha bajado, el Hijo
del hombre[2]."

Luz y tinieblas: Jn 3, 14-21

Así como Moisés levantó la serpiente en el desierto, del mismo
modo es necesario que el Hijo del hombre sea levantado[3]; para que
todo el que crea en Él tenga la vida eterna. Pues de tal modo amó Dios
al mundo, que le entregó a su Hijo Unigénito, a fin de que todo el que
crea en Él no perezca, sino que tenga la vida eterna. Porque Dios no
envió su Hijo al mundo para condenar al mundo, sino para que me-

---

1. En el Bautismo se borra el pecado y se nace a la Vida Sobrenatural de la Gracia.
2. Jesucristo ha venido del otro mundo, del Cielo, para enseñarnos.
3. Levantado en la cruz.

diante Él se salve el mundo. Quien cree en Él no está condenado, porque creyó en el Hijo Unigénito de Dios.

Último testimonio: Jn 3, 22-35

Después, Jesús marchó con sus discípulos al territorio de Judea, donde moraba con ellos y bautizaba[1]. También Juan bautizaba en Ainón, cerca de Salim, donde el agua era abundante, y la gente venía a hacerse bautizar. Pues Juan aún no había sido encarcelado. Originóse una disputa entre los discípulos de Juan y un judío acerca del bautismo. Y llegándose a Juan, le dijeron: "Maestro, Aquel que estaba contigo al otro lado del Jordán, en cuyo favor declaraste, he aquí que bautiza[2] y todos corren hacia Él." "Nadie puede atribuirse sino lo que le ha sido dado del cielo", respondió Juan. "Vosotros mismos sois testigos de que yo he dicho: No soy el Cristo, sino su heraldo. Es esposo quien posee a la esposa; el padrino que está allí para escuchar la voz del esposo, se alegra intensamente al oír su voz. Esta es mi alegría; ahora es completa ya. Conviene que Él crezca y que yo me achique."

Prisión de Juan: Lc 3, 19-20

Pero el tetrarca Herodes[3], que había sido reprendido por él con motivo de Herodías, mujer de su hermano, y con motivo de todas las maldades que había cometido, añadió ésta a las demás maldades: la de encerrar a Juan en la cárcel.

Samaritana: Jn 4, 5-26

Llegó, pues, a una ciudad de Samaria[4], llamada Sicar, cerca de la finca que legó Jacob a su hijo José; allí estaba el pozo de Jacob. Jesús, cansado del camino, se sentó junto al pozo. Eran las doce del mediodía, poco más o menos. Llegó una mujer de Samaria a sacar agua. Jesús le dijo: "Dame de beber." Sus discípulos habían ido a la ciudad a comprar comida. Respondióle la mujer samaritana: "Siendo Tú judío, ¿cómo me pides de beber a mí, que soy samaritana?" (Conviene advertir que los judíos no se trataban con los samaritanos.) Replicóle Jesús: "Si conocieras el don de Dios y quién es el que te dice: Dame de beber, sin duda, le pedirías tú y Él te daría agua viva." "Señor, le

1. Se trataba de un rito que aún no era el Bautismo.
2. Probablemente eran sus discípulos. Era semejante al de Juan.
3. Herodes Antipa.
4. Capital del antiguo reino de Israel.

dijo la mujer, no tienes con qué sacarla y el pozo es profundo[1]; ¿de dónde, pues, vas a sacar el agua viva? ¿Acaso eres Tú más que nuestro padre Jacob, el cual nos dejó el pozo, de donde bebió él, sus hijos y sus ganados?" Respondió Jesús: "Quien bebe este agua sentirá de nuevo la sed. Pero quien beba el agua que yo le dé nunca ya tendrá sed, sino que el agua que yo le dé se hará en él fuente que saltará hasta la vida eterna[2]." "Señor, le dijo la mujer, dame esta agua, para que no tenga sed ni venga aquí a sacarla." Jesús le contestó: "Vete, llama a tu marido y regresa aquí." Respondióle la mujer: "No tengo marido." Díjole Jesús: "Razón tienes al decir que no tienes marido. Porque has tenido cinco y el actual no es tu marido. En esto dices verdad." "Señor, replicó la mujer, veo que eres un profeta. Nuestros antepasados adoraron en este monte; pero vosotros decís que es en Jerusalén donde hay que adorar." Díjole Jesús: "Créeme a Mí, mujer, porque ha llegado ya la hora en que ni en este monte[3], ni en Jerusalén adoraréis al Padre. Vosotros adoráis lo que no conocéis; nosotros adoramos lo que conocemos, pues la salvación viene de los judíos. Pero llega la hora, y es ésta ya, cuando los verdaderos adoradores deben adorarlo con espíritu y sinceridad. Pues éstos son los adoradores que Dios quiere. Dios es espíritu y sus adoradores deben adorarlo con espíritu y sinceridad." La mujer le respondió: "Sé que el Mesías (llamado Cristo) va a venir; cuando Él venga nos lo manifestará todo." "Soy yo, que estoy hablando contigo", le dijo Jesús.

En esto llegaron sus discípulos y se maravillaron de que hablase con una mujer[4]. Sin embargo, ninguno le dijo: "¿Qué preguntas o qué hablas con ella?" Luego, la mujer dejó su cántaro y se fue a la ciudad para decir a los conciudadanos: "Venid a ver a un hombre que me ha dicho cuanto he hecho. ¿Acaso será Éste el Cristo?" Salieron de la ciudad y se encaminaron hacia Él. Mientras tanto, los discípulos lo instaban diciendo: "Maestro, come." Él les respondió: "Yo tengo para comer un manjar que vosotros no conocéis." Los discípulos se decían unos a otros: "¿Alguien le habrá traído de comer?" "Mi alimento, les dijo Jesús, consiste en hacer la voluntad del que me ha enviado y en llevar a cabo su obra." Muchos samaritanos de aquella ciudad creye-

---

1. El pozo está a un kilómetro de Sicar y a dos de Naplús. El pozo tiene treinta metros de profundidad.
2. Hablaba de la Gracia Santificante.
3. Los samaritanos tenían su templo en el monte Garitzín, y los judíos en Jerusalén.
4. Los judíos no solían hablar en público con mujer alguna, aunque fuese su mujer.

ron en Él, fundados en la palabra de la mujer, que afirmaba: "Me descubrió todo cuanto he hecho." Por eso, cuando los samaritanos se presentaron a Jesús le rogaban se quedase con ellos. Y se quedó allí dos días. Y creyeron mucho más al oírle a Él mismo. Y decían a la mujer: "ya no creemos por tu palabra. Nosotros mismos le hemos oído, y sabemos que Él es verdaderamente el Salvador del mundo[1]."

El hijo del oficial: Jn 4, 46-54

Volvió a Caná de Galilea, donde había convertido el agua en vino. Estaba allí un funcionario de la Corte que tenía el hijo enfermo en Cafarnaún[2]. Oyendo que Jesús había venido de Judea a Galilea, fue a su encuentro y le suplicó que bajase a curar a su hijo, que se estaba muriendo. Jesús le dijo: "Si no veis milagros y prodigios no creéis[3]." El funcionario de la Corte le respondió: "Señor, ten la bondad de bajar antes que muera mi hijo." Le replicó Jesús: "Vete, tu hijo está bien'" El hombre creyó en la palabra de Jesús y se alejó. Mientras él caminaba, salieron a su encuentro sus criados para decirle: "Tu hijo está bien." Les preguntó la hora en que había comenzado a sentirse mejor; "ayer, hacia la una del mediodía", respondieron ellos. Comprobó el padre que esa misma era la hora en que Jesús le había dicho: "Tu hijo está bien." Y creyeron en él y toda su familia. Éste fue el segundo milagro realizado por Jesús a su regreso de Judea a Galilea.

Predicación fallida: Lc 4, 16-30

Llegó a Nazaret, donde se había criado, y entró, según costumbre, un sábado en la sinagoga, y se levantó a hacer la lectura[4].

Se le entregó el libro del profeta Isaías, y, al desenrollarlo, halló el pasaje en que está escrito: «El Espíritu del Señor sobre mí, porque me ha consagrado; me ha enviado a predicar la buena nueva a los pobres, a anunciar a los cautivos la liberación, y el don de la vista de los ciegos; a poner en libertad a los oprimidos; a promulgar un año de gracia al Señor» (Is 61, 1; 63, 6). Y enrollado el libro, lo entregó al ordenanza y se sentó. Y los ojos de todos los asistentes a la sinagoga estaban fijos en Él. Comenzó a decirles: "Hoy se ha cumplido esta escritura, en vuestra presencia." Todos se hacían lenguas de Él y se

---

1. Espléndida confesión de fe ecuménica, y más siendo samaritanos.
2. Ciudad comercial junto al lago.
3. Reprochaba su poca fe: necesitaban milagros para creer, como el funcionario.
4. Que había aprendido del rabino.

admiraban de las palabras llenas de gracia que brotaban de sus labios, y decían: "¿No es Éste el hijo de José el carpintero, el Hijo de María y sus hermanos Santiago, José, Judas y Simón? ¿Y sus hermanas no viven entre nosotros? (Mc 6, 3 "Parientes") Haz, aquí, en tu tierra, cuanto hemos oído que has hecho en Cafarnaún." Y añadió: "Tened en cuenta que ningún profeta tiene éxito en su patria. Con seguridad os digo: Muchas viudas había en Israel en tiempo de Elías, cuando el cielo permaneció sin llover por espacio de tres años y seis meses, ocasionando grande hambre en todo el país; sin embargo, a ninguno fue enviado, sino sólo a una viuda que vivía en Sarepta, en el territorio de Sidón. Y muchos leprosos había en Israel en tiempo del profeta Eliseo, y solamente fue curado Naamán, el sirio[1]." Al oír esto, todos los que estaban en la sinagoga se llenaron de cólera. Se levantaron y lo expulsaron de la ciudad y lo llevaron hasta la cima del monte sobre el cual estaba edifdicada su ciudad, con intención de despeñarlo. Mas Él, pasando por entre ellos, se marchó.

"Convertíos": Mt 4, 13-17

Y, dejando Nazaret, fijó su residencia en Cafarnaún, junto al mar, en los confines de Zabulón y Neftalí, para que se cumpliese el oráculo del profeta Isaías: Tierra de Zabulón y tierra de Neftalí, camino de mar, al lado allá del Jordán, Galilea de los gentiles. «El pueblo que yacía en tinieblas ha visto una gran luz, y sobre aquellos que estaban sentados en la región sombría de la muerte se levantó una luz» (Is 9, 1). Desde entonces comenzó Jesús a predicar. Decía: "Convertíos; porque el Reino de los Cielos está cerca."

Pesca milagrosa: Lc 5, 1-11 (Mt 4, 18-22; Mc 1, 16-22)

«Cuando pasaba junto al mar de Galilea vio a Simón y a Andrés, el hermano de Simón, los cuales tenían echadas las redes en el mar, pues eran pescadores.» Encontrándose Jesús una vez a orillas del lago de Genesaret[2], la multitud se apretujaba en torno a Él para oír la palabra de Dios. Y vio dos barcas a la orilla del lago; los pescadores, que habían bajado de ellas, estaban lavando las redes. Subiendo a una de las barcas, que era de Simón, le rogó que se alejase un poco de la

---

1. La admiración se trocó en ira cuando no quiso hacer ningún milagro por su falta de fe, y les reputó menos dignos que los paganos.
2. El lago de Galilea, llamado también de Genesaret o de Tiberíades, tiene 21 kilómetros de largo por 10 de ancho y se halla a 200 metros bajo el Mediterráneo.

tierra y sentándose, adoctrinaba desde la barca a la multitud. Cuando terminó de hablar, dijo a Simón: "Boga mar adentro, y echad vuestras redes para la pesca." Le respondió Simón: "Durante toda la noche[1] hemos trabajado penosamente y no hemos pescado nada, pero, confiando en tu palabra, echaré las redes." Hecho esto, pescaron tal cantidad de peces, que las redes estaban a punto de romperse. E hicieron señas a los compañeros de la otra barca, para que viniesen en su ayuda. Acudieron ellos, y de tal modo llenaron las dos barcas, que casi se hundían. Viendo esto Simón Pedro se echó a los pies de Jesús, diciendo: "¡Aléjate de mí, Señor, porque soy un pecador!" Es que el estupor se había apoderado de él y de todos sus compañeros, por la cantidad de pesca que habían logrado, lo mismo que de Santiago y Juan, hijos de Zebedeo, que eran socios de Simón. Y Jesús dijo a Simón: "Serénate: de ahora en adelante serás pescador de hombres." Y, después de conducir las barcas a tierra, lo abandonaron todo y le siguieron.

Endemoniado: Mc 1, 21-28 (Lc 4, 31-37)

Entraron en Cafarnaún; y llegado el sábado fue a enseñar a la sinagoga, cundiendo la admiración ante sus enseñanzas, pues les adoctrinaba como quien posee autoridad y no al modo de los escribas[2]. Estaba entonces en su sinagoga un hombre poseído de espíritu impuro[3], que vociferó diciendo: "¿Qué tienes que ver Tú con nosotros, Jesús Nazareno? Has venido a aniquilarnos. Sé quién eres Tú, el Santo de Dios." Jesús le intimó diciendo: "Enmudece y sal de él." Y el espíritu impuro, atormentándole y gritando estrepitosamente, salió de él «sin causarle daño alguno». Todos se quedaron atónitos, hasta el punto que se preguntaban unos a otros: "¿Qué es esto? ¡Una enseñanza nueva, llena de autoridad!; pues manda a los espíritus impuros y le obedecen." Pronto su fama llegó a todas partes por las regiones circundantes de Galilea.

Oración de Jesús: Lc 4, 42-44 (Mt 4, 23-25; Mc 1, 35-39)

Al ser de día, todavía de noche, se levantó Jesús, salió y se alejó a un lugar solitario, donde se puso en oración[4]. Tras Él se fueron Simón y sus

---

1. La pesca es de noche y Pedro conocía bien los caladeros.
2. Los escribas recitaban monótamente los textos de las Escrituras.
3. Algunos epilépticos eran tenidos por posesos, pero en éste y otros casos lo eran de verdad. Sólo en el cuerpo.
4. Jesús no oraba por sí, sino por nosotros, a quienes venía a salvar.

compañeros, y al encontrarlo le dijeron: "Todos te andan buscando."
Él les respondió: "Encaminémonos hacia otra parte, a los poblados
cercanos, para predicar yo allí también; pues para eso he salido". Y
cuando dieron con Él, intentaron retenerle a su lado. Mas Él les dijo:
"También debo anunciar la buena nueva del reino de Dios a las demás
ciudades, pues para esto he sido enviado." Y así andaba predicando
por las sinagogas de Judea, por toda Galilea, predicando la buena
nueva del reino y curando toda clase de enfermedades y toda dolencia
en el pueblo y arrojando también a los demonios. Su fama se extendió
a toda Siria; y le traían a todos los que se encontraban mal de cualquier clase de enfermedad y oprimidos por cualquier dolor, endemo-
niados, lunáticos y paralíticos, y los curaba. Y le seguía una gran
muchedumbre de Galilea, de la Decápolis[1], de Jerusalén y del lado allá
del Jordán.

Leproso: Mc 1, 40-45 (Mt 8, 1-4; Lc 5, 12-16)

Se acercó a Él un leproso, invocándole y diciéndole de rodillas,
«cayendo rostro en tierra»: "Si quieres me puedes limpiar." Y Él,
conmovido, extendió la mano y le tocó diciendo: "Quiero, queda limpio." Y al instante se le quitó la lepra, quedando limpio. Luego, con-
minándole, le hizo alejarse con estas palabras: "Mira, no digas a nadie;
sino marcha, muéstrate al sacerdote y, por tu purificación, ofrece lo
que ordenó Moisés, para que sirva de prueba del hecho[2]." Pero él,
cuando marchó, comenzó a publicarlo todo divulgando el hecho, de
modo que Jesús no podía entrar públicamente en ciudad alguna; antes
bien, se quedaba fuera en lugares solitarios; pero de todas pártes venían a Él. «Y acudía numerosa gente a oírle y alcanzar remedio a sus
enfermedades. Mas Él se retira a sitios solitarios y se entregaba a la
oración».

Paralítico: Mt 9, 1-8 (Mc 2, 1-12; Lc 5, 17-26)

Subiendo a una barca, atravesó el lago y vino a su ciudad[3]. Le
llevaron allí un paralítico, acostado en un lecho. «Y tantos se congre-
garon, que ni en el patio cabían. Él les dirigía la palabra. Entonces le
trajeron a un paralítico, transportado por cuatro personas. Y al no

---

1. Región de diez ciudades en la Transjordania.
2. Los leprosos habían de vivir fuera de la ciudad, en cuevas. Si curaban, el sacerdote lo
   había de comprobar.
3. Cafarnaún.

poder presentárselo a causa de la multitud, descubrieron el techo por donde Él estaba y, hecho un agujero, fueron descolgando la camilla en que yacía el paralítico. Al ver Jesús la fe de aquellas personas, le dijo al paralítico: "Hijo mío, tus pecados quedan perdonados." Pero estaban allí sentados algunos escribas que se pusieron a razonar en su interior»: "¡Éste blasfema[1]!" Jesús, conociendo sus pensamientos, dijo: "¿Por qué pensáis mal en vuestros corazones? ¿Qué es más fácil, decir: Perdonados te quedan tus pecados, o decir: Levántate y anda? Pues bien, para que sepáis que el Hijo del hombre tiene poder en la tierra para perdonar los pecados, levántate, dijo entonces al paralítico, toma tu lecho y vete a tu casa[2]." Y él se levantó y se fue a su casa. Al ver esto, las muchedumbres quedaron sobrecogidas de temor y glorificaban a Dios por haber concedido tal poder a los hombres.

Vocación de Mateo: Mt 9, 9-13 (Mc 3, 13-17; Lc 5, 27-32)

Al salir de allí, vio Jesús a un hombre, «publicano[3]», «Leví, hijo de Alfeo», llamado Mateo, sentado a la mesa de recaudación de tributos y le dijo: "Sígueme." Él se levantó al punto y le siguió, «abandonándolo todo, y Leví le ofreció en su casa un gran convite». Estando Jesús sentado a la mesa en su casa, vinieron también muchos publicanos y pecadores, y se sentaron a la mesa con Él y con sus discípulos. Al ver esto los fariseos[4], preguntaban a sus discípulos: "¿Por qué come vuestro Maestro con los publicanos y los pecadores?" Lo oyó Jesús y respondió: "No tienen necesidad de médico los sanos, sino los enfermos. Id y aprended lo que significa: «Prefiero la misericordia al sacrificio» (Os 6, 6). Porque Yo no he venido a llamar a los justos, sino a los pecadores."

Ayuno: Mt 9, 14-17 (Mc 2, 18-22; Lc 5, 33-39)

Entonces, se acercaron a Él los discípulos de Juan «y de los fariseos que guardaban ayuno» y le preguntaron: "¿Por qué nosotros y los discípulos de los fariseos ayunamos, y tus discípulos no ayunan?" Jesús les respondió: "¿Acaso pueden estar tristes los invitados a la boda, mientras está con ellos el esposo? Días vendrán en que les será

---

1. Sólo Dios podía perdonar los pecados.
2. Jesús curó al paralítico como prueba de su divinidad, pues también sólo Dios hace milagros.
3. Publicano o cobrador de impuestos. Eran considerados "públicos pecadores".
4. Eran fanáticos e hipócritas.

quitado el esposo; entonces ayunarán. Nadie echa un remiendo de paño sin abatanar a un vestido viejo, porque la pieza tira del vestido y la rotura se hará mayor. Ni se echa vino nuevo[1] en odres viejos; de lo contrario, se rompen los odres, el vino se derrama y los odres se echan a perder. El vino nuevo se echa en odres nuevos y de este modo los dos se conservan." «Ningún catador de vino añejo quiere el nuevo, porque dice: El añejo es mejor».

El paralítico: Jn 5, 1-13

Después de esto, celebrándose la fiesta de los judíos[2], subió Jesús a Jerusalén. Hay en Jerusalén, junto a la puerta de las Ovejas, una piscina llamada en hebreo, Bezata[3], con cinco pórticos. En estos pórticos yacían muchos enfermos: ciegos, cojos, paralíticos, esperando el movimiento del agua. Pues un ángel del Señor bajaba de cuando en cuando a la piscina y agitaba el agua, quedaba curado de cualquier enfermedad que padeciese. Había allí un hombre que ya llevaba treinta y ocho años enfermo. Viéndolo Jesús acostado y dándose cuenta del mucho tiempo que llevaba así, le dijo: "¿Quieres curarte[4]?" Le respondió el enfermo: "Señor, no tengo a nadie que me arroje a la piscina, al ser agitada el agua; cuando yo intento ir, otro ha bajado ya." Díjole Jesús: "Levántate, toma tu camilla y márchate." Inmediatamente quedó curado este hombre, tomó su camilla y se marchó. Aquel día era sábado. Por eso los judíos decían al recién curado: "Siendo sábado no te está permitido llevar tu camilla." "Quien me ha curado, les respondió, ése mismo me ha dicho: 'Toma tu camilla y márchate'." Le preguntaron: "¿Quién es el que te ha dicho: 'Toma tu camilla y márchate'?" Pero el recién curado no sabía quién era, porque Jesús se había escabullido al amparo de la multitud que había en aquel lugar.

Jesús se declara Dios: Jn 5, 14-18

Más tarde lo encontró Jesús en el templo y le dijo: "Ya ves que has sido curado; no peques más, pues podría acontecerte algo peor[5]." Marchó el hombre y contó a los judíos que era Jesús quien lo había curado. Por eso perseguían los judíos a Jesús, porque realizaba estas

1. Doctrina evangélica, antirritualista judía.
2. La Pascua judía.
3. Alimentada con un manantial de agua termal intermitente.
4. Sólo Jesús podía hacer tal pregunta.
5. Hay enfermedades causadas por los pecados propios.

cosas en sábado. Pero Él les respondió: "Mi Padre sigue trabajando hasta ahora, por eso yo trabajo también." Pero esto sirvió para que los judíos con más ardor intentaran matarlo: Porque no sólo quebrantaba el sábado, sino porque llamaba Padre suyo a Dios, haciéndose igual a Dios[1].

Apología de Jesús: Jn 5, 19-30

"Porque el Padre ama al Hijo y le manifiesta todo cuanto hace; y le comunicará todavía obras mayores que éstas, para que vosotros os maravilléis[2]. Con toda verdad os digo: Quien escucha mi palabra y cree en el que me ha enviado tiene la vida eterna y no es sometido a juicio, pues ha pasado ya de la muerte a la vida. Ciertamente os digo: Va a venir la hora, y ya estamos en ella, en que los muertos oirán la voz del Hijo de Dios y los que la escuchen vivirán. No os maravilléis de esto, pues va a llegar la hora en la cual todos cuantos están en los sepulcros oirán su voz. Y saldrán los que hicieron el bien para la resurrección de la vida; los que hicieron el mal, para la resurrección de la condenación."

"Vosotros examináis las Escrituras[3], porque pensáis en ellas hallar la vida eterna; pues bien, ellas declaran en mi favor. Y no queréis venir a Mí para obtener la vida. Yo no pretendo la gloria de los hombres; además, constato que en vosotros no hay amor de Dios. No penséis que yo os vaya a acusar ante el Padre. Os acusa Moisés, en quien vosotros confiáis. Porque si creyerais a Moisés, me creeríais también a Mí, pues él escribió acerca de Mí. Pero si no creéis en sus escritos, ¿cómo creeréis en mis palabras?"

Sábado: Mt 12, 1-8 (Mc 2, 23-28; Lc 6, 1-5)

En cierta ocasión pasaba Jesús, en sábado, por unos sembrados. Sus discípulos, que tenían hambre, arrancaban espigas y iban comiéndolas. Viéndolos los fariseos, le dijeron: "Mira, tus discípulos hacen lo que no es lícito hacer en sábado[4]." Él les respondió: "Y si hubieseis entendido lo que significa: «Prefiero la misericordia al sacrificio» (Os

---

1. Porque se igualaba con Dios.
2. Por eso no le obliga el sábado. Sus obras le acreditaban. Dominaba los elementos, curaba todas las enfermedades e incluso resucitaba muertos.
3. Pero las interpretaban mal, y las tergiversaban. Rastreaban la letra sin el espíritu de la Ley en el marco de su Mesías, rey temporal, y así se excluían del Reino de Dios.
4. La ley es para el hombre y no al revés. La causística de los fariseos era abundante, habían reducido el sábado a niemiedades ridículas. Impedían hacer el bien al prójimo.

6, 6), no hubieseis condenado a los inocentes. Porque el Hijo del hombre es dueño del sábado." «El sábado fue instituido para el hombre y no el hombre para el sábado.»

Hombre tullido: Mt 12, 9-14 (Mc 3, 1-6; Lc 6, 6-11)

Partiendo de allí entró en su sinagoga «otro sábado». Había allí un hombre, que tenía una mano seca. «Los escribas y fariseos estaban en acecho por ver si realizaba alguna curación en sábado, a fin de tener algo en qué fundar su acusación». Entonces, ellos le hicieron la pregunta siguiente: "¿Es lícito curar en sábado?" «Pero Él, que conocía sus pensamientos, dijo al hombre de la mano seca: "Levántate y ponte en medio"; y levantándose, se mantuvo en pie firme. Jesús les dijo: "Yo os pregunto: ¿Qué es preferible en sábado, hacer bien o mal?, ¿salvar una vida o dejar que se pierda?» Él les respondió: "¿Hay alguno entre vosotros, que, si la única oveja que tiene se le cae en un pozo en sábado, no vaya a recogerla para sacarla? Pues, ¡cuánto más vale un hombre que una oveja! Por eso, es lícito hacer el bien, también en sábado." Después dijo a aquel hombre: "Extiende tu mano." La extendió y volvió a estar sana como la otra. «Y ellos, en el delirio de la insensatez, cambiaban impresiones acerca de lo que convenía hacer con Jesús». Entonces los fariseos, al salir, tuvieron consejo contra Él, sobre el modo de quitarle de en medio.

Curaciones: Mt 12, 15-21 (Mc 3, 7-12)

Jesús, al saberlo, se retiró de allí «En compañía de sus discípulos se retiró Jesús hacia el mar. Una gran muchedumbre le acompañó desde Galilea, mientras que de Judea, de Jerusalén, de Idumea, del otro lado del Jordán y de las regiones vecinas a Tiro y a Sidón venía hasta Él una multitud enorme de gentes, al oír lo que Él hacía. Entonces indicó a sus discípulos que estuviese una lancha a su disposición para no verse impedido por el agolpamiento de las turbas. Porque había curado a muchos, y cuantos llevaban sobre sí el azote de alguna enfermedad irrumpían hacia Él para tocarle[1]. Y los espíritus impuros, cuando le veían, caían a sus pies gritando: "Tú eres el hijo de Dios".» Pero les amonestaba que no le descubriesen: para que se cumpliese el oráculo del profeta Isaías: «"Mirad, éste es mi Siervo, al que he elegi-

---

1. Jesús no era un médico ni un curandero. Si curaba a los enfermos era para ganar sus corazones y sus almas, que para eso había venido a este mundo.

do, mi Amado, en quien se complace mi alma. Yo pondré mi espíritu sobre él, y Él anunciará la justicia a las naciones. No altercará, ni gritará. No se oirá su voz en las plazas. No terminará de romper la caña cascada, ni apagará la mecha humeante hasta que finalmente haga triunfar la justicia. En su Nombre pondrán su esperanza los gentiles".» (Is 42, 1-4).

Vocación de los apóstoles: Lc 6, 12-16 (Mt 10, 1-4; Mc 3, 13-19)

Por aquellos días se fue al monte para orar, y pasaba la noche haciendo oración a Dios[1]. Cuando fue de día, llamó a sus discípulos y escogió de entre ellos a doce, a quienes dio el nombre de apóstoles. «Llamó a los que le pareció bien, llegándose ellos hasta Jesús. Eran doce los que escogió para que permanecieran con Él y para enviarlos a predicar, con poder de arrojar a los demonios»: Simón, a quien puso el sobrenombre de Pedro, y a Andres, su hermano; a Santiago «hijo de Zebedeo, y Juan, el hermano de Santiago, a los que llamó Boanerger, que quiere decir Hijos del trueno»; a Mateo, «el publicano», y a Tomás; a Santiago, el de Alfeo, y a Simón, «el cananeo», llamado Zelotes; a Judas «Tadeo, hermano de Santiago, y Judas Iscariote, que sería el traidor[2]».

Bienaventuranzas: Mt 5, 1-12 (Lc 6, 17-26)

Cuando Jesús vio la muchedumbre, subió al monte y se sentó. Sus discípulos se le acercaron. Y, tomando la palabra, les enseñaba, diciendo:

"Bienaventurados los pobres en espíritu, porque de ellos es el Reino
        de los Cielos.
Bienaventurados los mansos, porque ellos poseerán la tierra.
Bienaventurados los afligidos, porque serán consolados.
Bienaventurados los que tienen hambre y sed de justicia, porque
        serán saciados.
Bienaventurados los misericordiosos, porque alcanzarán misericordia.
Bienaventurados los limpios de corazón, porque verán a Dios.

---

1. Por todos los hombres.
2. Formó el colegio apostólico, y les expuso su programa. La Carta Magna del Evangelio: los pobres, los mansos y afligidos, los misericordiosos y los que lloran, los limpios de corazón y los perseguidos.

Bienaventurados los pacificadores, porque serán llamados hijos de
    Dios.
Bienaventurados los que padecen persecución por causa de justicia[1],
    porque de ellos es el Reino de los Cielos.
Bienaventurados seréis cuando os insulten, cuando os persigan y
    levanten contra vosotros toda clase de calumnias, por mi
    causa.
Alegraos y regocijaos, porque vuestra recompensa será grande en los
    cielos; pues así persiguieron a los profetas, que fueron
    antecesores vuestros."

Maldiciones: Lc 6, 24-26

"Mas, ¡ay de vosotros, los ricos, porque ya habéis recibido vuestro
    consuelo!
¡Ay de vosotros los que estáis hartos ahora, porque padeceréis
    hambre!
¡Ay de los que reís ahora, porque tendréis duelo y lloraréis!
¡Ay, cuando todos los hombres hablen bien de vosotros; porque así
    hacían sus antepasados con los falsos profetas!"

Ministros: Mt 5, 13-16 (Lc 11, 33-34)

"Vosotros sois la sal de la tierra[2]; pero si la sal se hiciese insípida,
¿con qué se la volvería a salar? Para nada sirve, sino para ser arrojada
fuera y ser pisada por los hombres. Vosotros sois la luz del mundo.
Una ciudad situada sobre un monte no puede ocultarse; ni se enciende
una lámpara para colocarla debajo del celemín, sino sobre el candelabro; así alumbra a todos los que están en la casa. Que vuestra luz brille
de modo semejante ante los hombres, para que, viendo vuestras buenas obras, glorifiquen a vuestro Padre que está en los cielos."

Contemplar la Ley: Mt 5, 1-19

"No sigáis pensando que he venido a abrogar la Ley o a los Profetas: no he venido para abrogar, sino para perfeccionar[3]. Porque en

---

1. Mención especial para los perseguidos por la justicia, por motivos de religión, virtud o
   santidad, los mártires, etc.
2. Como la sal que sazona y conserva los alimentos, así vuestra ejemplaridad conservará las
   buenas costumbres; como la luz.
3. La Ley Mosaica quedó abolida, pero la Ley de Dios, Los Mandamientos, rigen para
   siempre y para todos los hombres, pues se fundan en la naturaleza humana.

verdad os digo: Mientras existan el cielo y la tierra, ni un solo ápice o un rasgo de la Ley pasarán sin que todo se haya cumplido. Por consiguiente, cualquiera que quebrante uno de estos mandamientos, aun de los más insignificantes, y enseñe a los otros a hacer lo mismo, será el más pequeño en el Reino de los Cielos."

Formalismo: Mt 5, 20-26

"Porque os aseguro que si vuestra virtud no supera la de los escribas y fariseos[1], no entraréis en el Reino de los Cielos. Habéis oído que fue dicho a los antiguos: «No matarás: aquel que matare, será sometido a juicio» (Ex 20, 13; 21, 12). Pero yo os digo: Todo aquel que se encolerice contra su hermano, será sometido al Sanedrín; el que lo llame "impío", caerá en el infierno. Por eso, si vas a presentar tu ofrenda sobre el altar y allí te acuerdas que tu hermano tiene algo contra ti, deja allí tu ofrenda, delante del altar, y vete primero a reconciliarte con tu hermano. Ven después y ofrece tu don. Arregla amigablemente las cosas con tu enemigo mientras estás con él en el camino, no sea que el enemigo te entregue al juez, el juez te entregue al guardia y te metan en la cárcel. En verdad te digo: No saldrás de allí mientras no hayas pagado el último céntimo."

El sexto: Mt 5, 27-30

"Habéis oído que fue dicho: «No cometerás adulterio» (Ex 20, 14). Pero Yo os digo: Todo aquel que mire a una mujer, deseándola, ha cometido ya adulterio con ella en su corazón. Por tanto, si tu ojo derecho es para ti ocasión de pecado, sácatelo y arrójalo lejos de ti; porque te conviene más que perezca uno de tus miembros, que todo tu cuerpo sea arrojado en el infierno. Y si tu mano derecha es para ti ocasión de pecado, córtala y arrójala lejos de ti; porque te conviene más que perezca uno de tus miembros, que todo tu cuerpo sea arrojado en el infierno[2]."

Matrimonio: Mt 5, 31-32

"También se dijo: «El que repudie a su mujer, déla el acta de separación» (Dt 24, 1). Pero Yo os digo: Todo el que repudia a su mujer,

---

1. Sin Caridad.
2. Expresiones hiperbólicas contra el escándalo pasivo, las ocasiones y peligros. Si es próximo plenamente advertido y consentido ya es pecado.

excepto el caso de concubinato, es causa de que sea inducida a adulterio; y aquel que se casa con una repudiada, comete adulterio."

Juramento: Mt 5, 33-37

"Igualmente habéis oído que fue dicho a los antiguos: «No perjurarás, sino que cumplirás lo que has jurado al Señor» (Ex 20, 7; Nm 30, 2). Pero yo os digo: No juréis en modo alguno: ni por el cielo, porque es trono de Dios; ni por la tierra, porque es el escabel de sus pies; ni por Jerusalén, porque es la ciudad del gran Rey. Tampoco jurarás por tu cabeza; porque eres incapaz de volver blanco o negro uno solo de tus cabellos. Sea, pues, vuestra palabra: sí, cuando es sí; no, cuando es no. Lo que pase de esto viene del espíritu del mal."

Ley del Talión[1]: Mt 5, 38-42 (Lc 6, 2-36)

"Habéis oído que fue dicho: «Ojo por ojo y diente por diente» (Lev 34, 20). Pero Yo os digo: No os venguéis del que os hace mal; mas si alguno te abofetea la mejilla derecha, preséntale la otra. Y al que quiera litigar contigo para quitarte la túnica, déjale también el manto. Y si alguno te requiere para acompañarle kilómetro y medio, vete tres kilómetros con él. Da al que te pida y no vuelvas la espalda al que quiere pedirte prestado, y a quien te quita lo suyo, no se lo reclames."

Malos y buenos: Mt 5, 43-48 (Lc 6, 27-28; 31-36)

"Habéis oído que fue dicho: «Amarás a tu prójimo (Lv 19, 18) y odiarás a tu enemigo[2]». Pero Yo os digo: Amad a vuestros enemigos y orad por aquellos que os persiguen. De este modo seréis hijos de vuestro Padre celestial, porque Él hace salir su sol sobre buenos y malos y hace que llueva sobre justos y pecadores. Porque si amáis a aquellos que os aman, ¿qué recompensa merecéis? ¿Acaso no hacen esto los mismos publicanos[3]? Y si saludáis solamente a vuestros hermanos, ¿qué hacéis de más? ¿Acaso no hacen esto también los paganos? Sed, pues, perfectos, como vuestro Padre celestial es perfecto."

---

1. Es una ley claramente anticristiana.
2. El odio es anticristiano. Debemos amarnos sin distinción alguna porque somos hermanos e hijos de Dios. Amar por amor de Dios se llama caridad.
3. Orar es conversar con Dios.

a) Limosna: Mt 6, 1-4

"Guardaos de hacer vuestras obras buenas delante de los hombres para ser vistos por ellos: de lo contrario perderéis toda recompensa ante vuestro Padre que está en los cielos. Por tanto, cuando des limosna, no permitas que vayan tocando la trompeta delante de ti. Así lo hacen los hipócritas en las sinagogas y en los caminos para ser alabados por los hombres. En verdad os digo: Recibieron su recompensa. Cuando tú des limosna, que tu mano izquierda no sepa lo que hace la derecha, para que tu limosna sea secreta; y tu Padre, que ve lo oculto, te recompensará."

b) Oración: Mt 6, 5-8

"Cuando oréis, no imitéis a los hipócritas: ellos prefieren orar de pie: en las sinagogas y en los ángulos de las plazas, para ser vistos por los hombres. En verdad os digo: Recibieron su recompensa. Tú, cuando quieras orar, retírate a tu habitación, cierra la puerta y ora a tu Padre que está allí, en secreto; y tu Padre, que ve lo oculto, te recompensará. Cuando hagáis oración, no multipliquéis vanamente las palabras como los paganos, pues creen que por su charlatanería serán escuchados. No os asemejéis a ellos, porque vuestro Padre conoce vuestras necesidades antes de que le pidáis."

"Padre nuestro[1]": Mt 6, 9-15

"Orad, pues, de este modo: Padre nuestro, que estás en los cielos, santificado sea tu nombre, venga a tu Reino, hágase tu voluntad así en la tierra como en el cielo. El pan nuestro de cada día dánosle hoy. Perdónanos nuestras deudas, así como nosotros perdonamos a nuestros deudores, y no nos dejes caer en la tentación, mas líbranos del mal. Porque si perdonáis a los hombres sus faltas, vuestro Padre celestial también os perdonará; pero si vosotros no perdonáis a los demás, vuestro Padre tampoco os perdonará vuestras faltas."

Penitencia: Mt 6, 16-18

"Cuando ayunéis, no pongáis una cara tétrica como hacen los hipócritas: desfiguran su aspecto para hacer ver a los demás que ayunan. Con seguridad os digo: Recibieron su recompensa. Tú, cuando ayunes,

---

1. Es la oración divina. Contiene 3 peticiones para el Padre, y 4 para nosotros: pedimos nos libre de todo peligro, y condicionamos nuestro perdón al de los demás.

perfuma tu cabeza y lava tu cara, para no hacer ver a los hombres que ayunas, sino solamente a tu Padre que está allí, en lo secreto, y tu Padre, que ve lo oculto, te recompensará."

Bienes terrenos: Mt 6, 19-23

"No amontonéis tesoros en la tierra, donde la polilla y el cardenillo los destruyen; y los ladrones horadan los muros para robarlos[1]. Amontonad, más bien, tesoros en el cielo; pues allí ni la polilla ni el cardenillo los destruyen, ni los ladrones horadan los muros para robarlos. Porque donde está tu tesoro allí estará tu corazón. La luz del cuerpo es el ojo; por tanto, si tu ojo está sano, todo tu cuerpo estará iluminado. Pero si tu ojo está enfermo, todo tu cuerpo estará en tinieblas. Si, pues, la luz que hay en ti es tinieblas, ¡cómo serán las tinieblas mismas[2]!"

Providencia: Mt 6, 24-33

"Nadie puede servir a dos señores[3]: porque o bien odiará al uno y amará al otro o bien se adherirá al uno y menospreciará al otro. No podéis servir a Dios y a las riquezas. Por eso os digo: No os inquietéis ansiosamente por vuestra vida, pensando qué comeréis o qué beberéis; ni por vuestro cuerpo, con qué le vestiréis. ¿No vale más la vida que el alimento y el cuerpo más que el vestido? Observad las aves del cielo. No siembran, ni siegan, ni recogen en graneros, y, sin embargo, vuestro Padre celestial los alimenta; ¿no valéis vosotros más que ellas? ¿Quién de vosotros, a fuerza de pensar, es capaz de prolongar un momento más su vida? Y, acerca del vestido, ¿por qué os preocupáis con tanta ansiedad? Observad cómo crecen los lirios del campo: No trabajan, ni hilan. Y, sin embargo, Yo os aseguro que ni Salomón, con toda su gloria, se vistió como uno de ellos. Pues bien, si la hierba que hoy está en el campo y mañana es arrojada al fuego, Dios así la viste, ¿cuánto más a vosotros, hombres de poca fe? Por eso, no estéis angustiados, diciendo: '¡Qué comeremos, qué beberemos, con qué nos vestiremos!' Los paganos buscan con ansiedad estas cosas. Buscad, pues, primero el Reino de Dios y su justicia, y todas estas cosas os serán dadas por añadidura[4]."

---

1. Las buenas obras.
2. La mala intención pervierte la obra buena. Y la buena intención salva la mala.
3. Dios y el mundo son incompatibles.
4. Las preocupaciones de la vida no han de apartarnos de Dios.

Fe: Mt 6, 34

"No os inquietéis, pues, por el día de mañana, porque el día de mañana tiene su preocupación propia. A cada día le basta su trabajo[1]."

Juicios: Lc 6, 36-42 (Mt 7, 1-6)

"Sed misericordiosos, como vuestro Padre es misericordioso. No juzguéis y no seréis juzgados; «con el mismo juicio con que vosotros juzguéis, seréis juzgados»; no condenéis y no seréis condenados[2]; perdonad y obtendréis perdón. Dad y se os dará; medida buena, apretada, remecida, desbordante se os echará en vuestro regazo; porque la medida que empleareis con los demás, esa misma se empleará con vosotros." Les propuso también una comparación: "¿Acaso puede un ciego guiar a otro cuego? ¿No caerán ambos en el hoyo? No es el discípulo más que el maestro; sino que el discípulo más adelantado será como su maestro. ¿Por qué te fijas en la brizna que hay en el ojo de tu hermano y no adviertes la viga que está en el tuyo? O ¿cómo te atreves a decir a tu hermano: 'Hermano, deja que saque la brizna que tienes en tu ojo, tú que no ves la viga que hay en el tuyo?' Farsante, saca primero la viga de tu propio ojo, y entonces verás para sacar la brizna que está en el ojo de tu hermano[3].

No deis las cosas santas a los perros ni echéis vuestras perlas a los puercos, no sea que las pisen con sus patas y se vuelvan contra vosotros para morderos[4]."

Oración perseverante: Mt 7, 7-11

"Pedid y se os dará; buscad y hallaréis; llamad y se os abrirá. Porque el que pide, recibe; el que busca, halla; y al que llama, se le abre. ¿Hay alguno que, cuando su hijo le pide pan, le dé una piedra[5]? Y, si le pide un pez, ¿le dé una serpiente? Pues si vosotros, siendo malos, sabéis dar cosas buenas a vuestros hijos, ¡cuánto más vuestro Padre celestial dará cosas buenas a aquéllos que le piden!"

---

1. La Providencia ayuda nuestro trabajo.
2. Sólo Dios puede conocer y juzgar las intenciones.
3. Más fácilmente vemos la pajita, los defectos ajenos, que los nuestros.
4. Los Sacramentos a los indignos.
5. Nuestra oración al Padre es confiada.

Puerta estrecha: Mt 7, 12-14

"Por tanto, haced a los demás todo aquello que quisieseis que os hagan a vosotros. Éste es el contenido de la Ley y de los Profetas. Entrad por la puerta estrecha[1]; porque la puerta ancha y el camino espacioso llevan a la perdición, y son muchos los que caminan por ellos. ¡Qué estrecha es la puerta y qué angosto el camino que lleva a la vida, y qué pocos son los que lo encuentran!"

Falsos profetas: Mt 7, 15-21

"Guardaos de los falsos profetas, que vienen a vosotros disfrazados de ovejas, pero que, en su interior, son lobos rapaces[2]. Por sus frutos los conoceréis. Un árbol bueno no puede producir frutos malos, ni un árbol malo producirlos buenos. El árbol que no produce buen fruto será cortado y arrojado al fuego. Por sus frutos, pues, los conoceréis. No todo el que me dice: '¡Señor, Señor!' entrará en el Reino de los cielos, sino aquel que hace la voluntad de mi Padre que está en los Cielos[3]."

Señor, Señor: Mt 7, 22-33 (Lc 6, 43-46)

"Muchos me dirán en aquel día: 'Señor, Señor, ¿no hemos profetizado en tu Nombre?, ¿no hemos expulsado demonios en tu Nombre?, ¿no hemos hecho muchos milagros en tu Nombre?' Entonces, Yo les diré: Jamás os he conocido. Apartaos de Mí, obradores de iniquidad." «El hombre bueno extrae cosas buenas del tesoro de su corazón; y el malo, del fondo malo, extrae cosas malas; porque su boca habla de lo que está lleno el corazón.»

Sobre roca: Mt 7, 24-29 (Lc 6, 47-49)

"Por eso, todo aquel que escucha estas palabras que acabo de decir y las pone por obra, puede ser comparado a un hombre avisado que edificó su casa sobre roca. Cayó la lluvia, vinieron los torrentes, soplaron los vientos y se desencadenaron contra aquella casa, pero no se hundió; porque estaba cimentada sobre roca. Pero aquel que escucha estas palabras que acabo de decir y no las pone por obra, puede ser

---

1. La casa del Padre tiene una puerta estrecha y escondida. La virtud exige esfuerzo constante.
2. Los falsos profetas y sectas descarrían.
3. Dios mira las obras para entrar en el Cielo.

comparado a un hombre que edificó su casa sobre la arena, «sin fundamento». Cayó la lluvia, vinieron los torrentes, soplaron los vientos y se desencadenaron contra aquella casa y se desplomó, siendo muy grande su ruina[1]." Cuando Jesús terminó este discurso, las turbas quedaron admiradas de su doctrina.

El centurión[2]: Mt 8, 1-13 (Lc 7, 1-10)

Cuando Jesús bajó de la montaña, le seguía una gran muchedumbre de gente. Al entrar en Cafarnaún, se le acercó un centurión, suplicándole, en estos términos: "Señor, mi criado yace en casa, paralítico, y sufre mucho." Jesús le dijo: "Yo iré y le curaré." "Señor, replicó el centurión, yo no soy digno de que entres en mi casa; di solamente una palabra y mi criado quedará curado. Porque también yo, aunque soy un subalterno, tengo soldados a mis órdenes, y digo a uno: Vete, y va; al otro: Ven, y viene; y a mi criado: Haz esto, y lo hace." Al oírle Jesús, quedó admirado y dijo a los que le seguían: "Ciertamente os digo: No he hallado fe tan grande en Israel. Y os aseguro que vendrán muchos de Oriente y de Occidente y se sentarán a la mesa con Abrahán y Jacob, en el Reino de los Cielos; mientras que los hijos del Reino serán arrojados fuera, a las tinieblas. Allí será el llanto y crujir de dientes." Y en aquella misma hora quedó curado el criado.

Viuda de Naín: Lc 7, 11-17

Luego, Jesús se dirigió a una ciudad llamada Naín[3], acompañado de sus discípulos y de buen número de gente. Al llegar cerca de la puerta de la ciudad, sacaban a enterrar a un difunto[4], hijo único de viuda, la cual iba acompañada por mucha gente de la ciudad. Al verla el Señor, sintió compasión hacia ella y le dijo: "No llores[5]." Y acercándose al féretro, lo tocó —y los que lo llevaban se detuvieron— y dijo: "Muchacho, te lo digo, levántate." Y el difunto se incorporó y comenzó a hablar. Y se lo entregó a su madre. Se apoderó de todos el temor, y comenzaron a alabar a Dios, diciendo: "Un gran profeta ha

---

1. Hay muchas religiones en el mundo, pero sólo una es la verdadera, la que fundó Cristo sobre la roca de Pedro, la Católica. Las demás son humanas.
2. Tenía a sus órdenes 100 soldados.
3. (Hebr. = La bella) Cerca de Nazaret, y a 28 kilómetros de Cafarnaún.
4. El cadáver, llevado en angarillas, estaba envuelto en una sábana.
5. El corazón de Jesús se conmovió ante la desgracia de aquella pobre madre.

surgido en medio de nosotros; y Dios ha venido en auxilio de su pueblo."

El precursor: Mt 11, 2-10 (Lc 7, 18-23)

Juan, enterado en la cárcel de las obras de Cristo, envió a sus discípulos para que le preguntasen: "¿Eres Tú el que ha de venir, o debemos esperar a otro?" Jesús les respondió: "Id y anunciad a Juan lo que estáis oyendo y viendo: Los ciegos recobran la vista, los cojos andan, los leprosos son limpiados, los sordos oyen, los muertos resucitan y los pobres son evangelizados[1]. Y bienaventurado aquel que no encuentra en mí ocasión de perdición." Cuando los enviados se marcharon, Jesús se puso a hablar de Juan a la muchedumbre: "¿Qué fuisteis a ver al desierto? ¿Una caña agitada por el viento? Entonces ¿qué fuisteis a ver? ¿Un hombre lujosamente vestido? Los que llevan vestidos lujosos viven en los palacios de los reyes. Entonces, ¿a qué fuisteis? ¿A ver un profeta? Sí, os lo aseguro Yo, y más que un profeta. Porque éste es de quien está escrito: «Mira, Yo envío a mi mensajero delante de Ti, que debe prepararte el camino»." (Mal 3, 1).

Testimonio de Jesús: Mt 11, 11-15 (Lc 7, 24-30)

«En aquel momento curó a muchos de enfermedades y de achaques corporales y espíritus malos, y a muchos ciegos devolvía la vista.»

Quejas: Mt 11, 16-19 (Lc 7, 31-35)

"Ciertamente os digo: Entre los nacidos de mujer no ha aparecido ni uno mayor que Juan Bautista; pero el más pequeño en el Reino de los Cielos es mayor que él[2]. Desde los días de Juan Bautista, el Reino de los Cielos es objeto de violencia y los violentos se apoderan de él. Todos los profetas y la Ley, hasta Juan, han profetizado. Y si lo queréis admitir, él es aquel Elías que ha de venir. El que oye, entienda."

La Pecadora: Lc 7, 36-50

Un fariseo invitó a Jesús a comer con él[3]; entró, pues, en casa del fariseo, y se puso a la mesa. Inmediatamente se presentó una mujer,

---

1. Juan ya sabía que era el Mesías, pero no sus discípulos. Jesús respondió con los milagros mesiánicos anunciados por Isaías.

2. Los justos del Antiguo Testamento aún no habían recibido la Gracia.

que era conocida en la ciudad como pecadora[1]; la cual, enterándose que comía en casa del fariseo, llevó un frasco de alabastro lleno de perfume; y puesta detrás, junto a sus pies[2], llorando, comenzó con lágrimas a bañarle los pies, y con los cabellos de su cabeza se los enjugaba; y los besaba cálidamente y los ungía con el perfume. Viendo esto el fariseo que lo había invitado, se dijo para sí: "Si éste fuera profeta, conocería quién y qué clase de mujer es ésta que le está tocando, pues es una pecadora. Jesús le dijo: "Simón, tengo algo que decirte." "Maestro, dilo", replicó. "Un prestamista tenía dos deudores: Uno le debía quinientos denarios; otro, cincuenta. Como no tenían con qué pagar, les perdonó a ambos. ¿Quién, pues, de ellos lo amará más?" Respondió Simón: "Yo creo que aquel a quien más perdonó" Jesús replicó: "Bien has juzgado." Y, vuelto a la mujer, dijo a Simón: "¿Ves esa mujer? He entrado en tu casa y no me has ofrecido agua para los pies; mas ésta los ha bañado con sus lágrimas y los ha enjugado con sus cabellos. Tú no me has dado el beso de paz; mas ésta, desde que ha entrado, no ha cesado de besar mis pies. Tú no has ungido con aceite mi cabeza; mas ésta ha ungido mis pies con perfume. Por eso, te digo: Ha amado mucho porque se le han perdonado muchos pecados. Mas a quien poco se perdona, poco ama." Y dijo a la mujer: "Quedan perdonados tus pecados." Y los comensales comenzaron a decir en su interior: "¿Quién es éste, que hasta perdona los pecados?" Por fin, dijo a la mujer: "Tu fe te ha salvado; vete en paz."

Santas mujeres: Lc 8, 1-3; Mc 3, 20-21

Luego de esto, pasaba Jesús de ciudad en ciudad y de aldea en aldea, predicando la buena nueva del reino de Dios, y con Él iban los doce, y algunas mujeres[3] que habían sido libradas de espíritus malignos y de enfermedades: María, llamada Magdalena, de la cual habían salido siete demonios. Juana, mujer de Cusa, administrador de Herodes. Susana y otras muchas, las cuales les sostenían con sus bienes. Vuelto Jesús a casa, se congregó de nuevo la muchedumbre, de manera que Jesús y los suyos no podían ponerse a comer.

---

9. Por curiosidad, no por afecto.
1. No era ni la María de Betania, ni la Magdalena de Magdala, ciudad ribereña a quien Jesús había sacado 7 demonios.
2. Los judíos comían recostados.
3. Agradecidas por sus curaciones, le ayudaban con sus limosnas.

Poseso Lc 11, 14-26; Mt 12, 22-27 (Mc 3, 22-30)

Estaba lanzando un demonio mudo «y ciego», y, apenas el demonio salió, habló el mudo; y se admiraban las gentes. Sin embargo, algunos de entre los presentes dijeron: "Mediante el poder de Beelcebul, jefe de los demonios, arroja los demonios[1]." Otros, con ánimo de tentarlo, requerían de Él un milagro procedente del cielo. Él, conociendo sus pensamientos, les dijo: "Todo reino en lucha consigo mismo va a la ruina y cae una casa tras otra, Y si Satanás está en lucha consigo mismo, ¿cómo va a permanecer su reino? Porque decís mediante el poder de Beelcebul arrojo Yo los demonios. Y si arrojo Yo los demonios mediante el poder de Beelcebul, ¿mediante qué poder los arrojan vuestros hijos? Por eso, ellos mismos os dilucidarán la cuestión. Mas si con el poder de Dios lanzo los demonios, quiere decir que ha llegado ya a vosotros el reino de Dios.

Contra el Espíritu Santo: Mt 12, 31-37 (Mc 3, 28-30)

"Por eso, Yo os digo: Todos los pecados y blasfemias serán perdonados a los hombres, pero la blasfemia contra el Espíritu[2] no será perdonada. ¿Cómo podéis vosotros decir cosas buenas, siendo malos?; porque de la abundancia del corazón habla la boca. El hombre bueno, de su buen corazón saca cosas buenas, y el hombre malo, de su mal corazón saca cosas malas. Y yo os digo que, en el día del Juicio, los hombres deberán dar cuenta de toda la palabra inútil. Porque por tus palabras serás reconocido justo y por tus palabras serás condenado."

Signo de Jonás: Mt 12, 38-42 (Lc 11, 29-32)

Entonces, algunos escribas y fariseos le replicaron: "Maestro, nosotros queremos ver un milagro hecho por Ti." Pero Él les respondió: "esta raza mala y adúltera reclama un milagro[3]; pero no le será dado otro, sino el del profeta Jonás. Porque, como Jonás estuvo tres días y tres noches en el vientre del cetáceo, así el Hijo del hombre estará tres días y tres noches en el seno de la tierra[4]. Los ninivitas resucitarán el día del juicio al mismo tiempo que esta raza, y la condenarán; porque

---

1. Era la mayor injuria que podían inferirle, pues había venido precisamente para destruir su imperio.
2. El pecado contra el Espíritu Santo era atribuir al demonio las expulsiones del diablo que Jesús realizaba.
3. Necesitaban milagros para creer.
4. Anuncio de su Resurrección.

ellos se convirtieron por la predicación de Jonás; y aquí hay alguien más grande que Jonás. La reina del Mediodía resucitará el día del juicio al mismo tiempo que esta raza, y la condenará; porque ella vino desde los últimos confines de la tierra para escuchar la sabiduría de Salomón; y aquí hay alguien más que Salomón."

Lámpara del cuerpo: Lc 11, 33-36 (Mc 6, 22-24)

"Nadie que enciende la lámpara la pone en sitio oculto o debajo del celemín, sino sobre el candelero, para que los que entren vean el resplandor. La lámpara del cuerpo es tu ojo. Si tu ojo está sano, también todo tu cuerpo está bañado de luz; mas cuando está enfermo, también todo tu cuerpo está sumido en tinieblas[1]. Procura que la luz que hay en ti no sea oscuridad. Pues si todo tu cuerpo está iluminado, sin tener parte alguna oscura, todo él brillará, como cuando la lámpara te ilumine con su fulgor."

Parientes de Jesús: Mt 12, 46-50 (Mc 3, 31-35; Lc 8, 19-21)

Todavía estaba hablando a las muchedumbres, cuando llegaron su Madre y sus parientes, que se quedaron fuera, y deseaban hablar con Él, (Lc) «y no podían llegar hasta Él, a causa del gentío». (Mc) «La muchedumbre se había acomodado alrededor.» Alguien le dijo: "Mira, tu Madre y tus hermanos están fuera y desean hablar contigo[2]." Él respondió al que se lo había anunciado: "¿Quién es mi Madre y quiénes son mis parientes?" Y extendiendo la mano hacia sus discípulos «y mirando a los que hacían corro a su alrededor», dijo: "Éstos son mi Madre y mis parientes. Porque mi Madre y mis parientes son aquéllos que hacen la voluntad de mi Padre, que está en los cielos[3]."

Sembrador: Lc 8, 4-8 (Mt 13, 1-19; Mc 4, 1-9)

Habiéndose reunido gente que había llegado a Él de todas las ciudades, díjoles en parábolas: "Salió un sembrador a sembrar su simiente. Y mientras sembraba una parte cayó junto al camino, donde fue pisoteada y los pájaros del cielo se la comieron. Otra parte, en tierra rocosa, y, apenas nacida, se secó por falta de tempero. Otra parte cayó entre las espinas, que crecieron al mismo tiempo y la ahogaron.

1. Si tu ojo está limpio, todo lo verás limpio. Si está sucio, todo lo verás sucio.
2. Es un hebraísmo. Los judíos llamaban a los primos o sobrinos, hermanos. Los llamados hermanos eran primos.
3. Nadie como María hizo la voluntad del Padre con el "sí" de la Encarnación.

Otra parte cayó en buen terreno y, una vez crecida, produjo el ciento por uno." Dicho esto, exclamó: "Quien tenga oídos para oír, que oiga[1]."

Explicación de la parábola: Lc 8, 9-15 (Mt 13, 10-23; Mc)

Preguntábanle sus discípulos qué significaba la parábola. Él contestó: "A vosotros ha sido concedido conocer los misterios del reino de Dios; pero a los demás se habla en parábolas, de forma que viendo no vean y oyendo no entiendan." Éste es el significado de la parábola: La simiente es la palabra de Dios. Los granos caídos junto al camino son aquellos que oyen, pero luego viene el diablo y arrebata la palabra de su corazón, para que no crean y se salven. Los granos caídos en terreno rocoso son aquellos que cuando oyen acogen con gozo la palabra, pero no tienen raíces; crecen durante algún tiempo, pero cuando viene la prueba, sucumben. El grano caído entre zarzas representa a aquellos que escuchan, pero andando el tiempo se ven asfixiados por las preocupaciones, las riquezas y los placeres de la vida, y no llegan a dar fruto maduro. El grano caído en terreno bueno indica aquellos que habiendo escuchado la palabra con noble y virtuoso corazón, la conservan y hacen fructificar mediante su constancia.

Sentencias: Lc 8, 16-18 (Mc 4, 21-25)

"Nadie enciende una lámpara para cubrirla con una vasija o ponerla debajo de la cama, sino que la pone sobre un candelero[2], porque no hay nada escondido que no termine por descubrirse, ni nada secreto que no acabe por ser conocido y puesto en claro. Considerad; pues, el modo cómo escucháis."

Grano que crece: Mc 4, 26-29

Decía también: "El Reino de Dios es algo así como si un hombre esparciera la semilla en la tierra[3]. Él puede dormir o estar levantado noche y día. La semilla germina y se desarrolla de un modo que él desconoce. La tierra da sus frutos espontáneamente: Primero hierba, luego espiga, finalmente grano lleno en la espiga. Y cuando el fruto lo permite, se echa mano de la hoz, pues ha llegado el tiempo de la siega."

---

1. El fruto depende de las disposiciones de cada uno.
2. Para que ilumine.
3. Se siembra, pero quien da el crecimiento es Dios. Así es la Iglesia, va creciendo.

El trigo y la cizaña: Mt 13, 24-30

Les propuso otra parábola: "El Reino de los Cielos es semejante a un hombre que había sembrado buena semilla en su campo. Mientras su gente dormía, vino su enemigo y sembró cizaña[1] en medio del trigo y se fue. Cuando el trigo creció y apareció la espiga, entonces apareció también la cizaña. Los criados del dueño de la casa vinieron a decirle: 'Señor, ¿no sembraste buena semilla en tu campo? ¿Cómo, pues, tiene cizaña?' Él les respondió: 'Esto lo ha hecho algún enemigo mío' Los criados le preguntaron: '¿Quieres que vayamos a arrancarla?' 'No, les respondió, no sea que, al arrancar la cizaña, arranquéis juntamente con ella el trigo. Dejad que crezcan los dos juntos hasta la siega, y, al tiempo de la siega, diré a los segadores: Recoged primero la cizaña y atadla en haces para quemarla; en cuanto al trigo, recogedlo en mis graneros[2]'."

Entonces, dejando las turbas, se volvió a casa. Se le acercaron los discípulos y le dijeron: "Explícanos la parábola de la cizaña en el campo." Él, tomando la palabra, dijo: "El que siembre la buena semilla es el Hijo del hombre; el campo es el mundo; la buena semilla son los hijos del Reino; la cizaña, los hijos del maligno; el enemigo que la siembre es el diablo; la siega es el fin del mundo y los segadores los ángeles. Pues, del mismo modo que es recogida la cizaña y quemada en el fuego, así será el fin del mundo. El Hijo del hombre mandará a sus ángeles que quitarán de su Reino todos los escándalos y obradores de la iniquidad, y los arrojarán al horno ardiente: Allí será el llanto y crujir de dientes. Entonces los justos brillarán como el sol, en el Reino de su Padre. El que oye, entienda."

Mostaza y fermento: Mt 13, 31-35 (Mc 4, 30-34; Lc 13, 18-21)

Les propuso otra parábola: "El Reino de los Cielos es semejante a un grano de mostaza que toma un hombre y siembre en su campo. Es la más pequeña entre todas las semillas; pero, una vez que se ha desarrollado, es la más grande de todas las hortalizas. Y llega a hacerse arbusto, de modo que las aves del cielo vienen a posarse en sus ramas." Les dijo otra parábola: "El Reino de los Cielos es semejante a un poco de fermento que toma una mujer y lo mezcla con tres medidas de harina, hasta que

---

1. En este mundo estamos mezclados, buenos y malos; al final seremos separados.
2. El demonio tiene sus agentes sembradores de cizaña. Dios tiene paciencia hasta el fin del mundo, en que cada uno recibirá su merecido.

todo ha fermentado[1]." Todas estas cosas dijo Jesús en sus parábolas a las multitudes.

Tesoro: Mt 13, 44-46

"El Reino de los Cielos es semejante a un tesoro escondido en el campo. El hombre que lo encuentra vuelve a ocultarlo, y, en su alegría, va, vende cuanto tiene y compra aquel campo. También es semejante el Reino de los Cielos a un mercader que anda en busca de perlas preciosas. Cuando encuentra una de gran valor, va, vende todo lo que posee y la compra[2]."

Red: Mt 13, 47-52

"También es semejante el Reino de los Cielos a una red que, echada en el mar, recoge toda clase de peces. Cuando está llena, los pescadores la sacan a la orilla, se sientan, recogen los buenos en canastas y tiran los malos. Así ocurrirá al fin del mundo[3]. Vendrán los ángeles y separarán los malos de en medio de los justos, y los arrojarán en el horno ardiente. Allí será el llanto y crujir de dientes. ¿Habéis entendido todo esto?" "Sí", le contestaron.

Tempestad: Mt 8, 23-27 (Mc 4, 35-40; Lc 8, 22-25)

Cuando subió a la barca, sus discípulos le siguieron. Y sucedió que una gran tempestad se desencadenó en el mar, hasta tal punto que las olas cubrían la barca. «Jesús estaba en la popa, durmiendo sobre una almohada.» Entonces, ellos se acercaron y le despertaron, diciendo: "¡Señor, sálvanos, que pereceremos!" Y les dijo: "¿Por qué tenéis tanto miedo, hombres de poca fe?" Él se levantó, mandó a los vientos y al mar, y se hizo una gran calma. Los hombres quedaron admirados y se decían: "¿Quién es éste a quien también obedecen el viento y el mar[4]?"

---

1. Los cristianos han de ser fermento y levadura con el ejemplo de su vida.
2. Para hacerse con el Reino de los Cielos hay que desprenderse de todo, aun la propia vida. Su valor no tiene precio.
3. Será el desenlace y el destino final de cada uno.
4. El mar de la vida tiene sus tempestades. Jesús se hace el dormido, pero al final nos salva. Él domina todos los elementos naturales. Los milagros son para Él cosa normal.

Jairo y la hemorroísa: Mt 9, 18-26 (Mc 5, 21-43; Lc 8, 40-46)

Mientras les estaba diciendo estas cosas, se le acercó uno de los jefes, «llamado Jairo», de la sinagoga y se prosternó a sus pies, diciendo: "Mi hija acaba de morir; pero ven, impón Tu mano sobre ella y vivirá." Jesús se puso en camino y le siguió con sus discípulos. Entre tanto, una mujer, que padecía flujo de sangre hacía doce años, se acercó por detrás y le tocó la orla del vestido[1]; porque ella se decía: "Solamente con tocar su vestido seré curada." Cuando llegó Jesús a la casa del jefe de la sinagoga y vio a los flautistas y a la muchedumbre alborotada, dijo: "Retiraos, porque la niña no está muerta, sino dormida[2]." Y se mofaban de Él. Cuando la muchedumbre fue echada fuera, entró, la cogió de la mano y se levantó la niña. Esta noticia se difundió por toda aquella región.

Ciegos y endemoniados: Mt 9, 27-34

Al salir Jesús de allí, dos ciegos le seguían diciéndole a gritos: "Hijo de David, ten piedad de nosotros." Cuando entró en casa, los dos ciegos vinieron a Él. Jesús les preguntó: "¿Creéis que Yo puedo hacer esto?" "Sí, Señor', le respondieron. Entonces, tocó sus ojos, diciendo: "Hágase según vuestra fe." Y sus ojos se abrieron. Entonces, Jesús les amonestó severamente: "Mirad que nadie lo sepa." Pero ellos apenas salidos, lo dieron a conocer por toda aquella región.

Enfermos: Mt 9, 35-38

Jesús recorría las ciudades y aldeas, enseñando en sus sinagogas, predicando la buena nueva del Reino y curando toda clase de enfermedades y dolencias[3]. Y, a la vista de las muchedumbres, se movió a compasión por ellas, porque estaban fatigadas y abatidas, como ovejas sin pastor. Entonces dijo a sus discípulos: "La mies es mucha, pero los obreros son pocos. Rogad, pues, al Señor de la mies que envíe obreros a su mies[4]."

---

1. La angustiada mujer no quiso mostrarse a Jesús, era impureza legal, pero tenía fe y quedó curada.
2. La niña estaba muerta y resucitó. La vida es un sueño y la muerte un despertar.
3. Jesús curaba las enfermedades del cuerpo para curar las enfermedades y heridas del alma.
4. Necesita colaboradores.

Misión de los Apóstoles: Mt 10, 1 (Mc 6, 6-7; Lc 9, 1-2)

Llamando a Sí a sus doce discípulos, les dio poder para expulsar los espíritus inmundos, «sobre todos los demonios», y curar toda clase de enfermedad y toda dolencia. «Y los envió de dos en dos a predicar el Reino de Dios[1].»

Instrucción de los Apóstoles: Mt 10, 5-10 (Mc 6, 7-11)

A estos doce, Jesús los envió, después de haberles dado las instrucciones siguientes: "No vayáis a los gentiles y no entréis en ciudades de samaritanos. Id primero a las ovejas perdidas de la casa de Israel. Id y predicad, diciendo: 'El Reino de los Cielos está cerca'. Curad a los enfermos, resucitad a los muertos, limpiad a los leprosos, expulsad a los demonios. Vosotros lo habéis recibido gratuitamente; dadlo gratuitamente. No llevéis oro, ni plata, ni cobre en vuestro cinto; ni saco de viaje, «ni pan», ni dos túnicas, ni sandalias, ni bastón, porque el obrero tiene derecho al sustento."

Enviados: Mt 10, 11-15 (Lc 9, 3-5)

"Cuando lleguéis a una ciudad o a un pueblo, informaos si hay alguna persona digna, y permaneced allí hasta que partáis. Al entrar en la casa, invocad sobre ella la paz[2]. Si la casa es digna, descienda sobre ella vuestra paz; si no es digna, que vuestra paz vuelva a vosotros. Y si no os reciben ni escuchan vuestras palabras, al salir de la casa o de la ciudad aquella, sacudid el polvo de vuestros pies, «como señal de protesta contra ellos». Con certeza os digo: En el día del juicio, Sodoma y Gomorra tendrán una suerte más tolerable que aquella ciudad."

Persecución: Mt 10, 16-23

"Mirad que os envío como ovejas en medio de lobos; sed, pues, prudentes como las serpientes y sencillos como las palomas. Tened cuidado con los hombres: Os llevarán a los tribunales del Sanedrín y os azotarán en sus sinagogas. Seréis llevados a los gobernadores y a los reyes por mi causa, para dar testimonio ante ellos y ante los gentiles[3]. Y cuando os hayan entregado, no os angustiéis pensando cómo

---

1. Al tiempo que les enviaba a predicar les dio los poderes carismáticos para toda clase de milagros en su nombre. Primero al pueblo de Israel.
2. Significaba toda clase de bienes.
3. Los millones de mártires son una prueba de ello.

hablar o qué decir: porque se os dará en aquel momento lo que debéis decir. Porque no sois vosotros los que habláis entonces, sino el Espíritu de vuestro Padre que habla en vosotros[1]. El hermano entregará al hermano a la muerte; el padre a su hijo; y los hijos se levantarán contra los padres y los harán morir. Seréis odiados por todos a causa de mi Nombre, pero el que haya perseverado hasta el fin será salvo."

Discípulos: Mt 10, 24-27

"No está el discípulo por encima del maestro[2], ni el siervo por encima del señor. Basta al discípulo ser como su maestro, y al siervo como su señor: Si al dueño de la casa le han llamado Beelcebul, ¡cuánto más a sus familiares! Por consiguiente, no los tengáis miedo; porque nada hay oculto que no llegue a manifestarse, y nada hay en secreto que no llegue a conocerse. Lo que os digo en la oscuridad, decidlo a plena luz; y lo que se os dice al oído, predicadlo sobre los tejados."

No temáis: Mt 10, 28-33

"No tengáis miedo a los que matan el cuerpo, pero no pueden matar el alma; temed más bien, a Aquél que puede hacer que el alma y el cuerpo perezcan en el infierno. ¿No se venden dos pájaros por unos céntimos? Y, sin embargo, ni uno solo cae en tierra sin la permisión de vuestro Padre. En cuanto a vosotros, hasta los cabellos de vuestra cabeza están todos contados. Por consiguiente, no temáis; ¿no valéis mucho más que los pájaros? Al que me defienda ante los hombres[3], Yo le defenderé también ante mi Padre, que está en los cielos. Al que me niegue ante los hombres, Yo le negaré también ante mi Padre, que está en los cielos."

Abnegación: Mt 10, 34-39

"No creáis que he venido a traer paz a la tierra; no he venido a traer paz, sino guerra. He venido a separar al hijo de su padre, a la hija de su madre, a la nuera de su suegra; de tal modo que los enemigos del hombre serán los de su propia casa. El que ama al padre o a la madre más que a Mí, no es digno de Mí; y el que ama a su hijo o a su hija

---

1. Los cristianos no deben temer las persecuciones, Dios está con ellos.
2. Nadie puede superar al Maestro Jesús.
3. Muchos son víctimas de los respetos humanos. Jesús no quiere cobardes, sino valientes.

más que a Mí, no es digno de Mí[1]. El que no toma su cruz y me sigue, no es digno de Mí. El que intenta conservar para sí su vida, la perderá; y el que la pierde por mi causa, la hallará."

Recompensa: Mt 10, 40-42

"El que os recibe a vosotros, me recibe a Mí; y el que me recibe a Mí, recibe al que me ha enviado. El que recibe a un profeta, porque es profeta, tendrá recompensa de profeta; el que recibe a un justo, porque es justo, tendrá recompensa de justo. Y el que diere de beber a uno de estos pequeños, porque es mi discípulo, un vaso de agua fresca, os aseguro que no quedará sin recompensa."

Predicación: Mc 6, 12-13 (Mt 11, 1; Lc 9, 6)

Y partiendo, predicaron para que las gentes se convirtieran. Y arrojaron muchos demonios «Por todas partes», y a muchos enfermos los curaron ungiéndolos con aceite[2].

Herodes[3]: Mc 6, 14-16 (Mt 14, 1-2; Lc 9, 7-9)

Las noticias de Jesús llegaron hasta el rey Herodes, pues su nombre se había hecho famoso. Decían las gentes: "Juan el Bautista ha resucitado de entre los muertos, y por ello se realizan en él tales maravillas". Otros, en cambio, decían: "Es Elías". Y otros: "Es un profeta como los otros profetas". Pero Herodes, habiendo oído esto, dijo: "Es Juan mismo, a quien yo hice decapitar, que ha resucitado."

Martirio de Juan: Mc 6, 17-29 (Mt 14, 3-12)

Pues, efectivamente, el mismo Herodes había hecho prender a Juan y le había encadenado en la prisión, por causa de Herodías, la esposa de Filipo, su hermano, con la cual se había casado. Porque Juan decía a Herodes: "No te es lícito tener a la mujer de tu hermano." Por lo cual Herodías le guardaba rencor y deseaba matarlo, aunque no podía, pues Herodes sentía respeto hacia Juan, ya que lo consideraba hombre santo y justo, y procuraba protegerlo. Y, cuando le oía, se llenaba de perplejidad, aunque lo escuchaba de buen grado. Habiendo llegado a un día propicio, cuando Herodes, con ocasión de su cum-

---

1. Hay que amar a Dios más que a todas las cosas y aun más que a nuestra propia vida.
2. La Iglesia ha visto en estas unciones de los Apóstoles el origen simbólico del sacramento de la Santa Unción.
3. Herodes Antipa.

pleaños, dio un convite a sus magnates, a los tribunos y a los principales de Galilea, entró la hija de la dicha Herodías y con su danza agradó a Herodes y a sus comensales. Y dijo entonces el rey a la joven: "Pídeme lo que quieras y yo te lo daré." Y le juró[1]: "Te daré lo que me pidas, aunque sea la mitad de mi reino." Ella, saliendo de allí, le dijo a su madre: "¿Qué pediré?" Ésta le contestó: "La cabeza de Juan el Bautista." Y volviendo con toda prisa hasta el rey, le expresó su petición: "Quiero que ahora mismo me des en una bamdeja la cabeza de Juan el Bautista." Se entristeció el rey, pero no quiso negarle lo que pedía, a causa del juramento y de la presencia de los invitados. Enviando luego el rey un verdugo, le mandó traer la cabeza de Juan. Fue el verdugo y le decapitó en la cárcel, y trajo su cabeza en una bandeja y la dio a la muchacha, que a su vez la entregó a su madre. Y habiéndose enterado los discípulos de Juan, vinieron y tomaron su cadáver, colocándolo en un sepulcro. «Después fueron a anunciárselo a Jesús[2].»

Primera multiplicación de los panes: Jn 6, 1-15 (Mt 14, 13-23; Mc 6, 30- 46; Lc 9, 10-17)

Después Jesús pasó al otro lado del mar de Galilea y de Tiberíades. Le seguía una gran muchedumbre, porque habían visto los milagros obrados en los enfermos, «y desde todas las ciudades corrieron a pie hasta aquel lugar». Subió Jesús al monte y allí se sentó en compañía de sus discípulos. Se acercaba ya la Pascua, la fiesta de los judíos. Levantando Jesús los ojos y viendo que venía hacia Él una gran multitud, «compadeciéndose de ellos, pues andaban como ovejas sin pastor, y comenzó a adoctrinarles en muchas cosas», dijo a Felipe: "¿Dónde podremos comprar pan para que coman éstos?" Esto lo decía para probarle, pues Él ya sabía lo que convenía hacer. Le respondió Felipe: "Doscientos denarios no bastan para que cada uno tome un poco." Dícele uno de sus discípulos, Andrés, hermano de Simón Pedro: "Hay aquí un muchacho que tiene cinco panes de cebada y dos peces, pero ¿qué es esto para tanta gentre?" Respondió Jesús: "Mandad que los hombres se sienten." Había mucha hierba verde en aquel sitio. Se sentaron, pues, los hombres, en número de cinco mil[3]. «Se colocaron en grupos de cien y de cincuenta.» Tomó luego Jesús los panes, y, después de dar gracias, los repartió entre los que estaban

---

1. El juramento era inválido por ser cosa mala.
2. Juan selló con su sangre la verdad que predicaba. Fue el último de los Profetas.
3. Venían de todas partes para ver sus milagros y doctrina, y por la proximidad de la Pascua.

recostados; igualmente hizo con los peces, repartiéndolos cuanto quisieron. Cuando ya estuvieron satisfechos, dijo a sus discípulos: "Recoged los trozos sobrantes para que nada se desperdicie." Los recogieron, pues, y llenaron doce cestos con los trozos de los cinco panes de cebada que habían sobrado a los que habían comido «y de los peces que sobraron, hasta llenar doce cestas. Los que comieron de los panes eran unos cinco mil hombres». Cuando los hombres vieron el milagro que había hecho, dijeron: "Éste es realmente el Profeta que había de venir al mundo." Mas Jesús, conociendo que vendrían a llevarlo por la fuerza para proclamarlo rey, se retiró de nuevo Él solo al monte «a orar» «en particular[1]».

Sobre las aguas: Mc 6, 47-52 (Mt 24-34; Jn 6, 16-21)

Cuando se hizo de noche, estaba la barca en medio del mar, quedando Él solo en tierra. Y viéndoles remar con enorme esfuerzo por serles contrario el viento, se llegó a ellos hacia las cuatro de la mañana, caminando sobre el mar[2] y como queriendo pasar de largo junto a ellos. Ellos, al verle caminando sobre el mar, pensaron que era un fantasma y se pusieron a gritar, pues todos le vieron y se llenaron de espanto. Pero Él habló con ellos en seguida, diciéndoles: "No perdáis el ánimo; soy Yo; no temáis." «Le respondió Pedro: "Señor, si eres Tú, mándame ir a ti sobre las aguas", y llegó cerca de Jesús. Pero, ante la violencia del viento, le entró miedo. Entonces comenzó a hundirse y gritó: "Señor, sálvame[3]". E inmediatamente, Jesús extendió la mano, le cogió y le dijo: "Hombre de poca fe, ¿por qué has dudado?"» Y subió a la barca al lado de ellos, apaciguándose el viento; de modo que llegó al colmo su estupefacción, pues no se percataron cabalmente de lo sucedido con los panes, estando como estaba embotado su corazón. «Y los que estaban en la barca se postraron ante Él diciendo: "Verdaderamente, Tú eres el Hijo de Dios[4]".»

Comisteis pan: Jn 6, 22-26

Al día siguiente la multitud, que había quedado en la orilla opuesta, se dio cuenta de que allí no había habido más que una barca y que

---

1. Este espectacular milagro parecía suficiente para acreditarlo como Mesías, por eso querían proclamarlo rey.
2. Los alcanzó caminando sobre el mar.
3. Sólo en medio del mar dudó.
4. Al salir de su asombro le adoraron.

Jesús no había entrado en ella con sus discípulos, sino que sus discípulos habían marchado solos. Llegaron unas barcas de Tiberíades, de junto al lugar donde comieron el pan, después de dar gracias al Señor. Cuando la gente vio que ni Jesús ni sus discípulos estaban allí, subieron a las barcas y se dirigieron a Cafarnaún en busca de Jesús[1]; y encontrándolo en esta orilla del mar, le dijeron: "Maestro, ¿cuándo has llegado aquí[2]?" Jesús les respondió: "Con certeza os digo: Vosotros me venís buscando, no porque habéis visto los prodigios, sino porque habéis comido pan hasta hartaros."

Pan espiritual: Jn 6, 27-33

"Afanaos por conseguir, no el alimento perecedero, sino el alimento que permanece hasta la vida eterna[3], el cual os dará el Hijo del hombre, a quien el Padre, que es Dios, ha avalado con su sello." Preguntáronle entonces: "¿Qué debemos hacer para ejecutar las obras de Dios?" Les respondió Jesús: "Esta es la obra de Dios, que creáis en Aquel que Él ha enviado." Replicáronle: "¿Y qué prodigios haces Tú para que, al verlos, te creamos? ¿Qué haces Tú? Nuestros antepasados comieron el maná en el desierto, según afirma la Escritura: «Les dio a comer pan del cielo» (Ps 78, 24)." Jesús les replicó: "Con toda verdad os digo: No os dio Moisés el pan del cielo, sino que es mi Padre quien os da el verdadero pan del cielo. Porque el pan de Dios es el que baja del cielo y da vida al mundo[4]."

Soy pan de vida: Jn 6, 34-39

"Señor, le suplicaron, danos siempre este pan." Les contestó Jesús: "Yo soy el pan de vida; quien viene a Mí, no tendrá más hambre, y quien cree en Mí no tendrá jamás sed. Sin embargo, vosotros, como ya os he dicho, me habéis visto y no habéis creído. Todos cuantos el Padre me ha dado vendrán a Mí y no desecharé a quien quiera que venga a Mí, porque he bajado del cielo, no para hacer mi voluntad, sino para cumplir la voluntad del que me ha enviado. Esta es la voluntad del que me ha enviado, que nada pierda Yo de cuanto me ha dado, sino que lo resucite en el último día."

---

1. La gente le seguía por todas partes, por tierra y por mar.
2. Al encontrarlo en la otra orilla quedaron asombrados.
3. El Pan Eucarístico.
4. Al recordar la multiplicación les dijo: "Vuestros padres comieron maná y murieron. Yo soy el Pan bajado del Cielo. Quien se alimente de este Pan no morirá jamás".

Murmuraciones: Lc 6, 40-47

"La voluntad de mi Padrte es que todo el que ve al Hijo y cree en
Él, tenga la vida eterna y Yo le resucite en el último día." Se levantó
entre los judíos un murmullo acerca de Él, porque había dicho: "Yo
soy el pan que ha bajado del cielo", y comentaban: "¿No es éste Jesús,
el hijo de José, cuyos padres conocemos bien? ¿Cómo ahora dice: He
bajado del cielo?" Les respondió Jesús: "No cuchicheéis entre vosotros. Nadie puede venir a Mí si el Padre, que me ha enviado, no lo
impulsa, y Yo le resucitaré en el último día. Está escrito en los Profetas: «Todos serán discípulos de Dios» (Is 54, 13). Todo el que oye al
Padre y recibe mi enseñanza viene a Mí. No es que alguien haya visto
al Padre, sino el que ha venido de parte de Dios. Éste ha visto al
Padre. Con toda seguridad os digo: Quien cree tiene la vida eterna[1]."

Eucaristía: Jn 6, 48-55

"Yo soy el pan de vida. Vuestros antepasados comieron el maná
en el desierto y murieron. Este es el pan que baja del cielo, para que
no muera quien come de él. Yo soy el pan vivo, el que baja del cielo;
quien coma de este pan viviará eternamente, y el pan que Yo daré es mi
carne, en favor de la vida del mundo[2]. Discutían los judíos entre sí
preguntándose: "¿Cómo puede Éste darnos su carne a comer?" Jesús
les insistió: Ciertamente os digo que si no comiereis la carne del Hijo
del hombre y no bebieréis su sangre, no tendréis vida en vosotros.
Quien come mi carne y bebe mi sangre tiene la vida eterna y Yo le
resucitaré en el último día. Porque mi carne es verdadera comida y mi
sangre verdadera bebida."

Quien come mi carne: Jn 6, 56-59

"Quien come mi carne y bebe mi sangre permanece en Mí y Yo en
él. Así como el Padre que me envió posee la vida y Yo vivo por el
Padre, del mismo modo, quien me come, viviará por Mí. Este es el pan
que ha bajado del cielo, no como el que comieron vuestros antepasados y murieron. Quien come este pan, viviará eternamente." Esto es lo
que enseñó en la sinagoga de Cafarnaún.

---

1. Jesús les prepara con la fe para el misterio de la Eucaristía.
2. Este Pan celestial es su Cuerpo y su Sangre para alimento de las almas. Los judíos lo
   entendían como antropofagia.

Reacciones: Jn 6, 60-71

Muchos de sus discípulos, al oírle, dijeron: "¡Estas palabras son muy fuertes! ¡Quién puede admitirlas!" Conociendo Jesús que comentaban sus discípulos sobre esto, les increpó: "¿Esto os choca? ¡Pues si viérais al Hijo del hombre subir a donde estaba antes! El espíritu es el que vivifica, la carne no sirve para nada[1]; las palabras que Yo os he dicho son espíritu de vida. Pero hay entre vosotros algunos que no creen" (ya desde un principio sabía Jesús quiénes eran los que no creían y quién era el que le iba a traicionar). Y añadió: "Por eso os he dicho que nadie puede venir a Mí si no le es concedido por el Padre." A partir de este momento muchos de sus discípulos se retiraron y ya no caminaban en su compañía. Se encaró Jesús con los doce: "¿También vosotros queréis marchar?" Le respondió Simón Pedro: "¡Señor!, ¿a quién vamos a ir[2]? Tú tienes palabras de vida eterna. Y nosotros hemos creído y conocido que Tú eres el Santo de Dios." Les replicó Jesús: "¿No os elegí Yo a los doce? Y sin embargo, uno de vosotros es un diablo." Lo decía por Judas, hijo de Simón Iscariote, porque éste, que era uno de los doce, le habría de traicionar.

Tradiciones: Mt 15, 1-9 (Mc 7, 1-13; Jn 7, 1)

Entonces, se acercaron a Jesús unos escribas y fariseos, venidos de Jerusalén, y le preguntaron: "¿Por qué tus discípulos no guardan la tradición de los antiguos?, pues no se lavan las manos antes de comer." «Pues los fariseos y todos los judíos no comen si no se lavan las manos con todo cuidado, en conformidad con la tradición de los antiguos; y no comen lo que procede de la plaza si no lo purifican antes; y hay otras muchas cosas que la tradición les enseñó a observar: los lavados de copas, vasijas y recipientes de cobre.» Él les contestó: "¿Por qué no observáis vosotros lo mandado por Dios, por seguir vuestras tradiciones? Así habéis anulado la palabra de Dios por vuestra tradición: ¡Hipócritas!, bien profetizó de vosotros Isaías, cuando dijo[3]:

«Este pueblo me honra con los labios, pero su corazón está lejos de mí.

---

1. Ellos lo entendían todo en sentido material, por eso muchos comenzaron a abandonarle.
2. La confesión de Pedro debió consolar mucho a Jesús a pesar de la actitud de Judas.
3. Los fariseos hipócritas sólo cuidaban lo exterior restregando la vajilla, los vestidos que habían tocado algo de las innumerables impurezas y ridículos preceptos que habían multiplicado.

En vano intenta honrarme, enseñando doctrinas que son preceptos
       humanos.» (Is 29, 13)

    «Dejando el mandamiento de Dios, os aferráis a la tradición de los
hombres»."

Pureza: Mt 15, 10-20 (Mc 7, 14-22)

    Llamando a sí a la gente, les dijo: "Escuchad y entended; no es lo
que entra en la boca lo que contamina al hombre, sino lo que sale de
la boca; eso es lo que contamina al hombre. Porque del corazón provienen los malos pensamientos, homicidios, adulterios, fornicaciones,
robos «ambiciones, perversidades, engaño, libertinaje, envidia, blasfemia, arrogancia, insensatez», falsos testimonios, blasfemias. Éstas son
las cosas, que manchan al hombre; pero comer sin lavarse las manos
no mancha al hombre."

Cananea: Mt 15, 21-28 (Mc 7, 24-30)

    Partiendo de allí, Jesús se retiró a la región de Tiro y Sidón[1]. En
esto, una mujer cananea, «pagana, sirofenicia de nacimiento», venida
de aquellos contornos, comenzó a gritar: "Ten piedad de mí, Señor,
Hijo de David; mi hija es atormentada cruelmente por un demonio."
Pero Él no le respondió nada. Entonces, sus discípulos se le acercaron
y le hicieron esta súplica: "Despídela, porque viene gritando detrás de
nosotros." Él respondió: "No he sido enviado sino a las ovejas perdidas de la casa de Israel[2]." Pero ella se le adelantó; «postrándose a sus
pies, le adoraba diciendo: "Señor, socórreme".» Él respondió: "No
está bien coger el pan de los hijos para echarlo a los perros[3]." "Es
cierto, contestó ella, pero también los perros comen las migajas que
caen de la mesa de sus dueños." Entonces, Jesús le respondió: "Mujer,
grande es tu fe. Hágase lo que quieres." Y en aquel mismo momento
quedó curada su hija. «Y al llegar a su casa encontró a la niña acostada
en la cama, y el demonio había marchado de ella.»

Sordomudo: Mc 7, 31-37

    Volviendo a salir de los confines de Tiro, se dirigió por Sidón al
mar de Galilea, atravesando el territorio de Decápolis. Y le presentaron

---

1. Ciudades marítimas de Fenicia, El Líbano; no eran del Pueblo de Israel.
2. Jesús quiso probar su fe y constancia.
3. Los judíos llamaban perros a los extranjeros.

entonces un sordo y tartamudo, rogándole pusiera sobre él su mano. Y llevándolo aparte, separado de la turba, le introdujo los dedos en los oídos y con su saliva le tocó la lengua, y, mirando al cielo, dio un suspiro y le dijo: "Efazá", que significa ábrete. Y al instante se abrieron sus oídos y su lengua quedó expedita, hablando correctamente. Él les encargó no decirlo a nadie. Y se maravillaban hasta el extremo diciendo: "Todo lo ha hecho bien; a los sordos les hace oír y a los mudos hablar."

Curaciones: Mt 15, 29-31

Jesús partió de allí y llegó a la ribera del mar de Galilea. Subió a la montaña y se sentó allí. Y vino a Él mucha gente, que llevaban consigo cojos, mancos, ciegos, sordos y otros muchos. Los colocaron a sus pies y Él los curó. Las turbas estaban admiradas viendo hablar a los mudos, sanos a los mancos, andar a los cojos y ver a los ciegos. Y glorificaban al Dios de Israel.

Segunda multiplicación de los panes: Mc 8, 1-10 (Mt 15, 32-38; Mc 8, 1- 9)

En aquellos días, hallándose de nuevo una gran muchedumbre con Jesús y no teniendo qué comer, llamó Él a sus discípulos para decirles: "Me da pena de esta gente, pues ya llevan tres días a mi lado y no tienen qué comer. Y si los mando sin comer a sus casas, quedarán extenuados en el camino, pues algunos de ellos han venido de lejos." Sus discípulos le respondieron: "¿De dónde se van a traer panes para saciar a éstos, aquí en la soledad?" Pero Él les preguntó: "¿Cuántos panes tenéis?" Y los discípulos respondieron: "Siete." Él ordenó a la multitud acomodarse en el suelo; y tomando los siete panes, después de recitar la bendición, los partió y los dio a sus discípulos para que los repartieran a la turba. Y así lo hicieron. Tenían también algunos peces pequeños. Él los bendijo y mandó servirlos igualmente. Comieron hasta saciarse y recogieron siete cestas de trozos sobrantes. Eran unos cuatro mil, «sin contar mujeres y niños[1]».

---

1. ¡Qué bueno y compasivo es el corazón de Jesús! Las gentes le buscaban por todas partes como ovejas sin pastor. "Buscad el Reino de Dios y lo demás se os dará por añadidura".

Señal del Cielo: Mt 15, 39; 16, 1-4 (Mc 8, 10-13)

Y, después de despedir a la turba, salió a la barca, «con sus discípulos», y vino a la región de Magadán[1]. Los fariseos y saduceos se
acercaron a Él y, para tentarlo, le pidieron que les hiciese ver una
señal del cielo. Él les respondió: "Venida la tarde, decís: Buen tiempo,
porque el cielo está rojo encendido; y a la mañana: Mal tiempo, porque el cielo está rojo oscuro. Vosotros sabéis, pues, discernir el aspecto del cielo y ¿no sabéis discernir los signos de los tiempos? Esta raza
mala y adúltera pide una señal; pero no le será dada señal alguna, a no
ser la de Jonás." Y dejándolos, «embarcó de nuevo y se fue[2]».

Fariseos: Mt 16, 5-12 (Mc 8, 14-21)

Al pasar a la otra ribera, los discípulos se olvidaron de adquirir
pan, «de modo que ni siquiera tenían un pan con ellos en la barca».
Jesús les dijo: "Tened cuidado y preservaos del fermento de los fariseos y saduceos." Entonces ellos comentaban entre sí: "No hemos
adquirido pan." Jesús se dio cuenta y les dijo: "¿Qué comentáis entre
vosotros, hombres de poca fe, que no tenéis pan? ¿Todavía no enten-
déis? ¿No os acordáis de los cinco panes para los cinco mil hombres?
¿Cuántos canastos recogisteis? ¿ni de los siete panes para los cuatro
mil hombres? ¿Cuántas cestas recogisteis? ¿Cómo no habéis entendido
que no os hablaba del pan? «¿Tenéis endurecido vuestro corazón[3]?
Teniendo ojos no veis y teniendo oídos no oís?» Preservaos del fermento de los fariseos y saduceos." Entonces entendieron que no había
dicho que se preservaran del fermento del pan, sino de la doctrina de
los fariseos y saduceos.

Primado de Pedro: Mt 16, 13-20 (Mc 8, 27-30; Lc 9, 18-21)

Llegó Jesús a la región de Cesarea de Filipo[4] y preguntó a sus
discípulos: "¿Quién dice la gente que es el Hijo del hombre?" Ellos
respondieron: "Unos dicen que es Juan el Bautista, otros Jeremías o
alguno de los profetas." "Y vosotros, les dijo, ¿quién decís que soy
Yo?" Simón Pedro respondió: "Tú eres el Cristo, el Hijo de Dios
vivo." Jesús le contestó: "Bienaventurado eres tú, Simón, hijo de Jo-

---

1. Magdala era una ciudad ribereña.
2. Los saduceos y fariseos procedían con mala fe. No querían convertirse ni creer, sino que
   le espiaban y zancadilleaban para acusarlo y desacreditarlo.
3. Los Apóstoles eran rudos.
4. Antigua colonia romana, restaurada por el tetrarca Filipo, al Norte del lago.

nás[1], porque esto no te lo·han revelado los hombres, sino mi Padre que está en los cielos. Y Yo te digo que tú eres Pedro y sobre esta piedra edificaré Yo mi Iglesia, y las puertas[2] del infierno no prevalecerán contra ella. Yo te daré las llaves del Reino de los Cielos[3] y todo lo que atares en la tierra será atado en el cielo; y todo lo que desatares en la tierra será desatado en el cielo." Y mandó a los discípulos que no dijesen a nadie que Él era el Cristo.

Pasión y Resurrección: Mc 8, 31-33 (Mt 16, 2-23; Lc 9, 22)

Y se puso a enseñarles cómo le era preciso al Hijo del hombre padecer muchas cosas, ser rechazado por los hombres de relieve, por los jefes de los sacerdotes y por los escribas, ser entregado a la muerte, y a los tres días, resucitar. Y les expuso las cosas con toda claridad. Pedro, llevándole aparte, comenzó a censurarle: «No lo quiera Dios, Señor; esto no te sucederá[4].» Pero Él, volviendo a la vista de sus discípulos, reprendió a Pedro con estas palabras: "Márchate de junto a Mí, Satanás; «eres para mí un seductor», pues no tienes en cuenta las cosas de Dios, sino las de los hombres."

Abnegación: Mc 8, 34-39 (Mt 16, 24-28; Lc 9, 23-27)

Y haciendo venir a la turba junto a sus discípulos, les dijo: "Si alguno quiere venir en pos de Mí, niéguese a sí mismo, tome su cruz y sígame[5]. Porque quien deseare poner a salvo su vida, la perderá; pero quien pierda su vida por causa mía y del Evangelio, la salvará[6]. Pues, ¿qué le aprovecha al hombre ganar el mundo entero perdiendo su alma? Así, pues, si alguno se avergonzare de Mí y de mis enseñanzas ante esta raza adúltera y pecadora, también se avergonzará de él el Hijo del hombre, cuando venga en la gloria de su Padre con los ángeles santos. «Y entonces retribuirá a cada uno según sus obras[7]»."

Transfiguración: Mt 17, 1-9 (Lc 9, 28-36)

Seis días después tomó Jesús consigo a Pedro, a Santiago y a Juan su hermano y los condujo aparte a un monte alto «para orar, y mien-

---

1. Por revelación divina.
2. Los poderes.
3. Vicario de Cristo en la tierra.
4. Respuesta impulsiva de Pedro.
5. Al Cielo se llega con la cruz a cuestas.
6. Los mártires son un ejemplo.
7. Avergonzarse de Dios es una traición.

tras estaba orando» se transfiguró ante ellos. Su rostro se hizo resplandeciente como el sol; y sus vestidos, blancos como la luz. En esto, se le aparecieron Moisés y Elías, y se pusieron a hablar con Él «que, presentándose revestidos de gloria, trataban del tránsito que Jesús iba a realizar en Jerusalén. Pedro y sus compañeros estaban abrumados de sueño, mas, despabilándose, vieron la gloria de Jesús y los dos hombres que con Él estaban». Pedro, tomando la palabra, dijo a Jesús: "Señor: ¡Qué bien estamos aquí! Si Tú quieres, yo levantaré aquí tres tiendas; una para Ti, otra para Moisés y otra para Elías." «No sabía sin duda lo que decía, pues estaban asustados.» Todavía estaba Él hablando, cuando una nube luminosa los cubrió con su sombra, «y se aterraron de verse envueltos en ella», y de la nube salió esta voz: "Éste es mi Hijo amado en quien me complazco. A Él debéis escuchar[1]." Los discípulos, al oír esto, cayeron rostro en tierra y tuvieron gran miedo. Pero Jesús, acercándose a ellos, les tocó y les dijo: "Levantaos y no temáis." Y cuando ellos levantaron los ojos, «cuando miraron en su derredor», no vieron a nadie más que a Jesús. Cuando bajaba del monte, Jesús les hizo esta prohibición: "No contéis a nadie esta visión, hasta que el Hijo del hombre resucite de entre los muertos[2]."

Elías y Juan: Mt 17, 10-13 (Mc 9, 10-12)

Sus discípulos le propusieron esta cuestión: "¿Por qué, pues dicen los escribas que primero debe venir Elías?" Él les contestó: "Sí, vendrá Elías y restablecerá todas las cosas. Sin embargo, Yo os digo que Elías ya vino y no le reconocieron, antes bien; hicieron con Él cuanto quisieron. De igual manera, también el Hijo del hombre deberá sufrir de parte de ellos." «Pero, ¿no sabéis que está escrito sobre el Hijo del hombre que padecerá mucho y será menospreciado?» Entonces se dieron cuenta los discípulos que les había hablado de Juan el Bautista.

Tributo del Templo: Mt 17, 24-27

Al llegar ellos a Cafarnaún, se acercaron a Pedro los cobradores del tributo anual del templo y le preguntaron: "¿No paga vuestro Maestro el tributo anual del templo[3]?" "Sí", respondió él. Después,

---

1. El Padre Celestial presenta a su Hijo y le recomienda a toda la humanidad, Él tiene la palabra de Vida Eterna.
2. Jesús anuncia de nuevo su Pasión. Ellos no acababan de entender.
3. El impuesto era de medio siclo. Los cambistas del Templo cambiaban las monedas romanas y griegas por las del país.

cuando entró en casa, Jesús le salió al paso, preguntándole: "¿Qué te parece, Simón? Los reyes de la tierra, ¿de quién reciben los tributos o impuestos, de los propios hijos o de los extraños?" Y al responder él: "De los extraños", Jesús prosiguió: "Por tanto, los hijos están exentos. Sin embargo, para no escandalizarlos, vete al mar, tira el anzuelo, coge el primer pez que pique, ábrele la boca y encontrarás una moneda equivalente al doble del impuesrto anual del templo, cógela y dásela por Mí y por ti[1]."

Como niños…: Mt 18, 1-4 (Mc 9, 32-35; Lc 9, 46-48)

En aquel momento, se acercaron los discípulos a Jesús y le preguntaron: "¿Quién es, pues, el mayor en el Reino de los Cielos?" Mas Jesús, conociendo el pensamiento de su corazón, les preguntó: "De qué tratábais en el camino?" Pero ellos guardaban silencio; porque unos con otros habían discutido en el camino sobre quién era mayor. Él, tomando asiento, llamó a los doce y les dijo: "Si alguno quiere ser el primero habrá de ser último entre todos y servidor de los demás". Jesús llamó a un niño, le colocó en medio de ellos, y dijo: "Con certeza os digo: Si no cambiáis y os hacéis como niños, no entraréis en el Reino de los Cielos. Por tanto quien se haga pequeño, como este niño, éste será el mayor en el Reino de los Cielos[2]."

Escándalo: Mt 18, 5-9 (Mc 9, 36-45)

"Y quien reciba a un niño como éste en mi Nombre, a Mí me recibe. Y quien me reciba a Mí, no me recibe a Mí, sino al que me ha enviado. Pero quien escandalizare a uno de estos pequeños, que creen en mí, sería mejor para él que le fuera colgada al cuello una piedra de molino y fuese sumergido en lo profundo del mar[3]. ¡Ay del mundo por los escándalos! Es inevitable que haya escándalos; pero ¡ay de aquél por quien viene el escándalo[4]! Si tu mano o tu pie son para ti ocasión de pecado, córtalos y arrójalos lejos de ti: Es mejor para ti entrar manco o cojo en la vida, que tener dos manos o dos pies y ser arrojado al fuego eterno. Y si tu ojo es para ti ocasión de pecado, arráncalo y arrójalo lejos de ti: Te es mejor entrar en la vida con un ojo solo que

1. A los peces del lago los llaman de San Pedro.
2. Por su inocencia.
3. Escandalizar a los niños es un pecado muy grave.
4. Estas expresiones indican su gravedad.

tener dos ojos y ser arrojado al fuego del infierno, donde el gusano de ellos no muere y el fuego no se extingue[1]."

Tolerancia: Mc 9, 38-41 (Lc 9, 49-50)

Díjole Juan: "Maestro, vimos a uno que arrojaba demonios en tu nombre, el cual no nos acompaña, y por eso se lo estorbamos." Pero Jesús dijo: "No se lo estorbéis; pues nadie hay que haciendo un milagro en mi Nombre, sea capaz de hablar luego mal de Mí. Porque quien no está contra nosotros, está a favor nuestro. Y quien os diere a beber un vaso de agua en atención a que sois de Cristo[2], os aseguro que no perderá su recompensa."

Corrección fraterna: Mt 18, 15-17

"Si tu hermano ha pecado, vete y corrígele a solas. Si te hace caso, habrás ganado a tu hermano. Si no te hace caso, toma todavía contigo a una o dos personas, para que la cuestión sea decidida por la palabra de dos o tres testigos. Si tampoco les hace caso, dilo a la Iglesia; y si no hace caso a la Iglesia, sea para ti como un pagano o un publicano[3]."

Perdón: Mt 18, 21-22

Entonces, acercándose Pedro, le preguntó: "Señor, si mi hermano me ofende, ¿cuántas veces deberé perdonarlo? ¿Hasta siete veces[4]?" Jesús le respondió: "No te digo hasta siete veces, sino hasta setenta veces siete."

Serás perdonado: Mt 18, 23-35

"Por eso, el Reino de los Cielos puede compararse a un rey que quiso arreglar cuentas con sus servidores. Y, cuando comenzó a arreglar las cuentas, le fue presentado uno que era deudor de diez mil talentos[5]. No tenía con qué pagar. Entonces, el señor mandó que fuese vendido él, su mujer y sus hijos y todo cuanto poseía, para saldar la deuda. Pero el siervo, cayendo a sus pies, le suplicó: 'Señor, ten paciencia conmigo, y todo te lo pagaré.' Movido a compasión, el

---

1. El escándalo pasivo, ponerse en ocasiones y peligros ya es pecado.
2. Dado por amor de Dios.
3. Éste es el orden de la corrección fraterna.
4. Siete es un número indefinido en la Biblia. La respuesta de Jesús es: siempre.
5. El talento de plata pesaba 34,272 gramos, 10.000 talentos era una cantidad fabulosa.

señor de aquel siervo, le dejó en libertad, perdonándole toda la deuda."

Siervo malo: Mt 18, 28-35

"Pero, al salir aquel siervo, encontró a uno de sus compañeros, que le debía cien denarios[1]. Le agarró por el cuello y estaba para ahogarle al mismo tiempo que le gritaba: 'Paga lo que debes.' Su compañero, cayendo en tierra, le suplicaba en estos términos: 'Ten paciencia conmigo y todo te lo pagaré.' Pero él no quiso, sino que fue e hizo que le metiesen en la cárcel, hasta que pagase la deuda. Al ver esto sus compañeros se entristecieron muchísimo; y fueron a contar a su señor lo ocurrido. Entonces el señor le hizo llamar y le dijo: '¡Siervo malo!, yo he perdonado toda la deuda porque me lo suplicaste. ¿No debías, pues, tener tú compasión de tu compañero, como yo la tuve de ti?' Y, lleno de ira, su señor le entregó a los torturados hasta que pagase toda la deuda. Así os tratará mi Padre celestial, si alguno de vosotros no perdona a su hermano de todo corazón."

Condiciones para seguir a Jesús: Lc 9, 57-62 (Mt 8, 19-22)

Y mientras iban de camino, díjole uno: "Te seguiré a donde quiera que vayas[2]." Jesús le respondió: "Las zorras tienen madrigueras, y las aves del cielo, nidos; mas el Hijo del hombre no tiene dónde reclinar la cabeza." Y dijo a otro: "Sígueme." Mas éste replicó: "Señor, permíteme que primero vaya a enterrar a mi padre[3]." Y Jesús: "Deja a los muertos que entierren a sus muertos; tú vete a anunciar el reino de Dios." Dijo también otro: "Te seguiré, Señor, mas primero permíteme despedirme de los de mi casa[4]." Jesús le replicó: "Nadie que mira atrás, mientras tiene la mano en el arado, es apto para el reino de los cielos."

Los 72 discípulos: Lc 10, 1-12, 16

Después de esto, designó el Señor a otros setenta y dos y los envió de dos en dos delante de Él a toda ciudad y lugar a donde Él mismo

---

1. 100 denarios era una minucia. Si queremos que Dios nos perdone, perdonemos a los demás.
2. Tal vez quería lucrarse de sus milagros, el trato no le gustó.
3. Jesús, que pasa, quiere una respuesta sin demora.
4. La familia. El llamado que se vuelve atrás no es apto para el Reino del Cielo. Jesús exige fidelidad a la vocación.

había de ir. Y les decía: "La mies es mucha, los obreros pocos. Rogad al Dueño de la mies que mande obreros a su mies[1]. Id; mirad que os envío como corderos en medio de lobos. El que a vosotros oye, a Mí me oye; y el que a vosotros rechaza, a Mí me rechaza; mas el que a Mí me rechaza, rechaza al que me ha enviado[2]."

Ciudades incrédulas: Lc 10, 13-15 (Mt 11, 20-24)

"¡Ay de ti, Corazón! ¡Ay de ti, Betsaida! Porque si en Tiro y en Sidón se hubieran hecho los prodigios que se han realizado en vosotros, hace tiempo que, cubiertos de cilicio y ceniza, sentados en el suelo, hubieran hecho penitencia. Por eso, Tiro y Sidón serán tratadas más benignamente en el juicio que vosotras. Y tú, Cafarnaún, ¿piensas que serás encumbrada hasta el cielo? Pues serás precipitada hasta el infierno[3]."

Regreso de los discípulos: Lc 10, 17-20

Volvieron los setenta y dos muy contentos, diciendo: "¡Señor, hasta los demonios se nos someten[4] en tu nombre!" Él les dijo: "Yo he visto a satanás caer del Cielo como un rayo al abismo[5]. Ved que os he dado potestad de caminar sobre serpientes y escorpiones, y dominio sobre todo poder del enemigo, y nada podrá dañaros; mas no os alegréis porque los espíritus se os sometan, sino alegraos porque vuestros nombres están escritos en el cielo."

Cristo, nuestro consolador: Mt 11, 25-30 (Lc 10, 21-22)

En aquel tiempo, «se estremeció de alegría por la acción del Espíritu Santo» y dijo: "Yo te alabo y te doy gracias, Padre, Señor del cielo y de la tierra, porque has ocultado estas cosas a los sabios y prudentes y las has revelado a los pequeñuelos. Sí, Padre. Porque así lo has querido. Todas las cosas me han sido dadas por mi Padre, y nadie conoce al Hijo, sino el Padre; nadie conoce al Padre, sino el Hijo y aquel a quien el Hijo quiere revelarlo. Venid a Mí todos los que estáis fatigados y agobiados, y Yo os aliviaré. Tomad mi yugo sobre vosotros y aprended de Mí, que soy manso y humilde de corazón. Así

---

1. Ante la falta de apóstoles y misioneros hay que rogar.
2. Escuchar a los enviados es escuchar a Jesús enviado del Padre.
3. De las dos ciudades hoy no quedan ni las ruinas.
4. El don de milagros es un don recibido de Dios.
5. Una lección grave de humildad contra el orgullo.

hallaréis alivio para vuestras almas; porque mi yugo es suave y mi carga ligera[1]."

Gran mandamiento: Lc 10, 23-28

Y dirigiéndose a los discípulos en particular, les dijo: "Dichosos los ojos que ven lo que vosotros veis. Porque os digo que muchos profetas y reyes desearon ver lo que vosotros veis y no lo vieron, y oír lo que vosotros oís y no lo oyeron." Levantándose un doctor de la Ley, con intención de tentarlo, le preguntó: "Maestro, ¿qué debo hacer para entrar en posesión de la vida eterna?" Él le dijo: "¿Qué está escrito en la Ley? ¿Qué lees tú?" Él respondió: «Amarás al Señor, Dios tuyo, con todo tu corazón, con toda tu alma, con todas tus fuerzas, y a tu prójimo como a ti mismo (Dt 6, 5; Lv 19, 18).» "Bien has respondido, replicó Jesús. Haz esto y vivirás[2]" (Lv 18, 5).

Samaritano: Lc 10, 29-37

Pero él, queriendo justificar la cuestión propuesta, dijo a Jesús: "Y ¿quién es mi prójimo[3]?" Jesús comenzó a exponer: "Bajaba un hombre de Jerusalén a Jericó y cayó en manos de unos salteadores, los cuales le despojaron de todo, y, después de apalearlo, se marcharon, dejándolo medio muerto. Por casualidad bajaba un sacerdote por el mismo camino, y, habiéndolo visto, pasó de largo. Del mismo modo también un levita, viniendo por aquel lugar, lo vio y pasó de largo. Pero un samaritano, que iba de viaje, llegó hasta él, y a su vista se le enterneció el corazón, y, acercándose a él, le vendó las heridas, derramando también en ellas aceite y vino; y colocándolo encima de su propio jumento, lo llevó a una posada y lo cuidó. Y al día siguiente, sacando dos denarios, los dio al hospedero, y le dijo: Cuídalo, y si gasta más, a mi regreso te lo abonaré. ¿Quién de estos tres te parece haber sido prójimo del que cayó en manos de los salteadores?" Le contestó: "El que se mostró misericordioso para con él." Le replicó Jesús: "Anda y haz tú lo mismo."

1. Dios se manifiesta a los humildes y les ayuda a llevar la cruz.
2. Para entrar en la Vida eterna del Cielo hay que cumplir los Mandamientos. No basta llamarse católicos.
3. Los judíos entendían por prójimos los de su raza.

Betania: Lc 10, 38-42

Mientras iban de camino, entró Él en cierta aldea[1]; y una mujer, por nombre Marta, le dio hospedaje en su casa. Ésta tenía una hermana llamada María, la cual, sentada a los pies del Señor, escuchaba su Palabra. Pero Marta estaba muy afanada con los muchos quehaceres del hospedaje. Y, presentándose a Jesús, le dijo: "Señor, ¿no te importa que mi hermana me haya dejado sola con toda la labor? Dile que me ayude." Le respondió Jesús: "Marta, Marta, te apuras y te afanas en muchas cosas, cuando una sola es necesaria[2]; con razón María ha elegido la mejor parte, la cual no le será quitada."

Origen divino: Jn 7, 25-31

Preguntaban algunos vecinos de Jerusalén: "¿No es Éste a quien intentaban matar? Pues habla libremente sin que le digan nada. ¿Acaso las autoridades se han convencido realmente de que Éste es el Cristo? Con todo, sabemos de dónde es Éste; pero cuando venga el Cristo, nadie sabrá de dónde es." Jesús, enseñando en el templo, dijo en voz alta: "A Mí me conocéis y sabéis de dónde soy, y con todo no he venido por cuenta propia, sino que me ha enviado quien tiene autoridad, al cual vosotros no conocéis. Yo sí lo conozco, porque procedo de Él y Él me ha enviado[3]." Querían arrestarlo, pero nadie se atrevió a echarle mano, porque aún no había llegado su hora. Muchos del pueblo creyeron en Él, y decían: "¿Acaso el Mesías, cuando venga, hará más prodigios que Éste?"

Tratan de prenderle: Jn 7, 32-36

Se enteraron los fariseos de estos rumores que corrían entre la gente acerca de Él, y éstos y los jefes de los sacerdotes enviaron policías para que lo arrestasen. Jesús comenzó a decir: "Poco tiempo ya voy a estar con vosotros, pues me iré al que me ha enviado. Me buscaréis, pero no me encontraréis, y donde yo esté, vosotros no podéis venir[4]." Se decían los judíos unos a otros: "¿Adónde irá Éste que no lo podamos encontrar? ¿Quizá va a marchar a la Diáspora de los griegos para enseñarles? ¿Qué significa lo que acaba de decir: Me

---

1. Betania.
2. En este mundo lo único absolutamente necesario es servir y amar a Dios y salvar el alma.
3. Tanto ha amado Dios al mundo que le ha enviado a su propio Hijo para salvarlo.
4. En el ocaso de su vida anuncia su próxima partida para volver al Padre.

buscaréis, mas no me encontraréis; y, donde esté Yo, vosotros no podéis venir?"

Promesa: Jn 7, 37-39

El último día, el más solemne de la fiesta, Jesús, puesto en pie, dijo en voz alta: "El que tenga sed, venga a Mí y beba[1]. El que cree en Mí, como dice la Escritura: «De su seno brotarán torrentes de agua viva» (Lc 44, 3...) Con esto se refería al Espíritu que iban a recibir cuantos creyesen en Él. Todavía no se comunicaba el espíritu, porque Jesús aún no había sido glorificado.

Opiniones: Jn 40-53

Los que del pueblo habían oído estas palabras, decían: "Éste es realmente el Profeta." Otros afirmaban: "Éste es el Cristo." Pero otros argüían: "No, porque, ¿acaso de Galilea va a venir el Cristo? ¿No dice la Escritura que el Cristo viene de la estirpe de David, y de Belén, el pueblo de David?" Había diversidad de opiniones acerca de Él entre el pueblo. Algunos de ellos deseaban arrestarlo, pero nadie le echó mano. Volvieron luego los policías a donde estaban los jefes de los sacerdotes y los fariseos; éstos les increparon: "¿Por qué no lo habéis traído?" Los policías respondieron: "Nunca hombre alguno ha hablado como Éste[2]." Replicaron los fariseos: "¿También vosotros os habéis dejado engañar? ¿Acaso ha creído en Él algún hombre destacado o algún fariseo? En cuanto a esta gente, que no conoce la Ley, es digna de desprecio." Uno de ellos, Nicodemo[3], el mismo que anteriormente se había entrevistado con Él, les dijo: "¿Es que nuestra Ley condena a alguien sin haberlo primeramente escuchado y averiguado qué ha hecho? Investiga y verás que de Galilea no ha salido profeta alguno[4]." Y cada cual se marchó a su casa.

Adúltera: Jn 8, 1-11

Jesús se fue al monte de los Olivos. Pero, al amanecer, de nuevo se personó en el templo, y todo el pueblo acudía a Él. Tomó asiento y los adoctrinaba. Los escribas y fariseos trajeron a una mujer sorprendida en adulterio, y colocándola en medio, le dijeron: "Maestro, esta

---

1. Del agua de la Gracia.
2. Porque su doctrina no es humana, sino divina.
3. Era un discípulo oculto.
4. Jonás y Nahúm eran de allí.

mujer ha sido sorprendida en flagrante adulterio. Moisés nos manda en la Ley apedrear a semejantes mujeres. ¿Qué opinas Tú[1]?" Decían esto para comprometerlo, a fin de tener de qué acusarlo. Jesús, se puso a escribir con el dedo en el suelo. Pero como le insistieran, se levantó y dijo: "Aquel que esté sin pecado tire la primera piedra", y agachándose de nuevo, seguía escribiendo en el suelo. Ellos, oyendo esto, comenzaron a retirarse uno tras otro, empezando por los más viejos; y se quedó solo con la mujer, que seguía allí quieta. Jesús se incorporó y le preguntó: "Mujer, ¿dónde están tus acusadores? ¿Nadie te ha condenado?" "Nadie, Señor", respondió. "Pues tampoco Yo te condeno, añadió Jesús. Vete, desde ahora no peques más[2]."

Luz del mundo: Jn 8, 12-20

De nuevo les habló Jesús: "Yo soy la luz del mundo. El que me siga no andará en las tinieblas[3], sino que poseerá la luz de la vida." Le objetaron los fariseos: "Tú declaras en tu favor; tu declaración no es digna de fe." Les respondió Jesús: "Aunque yo declare en mi favor, mi declaración es digna de fe, porque sé de dónde he venido y adónde voy. Vosotros, por el contrario, no sabéis de dónde vengo y adónde voy. Vosotros juzgáis según las apariencias, Yo no juzgo a nadie. Si Yo juzgo, mi juicio merece crédito, porque no estoy solo, sino que el Padre que me ha enviado está conmigo. Y en vuestra Ley está escrito que la declaración de dos personas es digna de fe. Yo soy el que declara en mi favor, pero declara también en mi favor el Padre que me ha enviado." "¿Dónde está tu Padre?", le replicaron. Respondió Jesús: "No me conocéis a Mí ni a mi Padre. Si me conocierais a Mí, conoceríais a mi Padre."

Donde yo voy: Jn 8, 21-30

De nuevo les dijo: "Yo me voy y me buscaréis, pero moriréis en vuestro pecado. Adonde Yo voy, vosotros no podéis venir." Decían los judíos: "¿Acaso va a suicidarse, cuando dice: Adonde Yo voy vosotros no podéis venir?" Mas Jesús les decía: "Vosotros sois de abajo, Yo de arriba. Vosotros sois de este mundo, Yo no soy de este mundo[4]. Por eso os he dicho que moriréis en vuestros pecados. Si no

1. Querían acusarle o de prevaricador de la Ley o de rigorista si la mandaba lapidar.
2. Misericordioso con el pecador pero no con el pecado.
3. Luz de vida, tinieblas de muerte.
4. Visible y temporal, sino del Cielo.

creéis que soy yo, moriréis en vuestros pecados." Ellos le preguntaron: "¿Quién eres Tú?" Jesús les respondió: "Desde el principio os lo vengo repitiendo[1]. Con relación a vosotros tengo muchas cosas que decir y juzgar; pero quien me ha enviado es veraz y yo hablo al mundo lo que he oído a Él." No comprendieron que les hablaba del Padre. Dijo, pues, Jesús: "Cuando hayáis levantado en alto[2] al Hijo del hombre, entonces conoceréis que soy Yo y que por mi cuenta no hago nada, sino conforme me enseñó el Padre, así hablo. Y el que me ha enviado está conmigo; nunca me ha dejado solo, pues yo hago siempre lo que le agrada." Al decir estas cosas, muchos creyeron en Él.

Divinidad: Jn 8, 46-59

"¿Quién de vosotros puede achacarme un pecado[3]? Y si digo la verdad, ¿por qué no me creéis? Quien es de Dios escucha las palabras de Dios." Replicaron los judíos: "Bien decimos nosotros que eres samaritano y estás endemoniado[4]." Respondió Jesús: "Yo no estoy endemoniado, sino que honro a mi Padre, y vosotros me injuriais. Yo no busco el aplauso propio. Vuestro padre Abraham se estremeció de alegría pensando ver mi día; lo contempló y se regocijó[5]." Los judíos le replicaron: "¡Aún no tienes cincuenta años! ¿y has visto a Abrahán?" Jesús les respondió: "Con toda certeza os digo: Antes que Abrahán naciese, ya existía yo[6]." Tomaron piedras para arrojárselas." Pero Jesús se escabulló y salió del templo.

El ciego de nacimiento: Jn 9, 1-23

Al pasar vio a un ciego de nacimiento. Y sus discípulos le preguntaron: "Maestro, ¿nació ciego por haber pecado él o sus padres[7]?" Jesús respondió: "Ni por haber pecado él ni sus padres, sino para que se manifiesten en él las obras de Dios. Mientras es de día debemos realizar las obras del que me ha enviado. Va a venir la noche, en la cual nadie puede trabajar. Mientras estoy en el mundo, soy la luz del mundo."

---

1. De que Él era el Hijo de Dios.
2. En lo alto de la cruz.
3. Todos somos pecadores, sólo Jesús es inocente.
4. Los judíos sólo sabían responder con insultos.
5. Tal vez conoció por revelación especial la Encarnación del Mesías.
6. Jesús, como Dios que era, existió desde toda la eternidad.
7. Los judíos creían que las enfermedades eran castigos de Dios por los pecados.

Dicho esto, escupió en tierra e hizo barro con la saliva y lo aplicó a los ojos, y le dijo: "Vete a lavarte en la piscina de Siloé (esta palabra significa *enviados*)." Fue, pues, y se lavó y regresó con vista. Los vecinos y los que lo habían visto antes, pues era un mendigo, se preguntaban: "¿No es éste el que solía sentarse a pedir limosna?" Unos se decían: "Éste es." Otros replicaban: "No, sino uno que se le parece." Él decía: "Soy yo." Y le preguntaban: "¿Cómo se te han abierto los ojos?" Él respondió: "El hombre a quien llaman Jesús hizo barro y lo aplicó a mis ojos y me dijo: Vete a (la piscina) Siloé y lávate. Fui, pues, me lavé y recobré la vista." "¿Donde está Ése?", le preguntaron. Llevaron ante los fariseos al que hasta entonces había estado ciego. Era sábado el día en que Jesús hizo barro y abrió sus ojos. Los fariseos, a su vez, le preguntaron cómo había recobrado la vista. Él les respondió: "Me puso barro sobre los ojos, me lavé y veo[1]." Algunos fariseos exclamaron: "No es enviado de Dios este hombre, puesto que no observa el sábado." Pero replicaron otros: "¿Cómo puede un pecador obrar semejantes prodigios?" Y había división entre ellos. Preguntaron de nuevo al ciego: "¿Qué opinas tú del que te ha abierto los ojos?" Él respondió: "Es un Profeta." Pero los judíos no querían creer que este hombre había sido ciego y había recobrado la vista[2] hasta que hubiesen llamado a sus padres. Y les preguntaron: "¿Es éste vuestro hijo, de quien vosotros decís que ha nacido ciego? ¿Cómo, pues, ahora ve?" "Sabemos que éste es nuestro hijo y que nació ciego. Lo que no sabemos es cómo ve ahora y quién le abrió los ojos. Preguntádselo a él, ya tiene edad; él mismo puede contarlo." Los padres dijeron esto porque temían a los judíos, pues éstos habían decidido expulsar de la sinagoga a quien lo reconociese por Mesías. Por eso sus padres dijeron: "Ya tiene edad, preguntádselo a él."

Ahora veo: Jn 9, 24-41

Llamaron por segunda vez al que había sido ciego y le dijeron: "Da gloria a Dios[3]. Sabemos que este hombre es un pecador." Él respondió: "Yo no sé si es pecador, lo que sí sé es que yo era ciego y ahora veo." Luego le preguntaron: "¿Qué te hizo? ¿Cómo te abrió los ojos?" Les respondió: "Ya os lo he dicho y no me habéis hecho caso.

---

1. Luz corporal, y del alma, de la Fe.
2. Los fariseos no quisieron creerlo.
3. Era hipocresía.

¿Para qué queréis oírlo otra vez? ¿Acaso queréis haceros discípulos suyos[1]?" Lo injuriaron y le dijeron: "Tú serás discípulo suyo; nosotros somos discípulos de Moisés. Nosotros sabemos que Dios habló de Moisés, pero en cuanto a Éste, no sabemos de dónde es." Les replicó el hombre: "Lo maravilloso es esto, que vosotros no sabéis de dónde es, y, sin embargo, me abrió los ojos. Sabem,os que Dios no oye a los pecadores, sino que escucha a quien le honra y hace su voluntad. Nunca se oyó decir que alguien haya abierto los ojos de un ciego de nacimiento. Si este hombre no viene de Dios, no podría hacer nada." Le respondieron: "Has nacido envuelto en pecados y ¿te atreves a darnos lecciones?" Y lo arrojaron fuera[2].

Creo, Señor: Jn 9, 35-41

Oyó Jesús que lo habían expulsado fuera; y, encontrándose con él, le dijo: "¿Crees en el Hijo de Dios?" Él respondió: "¿Quién es, Señor, para que crea en Él?" Jesús le respondió: "Al que estás viendo, y el que está hablando contigo, ése es." Entonces exclamó: "Creo, Señor, y se postró ante Él[3]." Dijo Jesús: "Yo he venido a este mundo para un juicio de discriminación; para que los que no ven, vean, y para que los que ven, se queden ciegos." Oyeron esto algunos fariseos que estaban con Él y le dijeron: "¿Somos también nosotros ciegos?" Jesús les respondió: "Si fueseis ciegos, no tendríais culpa. Pero ahora decís: Vemos, por eso vuestro pecado subsiste[4]."

Soy la puerta: Jn 10, 1-10

"Con toda certeza os aseguro: Quien no entra por la puerta en el aprisco de las ovejas, sino que se encarama por otra parte, es ladrón y salteador[5]. El que entra por la puerta es el pastor de las ovejas. A éste lo abre el portero, y las ovejas escuchan su voz, y él llama a sus ovejas por el nombre y las conduce fuera. Y cuando ha hecho salir a todas las suyas, camina delante de ellas, y las ovejas le siguen, porque conocen su voz. Sin embargo, no seguirán a un extraño, sino que huirán de él, porque no conocen la voz de los extraños." Esta comparación les propuso Jesús, pero ellos no comprendieron lo que les quería decir.

---

1. Su indignación llegó al colmo al oír estas palabras; le llenaron de insultos.
2. Su actitud obstinada demuestra su ceguera.
3. Esta confesión de la divinidad de Jesús es de las más hermosas del Evangelio.
4. No hay peor ciego que el que cierra los ojos a la verdad.
5. El aprisco de Jesús es la Iglesia.

Por eso insistió de nuevo Jesús: "Verdaderamente os digo: Yo soy la puerta de las ovejas. Todos cuantos han venido delante de Mí son ladrones y salteadores; pero las ovejas no les han escuchado. Yo soy la puerta; el que por Mí entrare quedará satisfecho; entrará y saldrá y hallará pastor. El ladrón no viene sino para robar y degollar y aniquilar. Yo he venido para que tengan vida, una vida exuberante."

Soy el pastor: Jn 10, 11-16

"Yo soy el buen pastor. El buen pastor da su vida por sus ovejas[1]. El asalariado, que no es pastor y dueño de las ovejas, cuando ve venir al lobo, deja las ovejas y huye, y el lobo las arrebata y dispersa; porque es asalariado y no le importan las ovejas. Yo soy el buen pastor, y conozco a mis ovejas, y mis ovejas me conocen a Mí, lo mismo que el Padre me conoce a Mí y yo conozco al Padre. Yo doy mi vida por mis ovejas. Tengo otras ovejas que no son de este redil[2]; y es necesario que yo las guíe. Y oirán mi voz, y habrá un solo rebaño y un solo pastor."

Doy mi vida: Jn 10, 17-21

"Por eso mi Padre me ama, porque yo doy mi vida para volverla a tomar. No me la quita nadie, sino que yo la doy voluntariamente[3]. Soy libre para darla y libre para tomarla. Éste es el precepto que he recibido del Padre." Una vez más se dividieron los pareceres entre los judíos a causa de estas palabras."

Pedid[4]: Mt 7, 5-13

Les dijo también: "Si uno de vosotros va a media noche a casa de un amigo y le dice: 'Amigo, necesito tres panes, porque ha llegado de viaje a mi casa un amigo mío y no tengo qué darle'; y si aquél, desde dentro, responde: 'No me molestes, la puerta está ya cerrada, y mis hijos están en la cama conmigo; no puedo levantarme a dártelos'; os aseguro que si no se levanta y se los da por ser amigo, al menos por su impertinencia, se levantará y le dará cuanto necesita[5]. Así os digo

---

1. Jesús se ofreció en la cruz para salvarnos.
2. La Iglesia, Él quiere que entren todas y formen un solo rebaño bajo el cayado de un solo Pastor.
3. Alimenta con su doctrina y Sacramentos.
4. La oración ha de ser humilde y perseverante.
5. Porfiada.

Yo: Pedid y se os dará; buscad y hallaréis; llamad y se os abrirá. Porque todo el que pide recibe, y el que busca halla, y al que llama se le abre."

Fariseos: Lc 12, 1-3

Entre tanto, habiéndose reunido la gente a millares, hasta el punto de pisarse unos a otros, comenzó a decir en primer lugar a sus discípulos: "Tened cuidado con la levadura de los fariseos, es decir, con la hipocresía. Nada hay encubierto que no acabe por descubrirse, ni nada oculto que no llegue a conocerse. Por lo cual, cuanto habéis dicho en la oscuridad será escuchado en la luz, y lo que habéis hablado en las habitaciones privadas, se pregonará sobre los tejados."

Avaricia: Lc 12, 13-21

Díjole alguien de entre la multitud: "Maestro, di a mi hermano que reparta conmigo la herencia." Él le dijo: "Amigo mío, ¿quién me ha constituido juez o albacea vuestro?" Y les dijo: "Preservaos cuidadosamente de toda codicia; porque, por más que se nade en la riqueza, la vida no consiste en la abundancia de bienes." Y les propuso una parábola: "Había un hombre rico cuyos campos dieron copiosos frutos. Y discurría consigo mismo. ¿Cómo me las arreglaré, pues no tengo dónde almacenar mis frutos? Y se dijo: Ya sé qué he de hacer: Derribaré mis graneros para hacer otros mayores, y guardaré allí todo mi grano y mis bienes; y me diré a mí mismo: Alma mía, tienes muchos bienes de reserva para muchos años; descansa, come, bebe, pásalo bien. Pero le dijo Dios: Insensato, esta misma noche van a exigirte tu alma; y ¿para quién será cuanto has almacenado? Así sucede a quien atesora para sí mismo en lugar de enriquecerse con vistas a Dios[1]."

"No temáis": Lc 12, 22-34

Y se dirigió a sus discípulos así: "Por eso os digo: No os apuréis por la vida, las gentes del mundo son las que viven preocupadas por estas cosas; en cuanto a vosotros, ya sabe vuestro Padre que tenéis necesidad de ellas[2]. Por lo tanto, buscad el reino de Dios y estas cosas se os darán como gratificación. No temáis, pequeño rebaño mío, por-

---

1. Y así, de cuanto tenemos en este mundo nada podremos llevarnos al otro. Solamente nuestras obras.
2. Los tesoros del otro mundo son nuestras obras buenas.

que ha parecido bien a vuestro Padre daros el reino. Vended vuestros bienes y dad limosna; haceos bolsas que no se deterioren, tesoros que no se agoten en el cielo, donde no llega el ladrón ni la polilla hace estragos. Porque donde está vuestro tesoro, allí estará también vuestro corazón."

Vigilancia: Lc 12, 35-40

Estén ceñidos vuestros lomos y encendidas vuestras lámparas. Estad como hombres que aguardan regrese su señor de las bodas, para abrirlo apenas llegue y llame. Dichosos éstos siervos a los que hallare en vela el amo a su regreso; ciertamente os digo: Se pondrá el traje de faena, los hará acomodarse y les irá sirviendo. Dichosos ellos si los encuentra así, ya venga a media noche, ya al canto del gallo. Pensad que si el amo de casa supiese a qué hora viene el ladrón, vigilaría y no dejaría abriesen una brecha en su casa. Vosotros también estrad apercibidos, pues el Hijo del hombre puede venir cuando menos lo penséis[1]."

Administradores: Lc 12, 41-48

Dijo Pedro: "Señor, ¿en esa parábola aludes a nosotros solos o también a los demás?" "Imaginaos, pues, a un administrador fiel y prudente a quien el dueño pone al frente de su servidumbre para que a su debido tiempo distribuya la ración de trigo. Dichoso este siervo a quien su amo, al venir, hallare obrando así. Ciertamente os digo: Le pondrá al frente de todos sus bienes. Mas si este siervo se dice: 'Mi amo va a tardar en venir', y comienza a maltratar a los criados y criadas, a comer y a beber y a embriagarse, vendrá el amo de aquel criado el día menos pensado y cuando menos lo esperaba y le someterá a torturas, y le deparará la misma suerte que a los infieles. Aquel siervo que, conociendo la voluntad de su amo, no tiene nada dispuesto o no ha obrado conforme a esta voluntad, recibirá muchos azotes[2]. A quien mucho se le ha dado, se le exigirá mucho, y a quien más se le ha entregado, más se le pedirá[3]."

---

1. No sabemos el día ni la hora en que Dios nos llamará. Sólo sabemos que vendrá cuando menos lo pensemos.
2. Por tanto, estemos preparados, para darle cuenta de nuestra vida.
3. Al que ha recibido más dones, cualidades, riquezas y bienes materiales, etc., se le pedirá más.

Higuera estéril: Lc 13, 1-9

En aquella misma ocasión se presentaron algunos que le refirieron el caso de los galileos cuya sangre había mezclado Pilato con la de sus sacrificios. Él les replicó: "¿Creéis que estos galileos, por haber padecido esta desgracia, fueron más pecadores que todos los demás galileos? Os aseguro que no; pero si no hacéis penitencia, todos pereceréis igualmente. ¿Pensáis que aquellos dieciocho, sobre los cuales se desplomó la torre de Siloé y los mató, eran más culpables que los demás habitantes de Jerusalén? Os aseguro que no; pero si no hacéis penitencia todos pereceréis igualmente." Y les propuso esta parábola: "Un hombre tenía una higuera plantada en su viña. Vino en busca de fruto, mas no lo halló. Y dijo al viñador: 'Hace ya tres años que vengo en busca de fruto a esta higuera y no lo hallo. Córtala; ¿por qué, además, ha de perjudicar la tierra?' Pero le suplicó el viñador: 'Señor, déjala este año todavía, y entre tanto la excavaré en derredor y echaré abono; quizá el año que viene dé fruto; si no, la mandarás cortar[1].'"

El misterio de los Escogidos: Lc 13, 23-30

Uno le preguntó: "Señor, ¿son pocos los que se salvan?" Él les dijo: "Esforzaos para entrar por la puerta estrecha, porque muchos, os lo aseguro, intentarán entrar y no lo lograrán[2]. Una vez que el amo de casa se levante y cierre la puerta, si os quedáis fuera, por más que os pongáis a golpear la puerta, diciendo: 'Señor, ábrenos', él os responderá: 'No sé de dónde sois vosotros.' Entonces comenzaréis a decir: 'Hemos comido y bebido contigo, y has enseñado en nuestras plazas.' Y os contestará: 'Os repito que no sé de dónde sois; apartaos de Mí todos los que habéis realizado la maldad[3].' Allí será el llanto y el rechinar de dientes, cuando viereis a Abrahán, Isaac y Jacob y a todos los profetas en el reino de Dios, mientras que vosotros sois arrojados fuera. Y vendrán del Oriente y del Occidente, del Norte y del Sur, y se pondrán a la mesa en el reino de Dios. Tened en cuenta que hay últimos[4] que serán los primeros y hay primeros que serán los últimos."

---

1. Dios espera pacientemente el fruto de nuestras buenas obras. Practiquemos las virtudes cristianas.
2. Jesús nos dice que no es fácil entrar en la casa del Padre, aunque hayamos practicado algunas obras buenas.
3. Es preciso seguir el camino de la cruz, con la ascética cristiana.
4. Los últimos llamados son los gentiles, los judíos primeros.

Os lo he dicho: Jn 10, 22-30

Se celebraba por entonces la fiesta de la Dedicación; era invierno. Pasaba Jesús por el templo, por el pórtico de Salomón. Lo rodearon los judíos y le dijeron: "¿Hasta cuándo nos vas a tener impacientes? Si Tú eres el Cristo, dínoslo claramente." Jesús les respondió: "Ya os lo he dicho. Las obras que Yo hago en nombre de mi Padre, ésas declaran en mi favor. Pero vosotros no creéis, porque no sois de mis ovejas. Mis ovejas escuchan mi voz, y Yo las conozco y me siguen. Yo les doy la vida eterna y no perecerán nunca, ni nadie las arrebatará de mis manos. Mi Padre, que me las ha entregado, es superior a todos, y nadie puede arrebatar nada de las manos de mi Padre. El Padre y Yo somos una sola cosa[1]."

Tomaron piedras: Jn 10-31-41

Otra vez los judíos tomaron piedras para apedrearlo. Jesús les dijo: "Muchas obras buenas os he manifestado de parte de mi Padre. ¿Por cuál de estas obras intentáis apedrearme?" Le respondieron los judíos: "No queremos apedrearte por ninguna obra buena, sino por la blasfemia, pues, siendo hombre, pretendes pasar por Dios[2]."

Pasó de nuevo al otro lado del Jordán, al mismo lugar donde Juan había bautizado por primera vez, y permaneció allí. Y muchos acudían a Él y decían: "Ciertamente Juan no hizo ningún prodigio, pero todo cuanto dijo de Éste era verdad; y muchos allí mismo creyeron en Él."

Gran festín[3]: Lc 14, 16-24

Él les dijo: "Un hombre dio una gran cena e invitó a mucha gente. A la hora de la cena mandó a su criado que dijese a los invitados: 'Venid que ya está todo a punto.' Y todos a una comenzaron a excusarse. El primero le dijo: 'He comprado un campo y necesito ir a verlo; te ruego me sepas dispensar.' Otro dijo: 'He comprado cinco yuntas de bueyes y voy a probarlas; te ruego no lo tomes a mal'; y otro exclamó: 'Acabo de casarme y por esto no puedo ir.' A su regreso, el criado enteró de esto a su señor. Entonces el amo, enojado, dijo a su criado: 'Sal rápido a las plazas y calles de la ciudad, y tráeme aquí a los pobres, mancos, ciegos y cojos.' Dijo el criado: 'Señor, se ha

---

1. Es la declaración más diáfana de la divinidad de Cristo: la identidad con el Padre.
2. En sus palabras no había sombra de duda; querían apedrearle porque se hacía Dios.
3. Jesús compara el Reino de los Cielos a un festín, los de los orientales duraban a veces meses enteros. Los primeros convidados eran los judíos, los últimos los gentiles.

hecho lo que has ordenado y aún queda sitio. Replicó el amo al criado: Sal a los caminos y cercados y obliga a las gentes a entrar, para que se llene mi casa. Porque os digo que ninguno de aquellos que habían sido invitados participará de mi banquete'."

Condiciones para seguir a Jesús: Lc 14, 25-35

Caminaba con Él un gentío enorme, y dirigiéndose a ellos, les dijo: "Si alguno quiere venir a Mí y no aborrece a su padre y a su madre, a su mujer y a sus hijos, a sus hermanos y hermanas, y hasta su propia vida, no puede ser mi discípulo[1]. Quien no carga con su cruz y se viene en pos de Mí, no puede ser mi discípulo. Quien tenga oídos para oir, que oiga."

Oveja perdida[2]: Lc 15, 1-10

Se acercaban a Él todos los publicanos para escucharle. Y murmuraban los fariseos y los escribas, diciendo: "Éste recibe a los pecadores y come con ellos." Y les propuso esta parábola: "Si uno de vosotros tiene cien ovejas y pierde una de ellas, ¿no es verdad que dejará las noventa y nueve en el desierto e irá en busca de la extraviada hasta que la halle? Y hallándola, la echa a los hombros, y, llegando a su casa convoca a los amigos y a los vecinos y les dice: 'Alegraos conmigo, porque he hallado la oveja que se me había perdido.' Os digo que de igual modo en el cielo habrá más alegría por un pecador arrepentido que por noventa y nueve justos que no tienen necesidad de penitencia. Si una mujer que tiene diez dracmas, pierde una, ¿no es verdad que encenderá una lámpara, barrerá la casa y buscará con todo esmero hasta que la halle? Y, habiéndola encontrado, llama a las amigas y vecinas y les dice: 'Alegraos conmigo, porque he hallado la dracma que había perdido.' Os digo que de la misma manera hay alegría entre los ángeles de Dios por un pecador que se arrepiente."

Hijo pródigo[3]: Lc 15, 11-33

Y añadió: "Un hombre tenía dos hijos. Y dijo el menor de ellos a su padre: 'Padre, dame la parte de la herencia que me corresponde.' Él

---

1. Jesús quiere ser el primero en nuestro amor, antes que nuestros familiares más íntimos y nosotros mismos.
2. La imagen del Buen Pastor es la primera de las catacumbas.
3. El pecador que abandona la casa paterna está maravillosamente expresado en esta parábola. Dios recibe al pecador arrepentido en sus brazos y todos se alegran.

repartió entre ellos la herencia. Pasados algunos días, el hijo menor, habiéndolo reunido todo, se marchó a lejanas tierras y allí dilapidó su hacienda, viviendo licenciosamente. Mas cuando lo hubo gastado todo, sobrevino en aquellas tierras grande hambre, y él comenzó a sentir necesidad. Se puso al servicio de uno de los paisanos de aquella región, el cual lo envió a sus campos a guardar puercos. De buena gana hubiera llenado su estómago de las algarrobas que comían los puercos, pero nadie se las daba. Entrando dentro de sí, dijo: 'Cuántos jornaleros de mi padre tienen pan en abundancia mientras yo aquí me muero de hambre. Volveré a mi padre, y le diré: Padre, he pecado contra el cielo y contra ti; no merezco ser hijo tuyo; trátame como a uno de tus jornaleros.' Se puso, pues, en camino hacia su padre. Estaba todavía lejos cuando su padre lo vio y se enterneció, y corriendo hacia él, se echó a su cuello y lo cubrió de besos. Díjole el hijo: 'Padre, he pecado contra el cielo y contra ti; no merezco ser hijo tuyo.' El Padre mandó a sus criados: '¡Pronto!, sacad el mejor vestido y ponédselo, colocadle un anillo en el dedo y sandalias en los pies; traed el novillo más gordo, matadlo y comamos y hagamos fiesta; porque este hijo mío estaba muerto y ha vuelto a la vida; estaba perdido y ha sido hallado.' Y dieron principio a la fiesta. Su hijo mayor estaba en el campo; a su regreso, al aproximarse a la casa, oyó la música y el baile; y, llamando a uno de los criados, le preguntó qué era aquello. Él le dijo: 'Ha vuelto tu hermano, y tu padre ha mandado matar el novillo cebado, porque lo ha recibido sano y salvo.' Enojóse y no quería entrar, por lo que su padre tuvo que salir a rogárselo. Él dijo a su padre: 'Tantos años como te sirvo, sin haber jamás transgredido un mandato tuyo y nunca me has dado un cabrito para celebrarlo con mis amigos; mas, apenas ha llegado ese hijo tuyo que ha gastado tus bienes con malas mujeres, has matado para él el novillo cebado.' Él le respondió: 'Hijo mío, tú siempre estás conmigo, y todas mis cosas son tuyas; pero era necesario hacer fiesta y alegrarse, porque este hermano tuyo estaba muerto y ha vuelto a la vida, estaba perdido y ha sido hallado[1]'."

Mayordomo infiel: Lc 16, 1-9

Dijo también a los discípulos: "Había un hombre que tenía un mayordomo el cual fue acusado ante él de que malgastaba sus bienes[2].

---

1. La misericordia de Dios es infinita. La desconfianza le ofende.
2. Dios es el dueño de cuanto tenemos y somos: bienes, cualidades, salud, vida, y de todo hemos de dar cuenta a Dios.

Lo mandó llamar y le dijo: '¿Qué es lo que me dicen de ti? dame cuenta de tu administración, porque no podrás en adelante seguir de mayordomo.' El mayordomo se dijo para sí: '¿Qué voy a hacer, ya que mi amo me va a quitar la administración? ¿Cavar? No puedo. ¿Mendigar? Me da vergüenza. Ya sé qué hacer para que, cuando sea removido de la administración, me reciban en sus casas.' Y llamando uno por uno a los deudores de su amo, dijo al primero: '¿Cuánto debes a mi amo?' Él contestó: 'Cien barriles de aceite.' Le replicó: 'Toma tu factura, siéntate pronto y anota cincuenta.' Luego dijo al otro: '¿Y tú cuánto debes?' Él dijo: 'Cien medidas de trigo.' Le replicó: 'Toma tu factura y apunta ochenta.' El amo elogió al mayordomo infiel, por haber obrado con astucia, pues los hijos de este siglo son más astutos[1] que los hijos de la luz en sus cosas."

Epulón y Lázaro[2]: Lc 16, 19-31

Había un hombre rico que vestía púrpura y lino fino y comía cada día opíparamente. por el contrario, un pobre, llamado Lázaro, solía ponerse tendido junto a su puerta, cubierto de úlceras, y deseando hartarse de lo que caía de la mesa del rico[3]; y hasta los perros venían a lamer sus úlceras. En esto murió el pobre y fue llevado por los ángeles al seno de Abraham[4]. Murió también el rico y fue sepultado. Estando en el infierno, en medio de tormentos, levantó sus ojos y vio a Abrahám a lo lejos y a Lázaro en su seno. Y con voz fuerte, dijo: "Padre Abraham, compadécete de mí y manda a Lázaro que moje la punta de su dedo en agua y refresque mi lengua, porque me abraso en estas llamas." Dijo Abraham: "Hijo, recuerda que recibiste tus bienes mientras vivías, y Lázaro, en cambio, los males; ahora, sin embargo, él es aquí consolado y tú atormentado. Y, además, entre nosotros y vosotros se interpone un abismo infranqueable, de suerte que los que quieran pasar de aquí a vosotros no pueden, ni tampoco de ahí pasar a nosotros." "Te ruego, padre mío, que lo envíes a casa de mi padre, pues tengo cinco hermanos, para que se lo advierta, a fin de que ellos no vengan a este lugar de tormentos." Abraham contestó: "Ya tienen a Moisés y a los Profetas. ¡Que los escuchen!" Él replicó: "No, padre Abraham, si fuere a ellos alguno de la región de los muertos, harían

---

1. El dueño alabó la astucia de su mal administrador, no su malignidad.
2. Es la imagen del mal rico y el pobre.
3. En nuestra sociedad actual se dice que unos mueren hartos y otros de hambre.
4. Expresión judía = el Cielo, contrapuesto al infierno.

penitencia." Le respondió: "Si a Moisés y a los Profetas no hacen caso, tampoco creerán a uno resucitado de entre los muertos[1]."

Viaje a Jerusalén: Jn 11, 1-16; Lázaro: Jn 11, 1-16

Había un enfermo, llamado Lázaro, en Betania[2], el pueblo de María y de su hermana Marta. Y el que estaba enfermo, Lázaro, era hermano suyo. Las hermanas, pues, enviaron a decirle: "Señor, tu amigo está enfermo[3]." Jesús, al oírlo, dijo: "Esta enfermedad, no es de muerte, sino que sirve a la gloria de Dios, para que mediante ella sea glorificado el Hijo." Jesús amaba a Marta, a su hermana y a Lázaro. Aunque se enteró de que estaba enfermo, permaneció allí dos días todavía. Después dijo a sus discípulos: "Vamos otra vez a Judea." Ellos le replicaron: "Maestro, hace poco los judíos querían apedrearte, y ¿de nuevo vas allá?" "Nuestro amigo Lázaro duerme, pero voy a despertarlo[4]." Replicaron sus discípulos: "Señor, si duerme, sanará." Pero Jesús se refería a su muerte mientras que sus discípulos pensaban que hablaba del sueño ordinario. Jesús entonces les dijo claramente: "Lázaro ha muerto[5]. Y me alegro por vosotros de no haber estado allí, para que creáis. Pero vamos hasta su casa." Entonces Tomás, por sobrenombre Dídimo, dijo a sus condiscípulos: "Vayamos también nosotros a morir con Él."

Yo soy la vida: Jn 11, 17-27

Al llegar Jesús se encontró con que hacía ya cuatro días que estaba en el sepulcro. Distaba Betania de Jerusalén unos tres kilómetros. Por eso, muchos judíos se llegaron a Marta y María para darles el pésame por su hermano[6]. Cuando Marta oyó que Jesús venía, salió a su encuentro. Pero María se quedó en casa. Dijo Marta a Jesús: "Señor, si hubieses estado aquí, mi hermano no hubiera muerto. Pero ya sé que Dios te concederá cuanto le pidas[7]." Le dijo Jesús: "Tu hermano resucitará." Marta le replicó: "Ya sé que resucitará en la resurrección del último día." Añadió Jesús: "Yo soy la resurrección y la vida. Quien

---

1. A un muerto que resucite.
2. Distaba tres kilómetros de Jerusalén, camino de Jericó.
3. Jesús solía hospedarse en casa de los tres hermanos. El mensaje era delicado y apremiante. Apela a su amistad.
4. El sueño de la muerte.
5. Parece que murió el mismo día del aviso.
6. Era una familia distinguida.
7. Le considera no como a Dios sino profeta.

cree en Mí, aunque muera, vivirá; y quien vive y cree en Mí, no morirá jamás. ¿Crees tú esto?" "Sí, Señor", le respondió. "Yo ya he creído que Tú eres el Cristo, el Hijo de Dios, el que debía venir al mundo[1]."

Llanto de Jesús: Jn 11, 28-37

Y dicho esto, fue y llamó a su hermana María, diciéndole al oído: "El Maestro está aquí y te llama." Apenas oyó estas palabras, se levantó rápidamente y se dirigió hacia Él. Aún no había llegado Jesús al pueblo, sino que se hallaba en el lugar donde lo encontró Marta. Los judíos que estaban con María en casa, consolándola, viéndola levantarse tan rápidamente y salir, la siguieron, pensando que iba al sepulcro a llorar allí. Cuando María llegó a donde estaba Jesús, viéndole, cayó a sus pies, y le dijo: "Señor, si hubieses estado aquí, no hubiera muerto mi hermano." Jesús, viéndola llorar y viendo llorar a los judíos que la acompañaban, se emocionó y conmovió interiormente[2]; y preguntó: "¿Dónde lo habéis colocado?" Le respondieron: "Señor, ven y lo verás." Jesús se echó a llorar. Los judíos se decían: "Éste, que abrió los ojos al ciego, ¿no podría haber impedido que este hombre muriera[3]?"

Resurrección de Lázaro: Jn 11, 38-44

Jesús, otra vez visiblemente conmovido, llegó al sepulcro. Era una cueva tapada con una piedra[4]. Dijo Jesús: "Quitad la piedra." Le respondió Marta, la hermana del muerto: "Señor, ya huele mal, pues lleva cuatro días." "¿No te he dicho, replicó Jesús, que si crees verás la gloria de Dios?" Quitaron, pues, la piedra, y Jesús, levantando los ojos al cielo, dijo: "Padre, te doy gracias, porque me has oído. Yo ya sabía que siempre me oyes; pero lo he dicho por esta turba que me rodea, para que se convenza de que Tú me has enviado." Y, dicho esto, gritó con voz fuerte: "¡Lázaro, sal fuera!" Y salió el que había estado muerto, atados los pies y las manos con vendas y envuelto el rostro en un sudario. "Desenrolladlo y dejadlo caminar", les ordenó Jesús.

---

1. Jesús iluminó su módica fe.
2. Jesús era humano, tenía un corazón muy tierno.
3. El ciego de nacimiento. Todo Jerusalén conocía el hecho.
4. Aún hoy se muestra el sepulcro y el lugar del encuentro con Jesús.

Decretan la muerte de Jesús: Jn 11, 45-57

Muchos judíos, de los que acompañaban a María, viendo lo que había hecho, creyeron en Él. Mas algunos de éstos se llegaron a los fariseos, para contarles lo que Jesús había hecho. Tuvieron reunión los jefes de los sacerdotes y los fariseos y se dijeron: "¿Qué hacemos? Este hombre está realizando muchos prodigios. Si le dejamos así, toda la gente creerá en Él, y vendrán los Romanos y destruirán nuestro Templo y nuestra nación." Pero uno de ellos, Caifás, que era sumo sacerdote de aquel año, les dijo: "Vosotros no sabéis nada. No os dais cuenta de que os conviene que muera un solo hombre por el pueblo y no que perezca toda la nación." No dijo esto por cuenta propia, sino que, siendo sumo sacerdote aquel año, profetizó que Jesús iba a morir por la nación; y no sólo por la nación, sino para realizar la unidad de los hijos de Dios dispersos. Desde aquel día se decidieron a matarlo[1].

Por eso Jesús no aparecía ya en público ante los judíos, sino que se retiró a la región cercana al desierto, a la ciudad llamada Efrén, y allí permaneció con sus discípulos[2]. Se aproximaba la Pascua de los judíos, y subieron muchos de los pueblos a Jerusalén, antes de la Pascua para purificarse. Buscaban a Jesús y se decían unos a otros en el Templo: "¿Qué os parece? ¿No vendrá a la fiesta?" Los jefes de los sacerdotes y los fariseos habían ordenado que cualquiera que supiese dónde estaba, lo denunciase, para arrestarlo.

Leprosos: Lc 17, 11-19

Camino de Jerusalén, pasó entre los límites de Samaria y Galilea. Al entrar Él en cierta aldea, le salieron al encuentro diez leprosos, los cuales, manteniéndose a distancia, dijeron en alta voz: "Jesús, Maestro, ten compasión de nosotros." Luego que los vio, les dijo: "Id y presentaos a los sacerdotes." Y, mientras iban por el camino, quedaron limpios. Uno de ellos, al sentirse curado, volvió hacia atrás alabando a Dios a grandes voces, y, rostro en tierra, se tiró a los pies de Jesús, dándole las gracias. Era un samaritano[3]. Tomando Jesús la palabra, dijo: "¿No quedaron limpios los diez? Y los nueve, ¿dónde están? ¿No

---

1. La resurrección de Lázaro tuvo un doble efecto: unos creyeron y otros, los fariseos, se empecinaron en su odio mortal contra Jesús.
2. No había llegado aún su hora.
3. El Evangelista resalta su nacionalidad: era samaritano; los otros nueve, judíos.

ha habido quienes volviesen a dar gloria a Dios, sino este extranjero?" Y le dijo: "Levántate y vete, tu fe te ha salvado[1]."

Segunda venida: Lc 17, 20-37

Preguntado por los fariseos: "¿Cuándo va a venir el Reino de Dios?" Respondió: "No ha de venir el Reino de Dios de modo aparatoso, ni dirán: 'Aquí está, allí está'; no vayáis ni andéis tras ellos. Porque, como el relámpago, al brillar recorre con su resplandor todo el cielo de un extremo a otro, así será la venida del Hijo del hombre, en su día[2]. Pero antes es menester que Él padezca mucho y sea rechazado por esta raza. Y lo mismo que acaeció en tiempo de Noé, así sucederá en los días del Hijo del hombre: comían y bebían; se casaban ellos y se casaban ellas, hasta el día en que Noé entró en el arca y vino el diluvio que acabó con todos. Lo mismo aconteció en tiempo de Lot; comían y bebían; compraban y vendían; plantaban y edificaban; mas el día en que salió Lot de Sodoma, llovió fuego y azufre del cielo, que acabó con todos. Esto mismo pasará cuando aparezca el Hijo del hombre."

Orad siempre: Lc 18, 1-8

Les propuso una parábola sobre la obligación de orar siempre y de no cansarse nunca. Comenzó así: "En cierta ciudad había un juez que ni temía a Dios ni respetaba a los hombres. Había también en aquella ciudad una viuda que solía acudir a él, diciéndole: 'Hazme justicia contra mi contrario.' Durante algún tiempo no se preocupó. Pero un buen día se dijo a sí mismo: 'Verdad es que ni temo a Dios ni respeto a nadie. Con todo, como esta viuda me importuna tanto, le haré justicia, para que no me dé más quebraderos de cabeza'." Y concluyó el Señor: "Oíd lo que dice el juez inicuo. ¿No hará Dios justicia a sus elegidos que claman a Él día y noche? ¿Acaso se mostrará remiso en la defensa de su causa? Os digo que les hará justicia sin tardar[3]. Pero ¿creéis que el Hijo del hombre, cuando venga, hallará fe en la tierra[4]?"

---

1. Jesús se dolió de su ingratitud.
2. Vendrá de una manera espectacular, pero de improviso.
3. La oración ha de ser confiada y perseverante. La comunicación con Dios debería ser habitual en un cristiano.
4. Jesús pasa por las naciones.

Fariseo y publicano: Lc 18, 9-14

Propuso esta parábola para algunos que se tenían por justos y menospreciaban a los demás: "Dos hombres subieron al templo a orar: uno fariseo y otro publicano. El fariseo, puesto en pie, oraba en su interior de esta manera: '¡Oh Dios!, te doy gracias, porque no soy como los demás hombres: ladrones, injustos, adúlteros, ni tampoco como este publicano; ayuno dos veces por semana, pago el diezmo de todo cuanto poseo.' Mas el publicano, manteniéndose a distancia, no osaba siquiera alzar los ojos al cielo; se daba golpes de pecho, diciendo: '¡Oh Dios, ten piedad de mí, que soy pecador[1].' Os digo que éste —a diferencia del otro— volvió a casa justificado; porque todo el que se ensalza será humillado y el que se humilla será ensalzado."

Matrimonio y virginidad: Mt 19, 1-2 (Mc 10, 1-12)

Cuando Jesús terminó estos discursos, partió de Galilea y vino al territorio de Judea, al otro lado del Jordán. Le siguió una gran muchedumbre. «Y como de costumbre, se puso de nuevo a adoctrinarlas» y allí las curó. Se acercaron a Él algunos fariseos y, para ponerle a prueba, le propusieron esta cuestión: "¿Es lícito a un hombre repudiar a su mujer por cualquier causa?" Él respondió: «"¿Qué os propuso Moisés?" Y ellos dijeron: "Moisés permitió abrir expediente de separación y repudiarla."» Mas Jesús les dijo: "¿No habéis leído que el Creador, desde el principio «de la Creación los hizo Dios varón y hembra», y que dijo: «Por eso dejará el hombre a su padre y a su madre para unirse a su mujer, y los dos serán una sola carne?» (Gn 2, 24); así, pues, ya no son dos, sino una sola carne. Por consiguiente, lo que Dios unió no lo separe el hombre[2]." Ellos prosiguieron: "¿Por qué, pues, mandó Moisés entregarla un acta de divorcio para repudiarla?" (Dt 24, 1). Jesús les contestó: "Por la dureza de vuestro corazón, os permitió Moisés repudiar a vuestras mujeres; pero al principio no era así. Y yo os digo: Aquel que repudia a su mujer, salvo el caso de concubinato, y se casa con otra, comete adulterio[3]."

«Una vez más los discípulos, cuando entraron en casa, le pidieron explicación de la cuestión. Y les dijo: "Quien repudia a su mujer y se casa con otra, comete adulterio respecto a la primera. Y si una mujer,

---

1. El fariseo fue a alabarse a sí mismo, mientras que el publicano a pedir perdón.
2. Según la ley mosaica.
3. Mas no según la Ley de Dios, que lo prohíbe. El adulterio es pecado grave. La separación no es divorcio. La virginidad por el reino de Dios es superior al matrimonio.

repudiando a su marido, se casa con otro, comete adulterio.» Entonces los discípulos le dijeron: "Si tal es la condición del hombre con la mujer, no conviene casarse." Él les respondió: "No todos comprenden esta doctrina, sino solamente aquellos a quienes es concedido. Porque hay hombres que, desde el vientre de su madre, son impotentes para el matrimonio; hay otros que se hicieron impotentes a sí mismos por el Reino de los Cielos. Quien sea capaz de entender, entienda."

Como niños: Lc 18, 15-17 (Mt 19, 13-15; Mc 10, 13-16)

Deseaban también presentarle los niños para que los tocase; «para que les impusiese las manos y orase»; pero los discípuilos al verlo, los reñían. Mas Jesús «reprendióles»; haciéndolos venir junto a Él dijo: "Dejad que los niños vengan a Mí, y no se lo impidáis, porque el Reino de los Cielos es de los que se parecen a ellos. Ciertamente os digo: Quien no reciba el reino de Dios como un niño no entrará en él." «Y estrechándolos en sus brazos y poniendo las manos sobre ellos les bendecía[1].»

Pobreza y perfección: Mt 19, 16-22 (Mc 10, 17-22; Lc 18, 18-23)

En esto, se le acercó un joven y le preguntó: "Maestro, ¿qué debo hacer de bueno para conseguir la vida eterna?" Jesús le respondió: "¿Por qué me preguntas sobre lo que es bueno? Solamente uno es Bueno. Pero si quieres entrar en la vida, guarda los mandamientos[2]." "¿Cuáles?", le preguntó. Y Jesús le respondió: "No matarás, no cometerás adulterio, no hurtarás, no levantarás falso testimonio, honrarás a tu padre y a tu madre y amarás a tu prójimo como a ti mismo." El joven le contestó: "Todo esto lo he observado ya; ¿Qué me falta?" Jesús, «fijando en él su mirada, sintió cariño por él y le dijo: "Una sola cosa te falta.» Si quieres ser perfecto, respondió Jesús, vete, vende lo que tienes y dalo a los pobres y tendrás un tesoro en el cielo. Después, ven y sígueme." Al oír estas palabras, el joven se marchó triste, porque era muy rico.

---

1. Jesús amaba a los niños. Los defendía y los proponía como modelos por su sencillez e inocencia.
2. Para entrar en el Reino del Cielo es preciso guardar los Mandamientos.

Peligro de las riquezas: Mt 19, 23-30 (Mc 10, 23-31; Lc 18, 24-30)

Y Jesús dijo a sus discípulos: "Os digo en verdad: Difícilmente entrará un rico en el Reino de los Cielos. Y os repito: Es más fácil que un camello pase por el ojo de una aguja, que un rico entre en el Reino de los Cielos." Al oír esto, los discípulos quedaron estupefactos y decían: "¿Quién, pues, podrá salvarse?" Jesús fijó su mirada en ellos y les dijo: "Esto es imposible a los hombres, mas para Dios todo es posible[1]." «Qué difícilmente entrarán en el Reino de Dios los que poseen riquezas.» Entonces Pedro, tomando la palabra, le dijo: "Nosotros hemos dejado todas las cosas y te hemos seguido, ¿qué habrá, pues, para nosotros?" Jesús les contestó: "Os doy mi palabra de que vosotros que me habéis seguido, en la resurrección, cuando el Hijo del hombre se siente sobre el trono de su gloria, os sentaréis también vosotros en doce tronos para juzgar a las doce tribus de Israel. Y todo aquel que dejare casa, hermanos o hermanas, padre o madre, hijos o campos, por mi Nombre, «y del Evangelio,» «por el Reino de Dios», recibirá cien veces más y conseguirá la vida eterna[2]. Y muchos, de primeros llegarán a ser últimos; y de últimos, primeros[3]."

Viñadores: Mt 20, 1-16

El Reino de los Cielos es semejante a un padre de familia que salió de madrugada para contratar obreros para su viña. Y, habiendo convenido con los obreros en un denario por día, los envió a su viña. Salió también a eso de las nueve y vio a otros que estaban en la plaza sin hacer nada, y les dijo: "¿Por qué estáis aquí todo el día ociosos?" Le respondieron: "Porque nadie nos ha contratado." "Id también vosotros a la viña", les dijo. Al oscurecer, el dueño de la viña dijo a su mayordomo: "Llama a los obreros y págales su jornal, empezando por los últimos hasta llegar a los primeros." Se presentaron los de las cinco de la tarde y recibieron cada uno un denario[4]. Cuando llegaron los primeros, pensaban que cobrarían más; pero también ellos recibieron cada uno un denario. Y, al recibirlo, murmuraban contra el propietario,

---

1. Las riquezas son un gran obstáculo para entrar en el Cielo, si no es un milagro como el del camello.
2. Sobre todo la Vida Eterna.
3. Muchos primeros serán los últimos.
4. Moneda de plata. Era lo convenido. Los cristianos, lo mismo que los paganos convertidos, recibirán la misma paga.

diciendo: "Éstos, los últimos, no han trabajado más que una hora y los tratas igual que a nosotros, que hemos soportado el peso de la jornada y del calor." Entonces él respondió a uno de ellos: "Amigo, no te trato injustamente: ¿no te contrataste conmigo en un denario? Toma lo que es tuyo y vete. Yo quiero dar a este último como a ti. O ¿no me está permitido hacer lo que quiero con lo mío? O ¿es que eres envidioso, porque yo soy bueno?" De modo semejante, los últimos serán los primeros y los primeros los últimos.

Nuevo Anuncio de la Pasión: Mt 20, 17-19 (Mc 10, 32-34; Lc 18, 31-34)

Cuando tenía que subir a Jerusalén, Jesús tomó aparte a los doce y, por el camino, les dijo: "Mirad, subimos a Jerusalén, y el Hijo del hombre va a ser entregado a los príncipes de los sacerdotes y a los escribas, que lo condenarán a muerte, y le entregarán a los paganos para que le escarnezcan, le azoten, «le escupirán,» y crucifiquen; pero al tercer día resucitará[1]." «Mas ellos nada de esto entendieron; era este lenguaje ininteligible para ellos, y no sabían lo que se les decía.»

Ciego de Jericó: Lc 18, 35-43

Al acercarse Él a Jericó, un ciego estaba sentado a la vera del camino, pidiendo limosna. Y al darse cuenta del gentío que por allí pasaba, preguntó qué era aquello. Y le contestaron que pasaba Jesús de Nazaret. Y se puso a gritar: "Hijo de David[2], ten compasión de mí." Y los que abrían la marcha le increpaban para que se callase. Pero él gritaba con más fuerza: "Hijo de David, ten compasión de mí[3]." Deteniéndose, Jesús, mandó que se lo trajeran. Y cuando se hubo acercado, le preguntó: "¿Qué quieres que haga por ti?" Él respondió: "Señor, hazme recobrar la vista." Y Jesús le dijo: "Recobra la vista, tu fe te ha salvado." Y al instante la recobró, y le seguía bendiciendo a Dios. Y todo el pueblo, al verlo, comenzó a alabar a Dios.

Hijos de Zebedeo: Mt 20, 20-28 (Mc 10, 35-45)

Entonces, se le acercó la madre de los hijos de Zebedeo, con sus hijos, y se postró ante Él como para pedirle algo. Él le preguntó: "¿Qué quieres?" Ella respondió: "Haz que estos dos hijos míos se

---

1. Sabía muy bien lo que le había de suceder.
2. Así se le llamaba.
3. Oración humilde y fervorosa.

sienten uno a tu derecha y otro a tu izquierda en tu Reino." «Santiago y Juan, los hijos de Zebedeo, se acercaron a Él para decirle: "Concédenos el sentarnos en tu gloria uno a tu derecha y otro a tu izquierda".» "No sabéis lo que pedís", replicó Jesús. "¿Podéis beber el cáliz que Yo he de beber? «¿O ser bautizados con el que Yo seré bautizado[1]?»" "Podemos", le respondieron. Él les dijo: "Sí, beberéis mi cáliz; pero sentarse a mi derecha o a mi izquierda no me pertenece a Mí concederlo; es para aquellos para quienes está preparado por mi Padre." Al oír esto, los otros diez se indignaron contra los dos hermanos[2]. Y Jesús, llamándolos a Sí, les dijo: "Vosotros sabéis que los jefes de las naciones dominan en ellas y que los grandes ejercen su poder sobre ellas. No sea así entre vosotros; sino el que quiera llegar a ser grande entre vosotros, sea vuestro siervo. Lo mismo que el Hijo del hombre, que no vino a ser servido, sino a servir y dar su vida en rescate de muchos (por todos)[3]."

Zaqueo: Lc 19, 1-10

Jesús entró en Jericó y comenzó a cruzar la ciudad. Un hombre, llamado Zaqueo, que era jefe de publicanos[4] y con mucho dinero, intentaba ver quién era Jesús, y no lo lograba a causa del gentío, por ser de corta estatura. Echó a correr hasta situarse en lugar avanzado y se subió a un sicómoro[5] para verlo, pues debía pasar por allí. Cuando Jesús llegó a aquel lugar, alzando la vista, le dijo: "Zaqueo, baja pronto, porque hoy tengo que hospedarme en tu casa." Bajó a toda prisa y lo recibió gozoso. Viendo esto, murmuraban todos, diciendo: "Fue a hospedarse en casa de un pecador." Zaqueo, de pie, dijo al Señor: "Mira, Señor, voy a dar la mitad de mis bienes a los pobres, y, en caso de que haya defraudado a alguno, le devolveré cuatro veces más[6]." Jesús le contestó: "Hoy ha llegado la salvación a esta casa, porque también éste es hijo de Abrahán, ya que el Hijo del hombre ha venido a buscar y salvar lo que estaba perdido[7]."

---

1. La Pasión y martirio como Jesús.
2. Su ambición desató la ira y envidia de los demás.
3. Lección sublime de humildad confirmada con su ejemplo.
4. Jefe de la zona de Jericó, ciudad comercial.
5. Higuera egipcia de ramas horizontales.
6. Sólo a los ladrones se les imponía esta pena.
7. Para traer la paz temporal y eterna.

Cura dos ciegos: Mt 20, 29-34

Cuando salían de Jericó, le siguió mucha gente. Y, en esto, dos ciegos que estaban sentados junto al camino, al enterarse que pasaba Jesús, comenzaron a gritar: "Señor, hijo de David, ten piedad de nosotros." La gente les increpaba para que callasen; pero ellos gritaban más alto: "¡Señor, hijo de David, ten piedad de nosotros[1]!" Jesús se detuvo, los llamó y les preguntó: "¿Qué queréis que os haga?" Ellos respondieron: "Señor, que se abran nuestros ojos." Y Jesús movido a compasión, les tocó los ojos, e inmediatamente recobraron la vista y le siguieron.

En Betania: Jn 12, 1-11 (Mt 26, 6-13; Mc 14, 3-11)

Seis días antes de la Pascua llegó a Betania, donde estaba Lázaro, a quien había resucitado de entre los muertos. Le ofrecieron allí una cena. Marta servía, y Lázaro era uno más de los comensales. María, por su parte, tomando una libra de perfume de nardo auténtico, de gran valor, ungió los pies de Jesús y los enjugó con sus cabellos; «rompiendo el frasco de alabastro, vertió el perfume sobre la cabeza de Jesús,» y toda la casa quedó impregnada del aroma del nardo[2]. Judas Iscariote, uno de sus discípulos, el que lo iba a traicionar, dijo: "¿Por qué este perfume no se ha vendido en trescientos denarios para dar a los pobres[3]?" Dijo esto no porque le importasen los pobres, sino porque era ladrón y, siendo el encargado de la bolsa, sustraía lo que en ella se echaba. "¿A qué viene este desperdicio del perfume? Pues se podía haber vendido este perfume por más de trescientos denarios para darlos a los pobres." Y mostraron su indignación contra ella.» Mas Jesús replicó: "Déjala; lo ha guardado para el día de mi sepultura. A los pobres tenéis siempre con vosotros «y podéis hacerles el bien cuando os venga en gana,» pero a Mí no siempre me tenéis. «Ésta hizo lo que estaba en su mano, adelantándose a ungir mi cuerpo para la sepultura.» «Os doy palabra de que en todas partes donde sea predicada esta buena nueva, en todo el mundo, se contará también en recuerdo suyo lo que ésta ha hecho»." Pronto se enteró la gran aglomeración de judíos de que Jesús estaba allí, y acudieron no sólo para ver a Jesús, sino también a Lázaro, a quien resucitara entre los muertos.

---

1. La gente los increpó, porque no querían retrasar la marcha. Su insistencia fue premiada.
2. Esta delicadeza cautivó a Jesús.
3. Es el argumento de los que critican las coronas de la Virgen ofrecidas por el pueblo.

Entra en Jerusalén: Mt 21, 1-9 (Mc 11, 1-10; Lc 19, 29-38; Jn 12, 12-16)

Cuando se aproximaban a Jerusalén y llegaron a Betfagé[1], junto al monte de los Olivos, mandó Jesús dos discípulos, con esta misión: "Id al pueblo que está frente a vosotros y en seguida encontraréis una borrica atada y con ella el pollino; «atado, sobre el que ningún hombre ha montado todavía»; soltadlos y traédmelos. Si alguno os dijese algo, «¿por qué lo desatáis?,» le respondéis: El Señor los necesita; luego los devolverá." Todo esto ocurrió para que se cumpliese el oráculo del profeta: «Decid a la hija de Sión: Mira que tu Rey viene a ti, lleno de mansedumbre y montado sobre un pollino, hijo de la borrica» (Zac 9, 9). «Ahora sus discípulos no comprendieron esto, pero cuando Jesús fue glorificado, entonces se dieron cuenta de que todo esto había sido escrito acerca de Él.» Los discípulos fueron e hicieron como les había mandado Jesús. «Fueron los enviados y hallaron todo como les había dicho. Y mientras ellos desataban el pollino, les dijeron sus dueños: "¿Por qué desatáis el pollino?" Ellos respondieron: "Porque el Señor lo necesita."» «Y les dejaron.» Trajeron la borrica y el pollino, pusieron sobre ellos sus mantos y se sentó sobre ellos. Muchísima gente extendía sus mantos en el camino; otros cortaban ramos de los árboles y los esparcían por el camino. La muchedumbre que precedía a Jesús y la que le seguía gritaba: "Hosanna[2] al Hijo de David[3], Bendito el que viene en nombre del Señor, Hosanna en lo más alto de los cielos." «Al día siguiente, la numerosa multitud que había llegado a la fiesta, oyendo que venía Jesús a Jerusalén, tomó ramos de palmera y salió a su encuentro, gritando: "¡Hosanna! ¡Bendito sea el que viene en nombre del Señor, el Rey de Israel!"»

Clamarán las piedras: Jn 12, 17-19 (Lc 19, 39-40)

Le aclamaba la multitud que estaba con Él cuando llamó a Lázaro del sepulcro y lo resucitó de entre los muertos. Por eso también la gente salió a su encuentro, porque oyeron que había hecho este milagro. Pero los fariseos se decían unos a otros: "¡Veis cómo no adelantáis nada! Mirad, toda la gente va tras Él." «Y algunos fariseos, que estaban entre el gentío, le dijeron: "Maestro, reprende a tus dis-

---

1. Aldehuela cerca de Betania, a 1 kilómetro de Jerusalén. El triunfo popular del Mesías anunciado, dice muy bien con Jesús y el Reino mesiánico (Isaías 62, 2).
2. Hosanna, en hebr. = "Salva, pues", convertido en aclamación.
3. Reconocido por Hijo de David, título mesiánico, y aclamado por Rey enviado por Dios.

cípulos." Respondió: "Os digo que si éstos callan, hablarán las piedras".»

Vendedores del templo: Lc 19, 41-47 (Mc 11, 15-19)

Y cuando estuvo cerca, viendo la ciudad, lloró por ella[1], exclamando: "¡Si conocieras también tú en este día lo que trae la paz! Pero ahora se ha ocultado a tus ojos. Pero vendrán días para ti en que tus enemigos te rodearán con parapetos, te asediarán y acosarán por todas partes, y te arrasarán con tus hijos dentro, y no dejarán en ti piedra sobre piedra por no haber conocido el tiempo de la visita que se te hacía." Y habiendo entrado en el templo, comenzó a expulsar a los vendedores, «derribando también las mesas de los cambistas y las sillas de los que vendían las palomas. Y no dejaba que nadie llevara objeto alguno a través del templo. Adoctrinándoles», diciéndoles: ¡Escrito está: «Mi casa será casa de oración» (Is 57, 7), mas vosotros la habéis convertido en cueva de ladrones" (Jr 7, 11).Todos los días enseñaba en el templo; y los jefes de los sacerdotes y los escribas buscaban la manera de acabar con Él, y también los hombres de relieve en el pueblo.

Higuera maldecida: Mc 11, 12-14 (Mt 21, 18-19)

Cuando al día siguiente, «de madrugada,» marcharon de Betania, Jesús sintió hambre, y viendo desde lejos una higuera con follaje, se acercó por si encontraba algo en ella. Y al llegar no encontró más que hojas, porque no era el tiempo de higos. E increpándola, exclamó: "Nunca jamás coma nadie fruto de ti", «e inmediatamente se secó la higuera.» Sus discípulos le estaban escuchando[2].

Oración: Mc 11, 20-26 (Mt 21, 20-22)

Cuando pasaban de madrugada, vieron que la higuera se había secado de raíz. Y recordándose Pedro, le dijo: "Maestro, mira cómo se ha quedado seca la higuera que maldijiste." Jesús le respondió: "Tened fe en Dios[3]. Os aseguro, «si tuvieseis fe sin vacilación de ninguna clase, no sólo haríais lo de la higuera, sino que» si uno dice a este monte: Quítate y arrójate al mar, no vacilando en su corazón, sino

1. Llora por la ingratitud de Israel.
2. La higuera maldita era el símbolo del pueblo de Israel reprobado por Dios, que ya no producirá más ningún fruto.
3. Israel no había reconocido ni aceptado a su Salvador.

creyendo que sucederá lo que dice, lo conseguirá. Por ello os digo: Todo cuanto pidiereis en vuestra oración, creed que lo recibiréis y lo conseguiréis."

Poderes de Jesús: Mc 11, 27-33 (Mt 21, 23-27; Lc 20, 1-8)

Vinieron de nuevo a Jerusalén y, cuando Él se andaba paseando por el Templo, se le acercaron los jefes de los sacerdotes, los escribas y los hombres de relieve, «mientras Él enseñaba,» y le dijeron: "¿Con qué autoridad haces estas cosas o quién te dio esa autoridad para hacerlas?" Jesús les dijo: "Os voy a hacer yo a vosotros una pregunta. Respondedme y os diré entonces con qué autoridad hago estas cosas. El bautismo de Juan ¿procedía del cielo o de los hombres? Contestadme." Ellos se pusieron a discurrir de este modo: "Si decimos que el cielo, replicará: ¿Por qué, pues, no le creísteis? Por otra parte, ¿diremos que de los hombres? Tenían miedo al pueblo, pues todos consideraban a Juan como verdadero profeta. Y, como respuesta, dijeron a Jesús: "No sabemos." Entonces Jesús les respondió: "Tampoco yo os digo con qué autoridad hago estas cosas[1]."

Enviados a la viña: Mt 21, 28-32

"¿Qué os parece? Un hombre tenía dos hijos. Dirigiéndose al primero, le dijo: 'Hijo mío, vete hoy a trabajar a la viña.' Él respondió: 'Voy, señor'; pero no fue. Se dirigió después al segundo y le dijo lo mismo. Él respondió: 'No quiero', pero después, arrepentido, fue. ¿Cuál de los dos hijos hizo la voluntad del padre?" "El último", respondieron. Jesús les dijo: "Os doy mi palabra que los publicanos y las meretrices os precederán en el Reino de los Cielos. Porque vino Juan a vosotros enseñándoos el camino de la justicia y no le creísteis. Los publicanos y las meretrices le creyeron. Y vosotros ni aún después de haber visto eso os habéis arrepentido para creerle[2]."

---

1. Porque Juan también les predicaba al Mesías y tampoco le creyeron. Su incredulidad estaba consumada.
2. De nuevo les anuncia que los gentiles les precederán en el Reino de los Cielos.

Viñadores homicidas: Mt 21, 33-45 (Lc 20, 9-10; Mc 12, 1-12)

"Escuchad otra parábola[1]: Un propietario plantó una viña, la cercó, cavó un lagar en ella y construyó una torre. La arrendó a unos colonos y se marchó lejos. Cuando se acercó el tiempo de la vendimia, envió sus servidores a los colonos para recoger sus frutos. Pero los colonos, cogiendo a los siervos, golpearon a uno, mataron a otro y apedrearon a un tercero. De nuevo mandó otros servidores, más numerosos que los primeros, e hicieron lo mismo con ellos. Al fin les mandó a su propio hijo, pues se dijo: 'Respetarán a mi hijo.' Mas los colonos, al ver al hijo, se dijeron entre sí: 'Éste es el heredero. Vamos a quitarle de en medio y nosotros poseeremos su herencia.' Le agarraron, le sacaron fuera de la viña y le mataron. Cuando venga el dueño de la viña, ¿qué hará a aquellos colonos?" Le respondieron: "Hará perecer miserablemente a aquellos malvados y arrendará su viña a otros colonos, que le darán sus frutos a su debido tiempo." Jesús les dijo: "¿No habéis leído nunca en las Escrituras: La piedra que han rechazado los constructores se ha convertido en piedra angular. Esto es obra del Señor, y es maravilloso a nuestros ojos? (SI 117, 22-23). Por eso, os digo: El Reino de los Cielos os será quitado y será dado a un pueblo que produzca sus frutos. Y el que caiga sobre esta piedra[2], se estrellará; sobre el que ella cayere, será aplastado." Los príncipes de los sacerdotes y los fariseos, al oír sus parábolas, comprendieron que hablaba de ellos, y querían detenerlo, pero tuvieron miedo a la gente, porque le tenía por profeta.

Boda real: Mt 22, 1-14

Jesús tomó de nuevo la palabra y les habló en parábolas: "El Reino de los Cielos se semejante a un rey que preparó un banquete para la boda de su hijo. Mandó a sus servidores a llamar a los invitados a la boda, pero ellos no quisieron venir. Envió de nuevo otros servidores con este encargo: 'Decid a los invitados: Mi banquete ya está preparado; los toros y animales cebados ya han sido sacrificados. Todo está preparado; venid, pues, a la boda.' Pero ellos, sin tenerlo en cuenta, se fueron, quien a su campo, quien a su negocio; y los otros, agarrando a sus siervos, los ultrajaron y mataron. Entonces, el rey montó en cólera,

---

1. Es la parábola más incisiva contra los sacerdotes, escribas y fariseos dirigentes del pueblo. La viña es el Pueblo de Israel. Los enviados son los Profetas. El hijo heredero es el Hijo de Dios, a quien mataron fuera de las murallas.
2. La piedra clave, Cristo; sin Él todo se derrumba.

envió sus ejércitos, hizo perecer a aquellos homicidas e incendió su
ciudad. Después dijo a sus servidores: 'El banquete de boda está preparado, pero los invitados no eran dignos. Id, pues, a las encrucijadas
de los caminos e invitad a la boda a cuantos encontréis.' Estos servidores salieron a los caminos, reunieron a cuantos encontraron, malos y
buenos, y la sala de la boda se llenó de comensales[1]. Cuando entró el
rey a ver a los comensales, vio allí a un hombre que no llevaba el traje
de boda, y le preguntó: 'Amigo, ¿cómo has entrado aquí sin tener el
traje de boda?' Él enmudeció. El rey mandó entonces a los servidores:
'Atadle de pies y manos y echadle fuera, a las tinieblas: allí será el
llanto y el rechinar de dientes.' Porque muchos son los llamados, pero
pocos los elegidos[2]."

A César lo del César: Mt 22, 15-22 (Mc 12, 13-17; Lc 20, 20-26)

Entonces, los fariseos se retiraron para deliberar sobre el modo de
sorprenderle en alguna palabra. Le mandaron, pues, a sus discípulos,
junto con algunos herodianos, «enviaron espías que se fingían hombres justos, con el fin de sorprenderlo en alguna palabra y así poder
entregarlo a la jurisdicción y autoridad del procurador,» para que le
propusieran esta cuestión: "Maestro, sabemos que eres veraz y que
enseñas el camino de Dios con sinceridad, sin darte cuidado de nadie,
porque no atiendes a la posición de los hombres. Danos, pues, tu
parecer sobre esto: ¿Es lícito pagar el tributo al César o no?" Jesús,
conociendo su malicia, les respondió: "¿Por qué me tentáis, hipócritas? Enseñadme la moneda del tributo." Y le presentaron un denario.
"¿De quién es esta imagen y la inscripción que lleva?", les preguntó.
"Del César", respondieron. Entonces, les dijo: "Dad, pues, al César lo
que es del César y a Dios lo que es de Dios." Ante esta contestación
quedaron maravillados y, dejándole, se marcharon.

Casuística de saduceos: Mt 22, 23-33 (Mc 12, 18-27; Lc 20, 27-40)

Aquel mismo día se le acercaron los saduceos, que no admiten la
resurrección, y le propusieron esta cuestión: "Maestro, Moisés dijo:
'Si uno muere sin tener hijos, su hermano se casará con su mujer, para
dar posteridad a su hermano.' Ahora bien, había entre nosotros siete
hermanos. El primero se casó, murió sin tener descendencia y dejó su

---

1. Los gentiles serán el nuevo Pueblo de Dios que se sentará en la mesa del Rey.
2. En el Banquete Eucarístico, el convidado sin el vestido nupcial —la Gracia— será rechazado.

mujer a su hermano. Ocurrió lo mismo con el segundo, y el tercero, hasta el séptimo, «sin dejar ninguna sucesión.» Después de todos ellos, murió también la mujer. En la resurrección, ¿de quién será mujer?, porque todos la tuvieron." Jesús les contestó: "Estáis en un error. No comprendéis ni las Escrituras ni el poder de Dios. Porque en la resurrección, ni los hombres tomarán mujer ni las mujeres maridos; sino que vivirán como ángeles de Dios en el cielo. Y en cuanto a la resurrección de los muertos, ¿no habéis leído el oráculo de Dios que os dice, «en el Libro de Moisés, en el pasaje de la zarza: Yo soy el Dios de Abrahán, el Dios de Isaac y el Dios de Jacob?» (Ex 3, 6). No es, pues, Dios de muertos[1], sino de vivos." Y las turbas al oírle, quedaron maravilladas de su doctrina.

Máximo mandato: Mt 22, 34-36 (Mc 12, 28-37; Lc 20, 41-44)

Cuando supieron los fariseos que había hecho callar a los saduceos, se reunieron. Uno de ellos, doctor de la Ley, le preguntó para probarle: "Maestro, ¿cuál es el mandamiento más grande de la Ley?" Jesús le respondió: "«Amarás al Señor, tu Dios, con todo tu corazón, con toda tu alma, con toda tu mente» (Dt 4) «y con todas tus fuerzas.» Éste es el mayor y primer mandamiento. El segundo es semejante al primero: «Amarás a tu prójimo como a ti mismo». A estos dos mandamientos se reduce la Ley y los Profetas[2]." Estando reunidos los fariseos, les preguntó Jesús: "¿Qué os parece del Mesías? ¿De quién es hijo?" "De David", le respondieron. Jesús siguió preguntándoles: "¿Cómo, pues, David, inspirado, le llama señor cuando dice: «El Señor ha dicho a mi Señor: Siéntate a mi diestra hasta que ponga a tus enemigos bajo tus pies?» (Sl 99, 1). Si, pues, David le llama Señor, ¿cómo es hijo suyo[3]?" Y nadie supo responderle palabra. Y desde aquel día nadie se atrevió a preguntarle más.

Escribas y fariseos: Mt 23, 1-12 (Mc 12, 38-39; Lc 20, 45-46)

Entonces Jesús habló a la gente del pueblo y a sus discípulos: "En la cátedra de Moisés se sientan los escribas y fariseos. Haced, pues, y observad lo que ellos os digan, pero no imitéis sus obras, porque dicen y no hacen[4]. Preparan cargas pesadas y difíciles de llevar y las ponen

---

1. Dios no es Dios de desaparecidos, sino de almas que no mueren y algún día se unirán a sus cuerpos resucitados y glorificados para nunca más morir.
2. La clave de los Mandamientos de la Ley de Dios es el Amor a Dios y al Prójimo.
3. El hijo no es el Señor, sino el Padre.

sobre las espaldas de la gente; sus obras para ser vistos por los hombres; por eso alargan sus filacterias y amplían las franjas de sus mantos.

Les gusta ocupar los primeros puestos en los banquetes y los primeros asientos en las sinagogas. Buscan los saludos en las plazas y el ser llamados "rabbí" (maestro) por la gente. Vosotros no querréis ser llamados "rabbí", porque uno es vuestro Maestro. Todos vosotros sois hermanos. Y a nadie déis el título de padre sobre la tierra porque uno sólo es vuestro Padre, el que está en los cielos. Ni os hagáis llamar doctores, porque uno sólo es vuestro Doctor: Cristo. El mayor entre vosotros sea vuestro siervo. Aquel que se ensalza será humillado, y el que se humilla será ensalzado."

Anatemas: Mt 23, 13-36 (Mc 12, 40; Lc 20, 47)

"¡Ay de vosotros, escribas y fariseos hipócritas! Porque cerráis a los demás el Reino de los Cielos: ni entráis vosotros ni dejáis entrar a aquellos que quieren entrar[1]. ¡Ay de vosotros, escribas y fariseos hipócritas, que devoráis las casas de las viudas «con el pretexto de rezar largas oraciones»! ¡Ay de vosotros, escribas y fariseos hipócritas! Porque recorréis el mar y la tierra para hacer un solo prosélito y, cuando lo habéis logrado, lo hacéis dos veces más digno del infierno que vosotros. Porque pagáis los diezmos de la menta, del anís y del comino y descuidáis las cosas más importantes de la Ley: la justicia, la misericordia, la fidelidad[2]. Es necesario hacer estas cosas, pero sin omitir las otras. ¡Guías ciegos!, que coláis un mosquito y os tragáis un camello. ¡Ay de vosotros, escribas y fariseos hipócritas! Porque limpiáis la parte exterior del vaso y del plato, y en el interior estáis llenos de rapiña y de avaricia. ¡Fariseo ciego!, limpia primero el interior del vaso, para que lo exterior se haga también limpio. ¡Ay de vosotros, escribas y fariseos hipócritas! Porque sois semejantes a sepulcros blanqueados. Por fuera parecen hermosos; pero por dentro están llenos de huesos de muertos y de toda clase de inmundicias. Así también vosotros: por fuera parecéis justos a los hombres, pero por dentro estáis llenos de hipocresía y de iniquidad. ¡Colmad, pues, la medida de vuestros padres! Serpientes, raza de víboras, ¿cómo podréis escapar de

---

9. Se han erigido maestros y doctores.
1. El ministerio de la Palabra de Dios es un servicio a Dios y a los hombres; si no le acompaña el buen ejemplo arrastra a los demás a la perdición.
2. Sus pecados eran el orgullo, la hipocresía y el desprecio a los demás.

la condena del infierno[1]? Porque Yo os mandaré profetas, sabios y escribas; vosotros mataréis y crucificaréis a unos, a otros los azotaréis en vuestras sinagogas y los perseguiréis de ciudad en ciudad. De este modo recaerá sobre vosotros toda la sangre inocente derramada sobre la tierra[2], desde Zacarías, hijo de Baraquías, a quien matásteis entre el templo y el altar. Os aseguro que todas estas cosas recaerán sobre esta raza."

¡Jerusalén, Jerusalén!: Mt 23, 37-39

"¡Jerusalén, Jerusalén, que matas a los profetas y apedreas a aquellos que son eviados a ti! ¡Cuántas veces quise congregar a tus hijos como la gallina cobija a sus polluelos bajos sus alas, y no quisiste! Vuestra casa quedará deshabitada. Os doy mi palabra de que de ahora en adelante no me veréis más, hasta que digáis: 'Bendito el que viene en el nombre del Señor[3]' (Sl 97, 26)."

Ofrenda de la viuda: Mc 12, 41-44 (Lc 21, 1-4)

Y sentándose delante del cepillo de las limosnas, observaba cómo la gente echaba dinero en el mismo. Muchos ricos echaban gran cantidad. Y llegando una viuda pobre y sola, echó dos monedas que equivalían a un centavo. Entonces llamó a sus discípulos para decirles: "Con seguridad os digo que esta viuda pobrecilla echó más que todos los otros en el cepillo[4]. Porque todos han echado de lo que les sobra, mientras que ésta, en su pobreza, dio cuanto tenía, todo lo que era su sustento."

Fin del magisterio: Jn 12, 20-36

Entre los que habían subido para adorar en la fiesta, había algunos griegos. Éstos se presentaron a Felipe, el de Betsaida de Galilea, y le preguntaron: "Señor, queremos ver a Jesús." Felipe fue a decírselo a Andrés, y ambos fueron a comunicárselo a Jesús. Y Jesús les dijo: "Ha llegado la hora de ser glorificado el Hijo del hombre. Con certeza os digo: Si el grano de trigo, caído en tierra no muere, queda solo; pero

---

1. Las autoridades religiosas del Pueblo de Israel estaban ciegas de envidia y odio hasta colmar su maldad.
2. La condena recae también sobre el pueblo.
3. Hasta la segunda Venida de Cristo.
4. La limosna de la viuda es más grata a Dios que la de los ricos, porque va unida al sacrificio. Lo que sobra a los ricos debe servir para ayudar a los pobres, según la caridad.

si muere, produce mucho fruto[1]. Quien ama su vida, la pierde; quien desprecia su vida en este mundo, la conservará para la vida eterna. Si alguno se decide a servirme, que me sirva, y donde esté Yo, también estará él. Mi Padre honrará a quien me sirva. Ahora mi alma se conturba; pero, ¿cómo podría Yo decir: Padre, líbrame de esta hora? ¡Si he venido precisamente para esto a esta hora! ¡Padre, glorifica tu nombre!" En esto salió una voz del cielo: "Lo he glorificado y lo glorificaré de nuevo." La multitud presente que oyó, decía: "Se ha producido un trueno." Otras decían: "Le ha hablado un ángel." Respondió Jesús: "Y yo, cuando fuere levantado sobre la tierra, atraeré todos a Mí." Esto lo dijo aludiendo al género de la muerte con que había de morir.

Incredulidad de los judíos: Jn 12, 37-50

A pesar de haber obrado tantos prodigios en su presencia, no creían en Él. Así se cumplía el dicho del profeta Isaías: «Señor, quien ha creído en nuestra palabra y el poder de Dios, ¿a quién fue manifestado?» (Is 53, 1). Con todo, muchos, aun los hombres de relieve, creyeron en Él, pero por miedo a los fariseos no lo manifestaban, a fin de no ser excluidos de la sinagoga. Pues anteponían la gloria de los hombres a la gloria de Dios[2]. Sin embargo, Jesús dijo en alta voz: "Quien cree en Mí, no cree en Mí, sino en el que me ha enviado, y quien me ve a Mí, ve a Aquel que me ha enviado. Yo, la Luz, he venido al mundo para que quien crea en Mí no permanezca en la oscuridad. Yo no condeno a quien oye mis palabras y no las pone en práctica; pues no he venido para condenar al mundo, sino para salvarlo[3]. Quien me rechaza y no recibe mis palabras, ya tiene quien lo juzgue; las palabras que he hablado lo juzgarán en el último día."

Fin del mundo: Mt 24, 1-14 (Mc 13, 1-13; Lc 21, 5-19)

Jesús salió del templo, y cuando iba de camino, se le acercaron sus discípulos para hacerle notar las construcciones del templo. Jesús les dijo: "¿Veis todo esto? Os garantizo que no quedará aquí piedra sobre piedra; todo será removido." Estaba Él sentado en el monte de los Olivos y los discípulos se le acercaron y le preguntaron en secreto, «Pedro, Juan, Santiago y Andrés»: "Dinos cuándo serán estas cosas, y

---

1. El grano de trigo es símbolo de la resurrección.
2. Víctimas del respeto humano.
3. La primera Venida fue para salvar al mundo y la segunda será para juzgarlo.

cuál será la señal de tu venida y del fin del mundo." Jesús les respondió: "Estad atentos para que nadie os engañe. Porque vendrán muchos en mi nombre y dirán: 'Yo soy el Cristo'; y seducirán a muchos. Oiréis hablar de guerras y de rumores de guerras. ¡Estad atentos; no os alarméis! Porque es necesario que venga esto; pero no es todavía el fin. Se levantará un pueblo contra otro, un reino contra otro. Habrá hambre, peste y terremotos en varios lugares; «fenómenos pavorosos y señales extraordinarias en el cielo;» pero todo esto no será más que el comienzo de los dolores. «Os entregarán a los tribunales y os azotarán en las sinagogas, y por causa mía tendréis que comparecer ante gobernadores y reyes para declarar ante ellos. Pero antes deberá ser anunciado el Evangelio a todos los pueblos[1]. Y cuando os lleven para entregaros, no empecéis ya a inquietaros por lo que tendréis que decir; pues no sois vosotros los que habláis, sino el Espíritu Santo.» «Pues Yo os daré tales palabras e ideas que no podrán resistir ni contradecir todos vuestros adversarios.» Entonces, os entregarán a los tormentos y a la muerte. Seréis odiados por todo el mundo a causa de mi Nombre. Y entonces muchos sucumbirán en la fe, se denunciarán unos a otros y se odiarán mutuamente. Surgirán muchos falsos profetas y seducirán a muchos. Sin embargo, aquel que perseverare hasta el fin, se salvará. Esta buena nueva del Reino será predicada en todo el mundo como prueba de la verdad para todas las gentes. Entonces vendrá el fin."

Destrucción de Jerusalén: Mt 24, 15-22 (Mc 13, 14; Lc 21, 29)

"Así, pues, cuando viereis instalada en el Templo la abominación extraordinaria predicha por el profeta Daniel (¡el que leyere, entienda!), entonces, aquellos que están en Judea, huyan a los montes; el que esté en la terraza, no baje a tomar las cosas de su casa; y el que esté en el campo no vuelva atrás a llevar su manto. Porque habrá entonces una tribulación tan grande como no la ha habido desde el principio del mundo hasta ahora; ni la habrá. Y si aquellos días no fuesen abreviados, no se salvaría nadie; pero, por los elegidos, serán abreviados aquellos días."

---

1. Haber sido anunciado el Evangelio a todos los pueblos no quiere decir que todos los pueblos sean cristianos. Por algunos ya ha pasado y ha desaparecido.

Venida de Cristo[1]: Mt 24, 23-35

"Entonces, si os dicen: 'El Cristo está aquí o allí', no lo creáis. Porque como el rayo sale del Oriente y brilla hasta el Occidente, así será la venida del Hijo del hombre. Donde está el cadáver, allí se reunirán los buitres. Inmediatamente después de la tribulación de aquellos días el sol se oscurecerá y la luna no dará su luz; las estrellas caerán del cielo y el mundo de los astros se conmoverá. Entonces aparecerá en el cielo la señal del Hijo del hombre[2], y todos los pueblos de la tierra se darán golpes de pecho; y verán al Hijo del hombre venir sobre las nubes del cielo con gran poder y gloria. Y mandará a sus ángeles con poderoso sonido de trompeta para reunir a sus elegidos de los cuatro puntos cardinales, de un extremo a otro de los cielos.

Velad, pues, ya que no sabéis cuándo llegará el dueño de la casa, si al atardecer, a media noche, al canto del gallo o al rayar el alba; para que de este modo, si viniera repentinamente, no os encuentre dormidos. Lo que os digo a vosotros, lo digo para todos: Velad[3]."

Las diez vírgenes: Mt 25, 1-13

"Entonces ocurrirá en el Reino de los Cielos como con diez jóvenes que, cogiendo sus lámparas, salieron al encuentro del novio. Cinco de ellas eran necias y cinco prudentes. Las necias, al coger las lámparas, no se proveyeron de aceite. Las prudentes, juntamente con sus lámparas, tomaron también vasijas con aceite. Como el novio tardaba, comenzaron todas a adormecerse y se durmieron. A media noche se oyó una voz: '¡Ya viene el novio! ¡Salid a su encuentro!' Entonces se despertaron todas aquellas jóvenes y prepararon sus lámparas. Las necias dijeron a las prudentes: 'Dadnos de vuestro aceite, porque nuestras lámparas se apagan.' Pero las prudentes respondieron: 'No, no sería bastante para nosotras y para vosotras. Es mejor que vayáis a los vendedores y compréis para vosotras.' Pero mientras ellas fueron a comprar, vino el novio. Las que estaban preparadas, entraron con él al banquete nupcial y fue cerrada la puerta. Más tarde, llegaron también las otras jóvenes, diciendo: '¡Señor, señor, ábrenos!' Pero él respon-

1. La destrucción de Jerusalén es símbolo del fin del mundo. El año 70 se cumplió la profecía. Según Flavio Josefo murieron un millón de judíos, faltaron cruces, y 97.000 supervivientes fueron vendidos como esclavos.
2. Al fin del mundo aparecerá Cristo con la Cruz.
3. ¡Velad, pues! Esta parábola y siguientes son una exhortación a la vigilancia. Las doncellas representan las almas al encuentro de Cristo en nuestro tránsito mortal.

dió: 'Os aseguro que no os conozco.' Velad, pues, porque no sabéis el día ni la hora."

Los talentos: Mt 25, 14-30

"Ocurrirá como a un hombre que iba a marchar lejos. Llamó a sus servidores y les confió sus bienes: A uno le confió cinco talentos; a otro dos, y a otro uno; a cada uno según su propia capacidad; y él marchó. Inmediatamente, el que había recibido cinco talentos se puso a negociar con ellos y ganó otros cinco. Igualmente, el que había recibido dos ganó también otros dos. Pero el que había recibido uno hizo un hoyo en la tierra y escondió el dinero de su señor. Mucho tiempo después, volvió el señor de aquellos siervos, y se puso a hacer cuentas con ellos. Llegó el que había recibido cinco talentos[1] y presentó otros cinco, diciendo: 'Señor, me confiaste cinco talentos; mira, he ganado otros cinco.' Su señor le dijo: 'Bien, siervo bueno y fiel; has sido fiel en cosas de poca importancia, te daré poder sobre cosas más importantes. Entra a tomar parte en la fiesta de tu señor.' Llegó también el que había recibido dos talentos y dijo: 'Señor, me confiaste dos talentos; mira, he ganado otros dos.' Su señor le dijo: 'Bien, siervo bueno y fiel; has sido fiel en cosas de poca importancia, te daré poder sobre cosas más importantes. Entra a tomar parte en la fiesta de tu señor.' Llegó, finalmente, el que había recibido un talento y dijo: 'Señor, sabía que eres un hombre duro, que siegas donde no has sembrado y recoges donde no has esparcido. Tuve miedo y escondí tu talento en la tierra. Mira, aquí tienes lo tuyo.' Su señor le contestó: '¡Siervo malo y holgazán!, ¿sabías que siego donde no he sembrado y recojo donde no he esparcido? Debías, pues, haber entregado mi dinero a los banqueros, y, al venir yo, hubiera retirado lo mío con su interés[2]. Quitadle, pues, el talento y dádselo al que tiene diez. Porque al que tiene, se le dará y tendrá de sobra; pero al que no tiene, aún lo que tiene le será quitado. Y al siervo inútil arrojadlo fuera, a las tinieblas.' Allí será el llanto y el rechinar de dientes.'"

Juicio final: Mt 25, 31-46

"Cuando el Hijo del hombre venga en su gloria acompañado de todos sus ángeles, se sentará sobre el trono de su gloria. Todas las

---

1. Un talento = 34,272 gramos de plata
2. Este servidor fue condenado por holgazán y depredador de su amo.

naciones serán reunidas en su presencia; y Él separará los unos de los otros, como el pastor separa las ovejas de los cabritos; pondrá las ovejas a su derecha y los cabritos a su izquierda. Entonces, dirá el Rey a los que están a su derecha: 'Venid, benditos de mi Padre, tomad posesión del reino que está preparado para vosotros desde el principio del mundo[1]. Porque tuve hambre y me disteis de comer; tuve sed y me disteis de beber; anduve peregrino y me hospedásteis; estuve desnudo y me vestisteis; enfermo y me visistásteis; estuve en la cárcel y vinísteis a Mí.' Los justos le preguntarán: 'Señor, ¿cuándo te vimos hambriento y te dimos de comer, o sediento y te dimos de beber? ¿Cuándo te vimos peregrino y te hospedamos, o desnudo y te vestimos? ¿Cuándo te vimos enfermo o en la cárcel y te visitamos?' Y el Rey les responderá: 'Con certeza os digo: Todo lo que hicisteis al menor de mis hermanos, a mí me lo hicisteis[2].' Entonces, dirá también a los de la izquierda: 'Apartaos de Mí, malditos, al fuego eterno, que ha sido preparado para el diablo y sus ángeles. Porque tuve hambre y no me disteis de comer; tuve sed y no me disteis de beber; anduve peregrino y no me hospedásteis; estuve desnudo y no me vestisteis; enfermo y en la cárcel, y no me visistásteis.' También ellos le preguntarán entonces: 'Señor, ¿cuándo te vimos hambriento o sediento, peregrino o desnudo, enfermo o en la cárcel, y no te asistimos?' Él les responderá: 'De veras os digo que todo lo que no hicisteis con cualquiera de estos pequeñuelos, dejásteis de hacerlo conmigo.' E irán al suplicio eterno; y los justos a la vida eterna[3]."

Los días contados: Lc 21, 37-38

Durante el día enseñaba en el templo y luego se retiraba a pasar la noche en el monte de los Olivos. Y todo el mundo acudía al templo para escucharle.

Decreto de muerte: Mt 26, 1-16 (Lc 22, 1-6; Mc 14, 1-11)

Cuando terminó Jesús todos estos discursos, dijo a sus discípulos: "Sabed que dentro de dos días es la Pascua, y el Hijo del hombre será entregado para ser crucificado." Entonces, se reunieron los príncipes de los sacerdotes, «y los escribas,» y los hombres de relieve del pueblo en el palacio del Sumo Sacerdote, llamado Caifás, y tuvieron consejo

---

1. Al final seremos juzgados por el amor a los hermanos.
2. Jesús se identifica y representa en los más pobres y necesitados.
3. Nuestros destinos serán eternos.

para prender a Jesús con engaño y matarle. Pero decían: "No durante la fiesta, para que no haya tumulto entre el pueblo." «Y entró Satanás[1] en Judas, llamado Iscariote, que era uno de los doce; y se fue a tratar con los jefes de los sacerdotes y los oficiales de la policía el modo cómo se lo entregaría.» Y les dijo: "¿Cuánto vais a darme y yo os lo entregaré?" Ellos le ajustaron en treinta monedas de plata[2]. Él dio su conformidad y se puso a buscar oportunidad para entregárselo a escondidas de la multitud[3].

Preparad el banquete: Mc 14, 12-16 (Mt 26, 17-19; Lc 22, 7-13)

Y el día primero de los Ácimos, cuando sacrificaban la Pascua, dijéronle sus discípulos: "¿Dónde quieres que vayamos a preparar para comer la Pascua?" Él envió a dos de sus discípulos, «Pedro y Juan,» diciéndoles: "Id a la ciudad; saldrá a vuestro encuentro un hombre con un cántaro de agua; seguid tras él; y al dueño de la casa donde él entre, le decís: 'El Maestro pregunta por su departamento, en donde ha de comer la Pascua con sus discípulos.' Y él os enseñará una gran sala del piso alto, amueblada y ya dispuesta. Preparad allí las cosas para nosotros." «Hicieron los discípulos como les había mandado Jesús.» Partieron los discípulos y fueron a la ciudad, encontrándolo todo como había dicho; «hicieron los discípulos» y prepararon la Pascua.

La Última cena[4]: Lc 22, 14-18-21-30 (Mt 26, 20; Mc 14, 17)

Cuando fue la hora, se puso a la mesa en compañía de los Apóstoles. Y les dijo: "Ardientemente he deseado celebrar esta Pascua[5] con vostros antes de padecer. Porque os aseguro que no la celebraré más hasta que halle totalmente cumplimiento en el Reino de Dios[6]." Tomando una copa[7], dando gracias, dijo: "Tomadlo y distribuidlo entre vosotros. Porque os digo que desde este momento no beberéis más el fruto de la vid hasta que haya llegado el Reino de Dios." Sin embargo, yo estoy en medio de vosotros como el que sirve; vosotros sois los que habéis perserverado conmigo en mis pruebas. Por eso, yo dispongo del

---

1. Por el pecado mortal entró el diablo en su alma.
2. Treinta monedas de plata era el precio de un esclavo.
3. La avaricia le hizo perder su fe en el Maestro y le traicionó.
4. El Cenáculo era la casa de Juan Marcos el evangelista.
5. Escogió la Pascua, que era la fiesta principal de los judíos, para despedirse de los Apóstoles.
6. Comían recostados en la mesa sobre divanes o alfombras.
7. O un cáliz.

Reino en favor vuestro, como ha dispuesto el Padre en mi favor, para que comáis y bebáis a mi mesa en mi Reino, y os sentéis en tronos para juzgar a las doce tribus de Israel."

Lavatorio de los pies: Jn 13, 1-17

Antes de la fiesta de la Pascua, conociendo que había llegado-Mientras la cena, habiendo ya el diablo sugerido en el corazón de Judas, hijo de Simón Iscariote, para que lo traicionase, sabiendo que el Padre había puesto en sus manos todas las cosas y que Dios había salido y a Dios volvía, se levantó de la mesa, se despojó del manto, y, tomando un lienzo, se lo ciñó. Luego echó agua en una jofaina y comenzó a lavar los pies a los discípulos y a secarlos con el lienzo con que estaba ceñido. Al llegar a Simón Pedro, éste le dijo: "Señor, ¿Tú vas a lavarme los pies?" Jesús le respondió: "Lo que Yo hago tú no lo comprendes ahora, pero muy pronto lo comprenderás." Pedro le replicó: "Nunca consentiré que me laves los pies." Le respondió Jesús: "Si no te dejas lavar, no serás más de los míos." "Señor, le dijo Simón Pedro, no sólo mis pies, sino también las manos y la cabeza." Jesús le respondió: "Quién está limpio no tiene necesidad de lavarse sino los pies, porque está del todo limpio, y vosotros estáis limpios, aunque no todos." Sabía quién lo iba a traicionar; por eso dijo: "No todos estáis limpios." Después que les lavó los pies y tomó su manto y se sentó de nuevo, les dijo: "¿Comprendéis el alcance de lo que acabo de hacer con vosotros? Vosotros me llamáis Maestro y Señor, y decís bien, porque lo soy. Os he dado ejemplo para que vosotros hagáis lo mismo que Yo he hecho con vosotros[1]. Ciertamente os digo: No es el esclavo mayor que su señor, ni el enviado mayor que quien lo envió. Puesto que sabéis estas cosas, seréis felices si las lleváis a la práctica."

El traidor: Jn 13, 18-30; Mt 26, 21-25 (Lc 22, 21-23; Mc 14, 18-21)

"No me refiero a vosotros todos; conozco bien a los que he escogido; pero es necesario que se cumpla la Escritura: «El que come el pan conmigo levantó su talón contra Mí» (Sl 40, 10). Os lo digo desde ahora, antes que suceda, para que cuando suceda reconozcáis quien soy Yo. Con certeza os digo: Quien recibe al que Yo enviaré, a Mí me

---

1. Jesús quiso dar a sus apóstoles un ejemplo de humildad y caridad lavándoles los pies, oficio propio de los siervos. Él, que era infinitamente superior, se hizo el último.

recibe, y el que a Mí me recibe, recibe al que me ha enviado." Dichas estas cosas, Jesús se conmovió interiormente, y así lo manifestó, diciendo: "Ciertamente os digo que uno de vosotros me traicionará." «Ellos, sumamente contristados, comenzaron a preguntarle uno después de otro: "¿Soy yo acaso, Señor?" Él respondió: "El que mete la mano conmigo en el plato, ése me entregará. El Hijo del hombre se va, como está escrito de Él; pero ¡ay de aquel por quien el Hijo del hombre es entregado! Mas le valiera no haber nacido[1]»." Los discípulos se miraban unos a otros, no sabiendo de quién hablaba. Uno de los discípulos, el predilecto de Jesús[2], estaba recostado junto al pecho de Jesús. Simón Pedro le insinuó por señas: "¡Pregúntale de quién habla!" Aquél, recostado como estaba junto al pecho de Jesús, le preguntó: "Señor, ¿quién es?" Jesús le respondió: "Es aquél a quien diere el bocado que voy a mojar." Y, mojando un bocado[3], lo dio a Judas, hijo de Simón Iscariote. Tras el bocado entró en él Satanás. Jesús le dijo: "Lo que vas a hacer, hazlo pronto." «Entonces Judas, el traidor, le preguntó: "¿Soy yo, acaso, Maestro?" "Tú lo has dicho",» respondió Jesús. Ninguno de los comensales comprendió por qué le decía esto. Como Judas tenía la bolsa del dinero, algunos pensaron que le había dicho: "Compra lo que necesites para la fiesta, o bien que diese algo a los pobres. Él, habiendo tomado el bocado, salió fuera. Era ya de noche.

Eucaristía y Orden: Mt 26, 26-29 (Mc 14, 22-25; Lc 22, 19-20)

Mientras comían, tomó Jesús pan y recitó la bendición; lo partió y dio a sus discípulos, diciendo: "Tomad y comed, esto es mi Cuerpo. «Que por vosotros va a ser entregado; haced esto en memoria de Mí'.» Después, tomó un cáliz y, dando gracias, se lo dio, diciendo: "Bebed todos de él, porque ésta es mi Sangre, la sangre de la alianza, que va a ser derramada por todos, «por vosotros,» para remisión de los pecados[4]. Haced esto en memoria mía[5]."

---

1. La sentencia de Jesús era condenatoria.
2. El apóstol Juan.
3. Dar un bocado a un comensal era señal de distinción. Fue la última llamada a su corazón, pero él se cerró al amor.
4. Como lo había prometido, Jesús cambia el pan y el vino en su Cuerpo y Sangre, real, no simbólicamente, e instituye la Sagrada Eucaristía y el sacerdocio.
5. Amaos como Yo os he amado.

Mandamiento nuevo: Jn 13, 31-35

Cuando hubo salido, exclamó Jesús: "Ahora el Hijo del hombre ha sido glorificado y Dios ha sido glorificado en Él. Puesto que Dios ha sido glorificado en Él, también Dios lo glorificará en Sí mismo, y muy pronto. Hijitos míos: Por poco tiempo estoy entre vosotros; me buscaréis; pero, como he dicho a los judíos: A donde Yo voy, vosotros no podéis ir, también a vosotros os lo digo ahora. Un mandamiento nuevo os doy: Amaos los unos a los otros; como Yo os he amado, así debéis amaros unos a otros. En esto conocerán todos que sois discípulos míos, en que tenéis caridad unos con otros."

Predicción de negaciones: Jn 13, 36-38 (Lc 22, 31-34)

Le preguntó Simón Pedro: "Maestro, ¿adónde vas?" Jesús le respondió: "Adonde Yo voy no puedes tú seguirme ahora, me seguirás más tarde." Insistió Pedro: "Señor, ¿por qué no puedo seguirte ahora? Daría mi vida por Ti." Jesús le contestó: "¿Darías tu vida por Mí? Te aseguro con certeza: No cantará el gallo antes que reniegues de Mí tres veces. «Simón, Simón, piensa que Satanás os ha buscado para zarandearos como el trigo; pero Yo he rogado por ti para que no vacile tu fe, y tú, cuando te hayas convertido, conforta a tus hermanos[1]."

Camino, Verdad y Vida[2]: Jn 14, 1-11

"No se conturbe vuestro corazón: Lo mismo que creéis en Dios, creed también en Mí. En la casa de mi Padre hay muchas moradas; si no fuera así, os lo habría dicho; pues voy a prepararos un lugar. Después de haber marchado y haberos preparado un lugar, vendré de nuevo para tomaros conmigo, a fin de que donde Yo esté, también estéis vosotros. Y ya conocéis el camino para ir a donde Yo voy." Le dijo Tomás: "Señor, no sabemos adónde vas, ¿cómo podemos conocer el camino?" Le respondió Jesús: "Yo soy el camino, la verdad y la vida; nadie va al Padre sino por Mí. Si me conocieseis a Mí, conoceríais también a mi Padre. Pero desde este momento lo conocéis y lo habéis visto." "Señor, exclamó Felipe, muéstranos al Padre y esto nos basta." Le respondió Jesús: "Felipe, hace ya tanto tiempo que estoy con vosotros y ¿no dices tú: Muéstranos al Padre? ¿No crees que Yo

---

1. La presunción de Pedro tuvo su castigo con la triple negación.
2. El camino, los Mandamientos y Consejos Evangélicos, la Verdad de sus revelaciones, y la Vida de la Gracia recobrada.

estoy en el Padre y que el Padre está en Mí? Las palabras que Yo os digo no las pronuncio por cuenta propia; el Padre que mora en Mí es el que actúa. Creedlo, Yo estoy en el Padre y el Padre en Mí, al menos, creedlo por las mismas obras."

Grandes promesas: Jn 14, 12-22

"Ciertamente os digo: Quien cree en Mí, realizará también las obras que Yo realizo, y las realizará mayores, porque Yo voy al Padre. Y en cuanto pidáis en mi nombre, lo realizaré, para que el Padre sea glorificado en el Hijo. Si me amáis, cumpliréis mis mandamientos. Yo rogaré al Padre y Él os dará otro Abogado para que permanezca siempre con vosotros, el Espíritu de verdad, a quien el mundo no puede recibir, porque no lo ve ni lo conoce. Vosotros lo conocéis porque mora en vosotros y estará siempre con vosotros. No os dejaré huérfanos, volveré a vuestro lado. Dentro de poco, el mundo ya no me verá; vosotros sí me veréis, porque Yo sigo viviendo y vosotros viviréis. Entonces econoceréis que Yo estoy en mi Padre y vosotros en Mí y Yo en vosotros. Quien admite mis mandamientos y los cumple, ése es el que me ama. Y quien me ama, será amado por mi Padre, Y Yo lo amaré y me daré a conocer a él." Le preguntó Judas, no Iscariote: "Señor, ¿cómo puede ser eso de que te vas a dar a conocer a nosotros y no al mundo[1]?"

Paz de Cristo: Jn 14, 23-31

Le respondió Jesús: "Quien me ama, cumplirá mi palabra y mi Padre lo amará y vendremos a él y fijaremos en él nuestra morada. Quien no me ama, no observa mis palabras. Estas cosas os vengo diciendo mientras permanezco con vosotros. El Abogado, el Espíritu Santo, que me enviará el Padre en mi nombre, os hará comprender y recordar cuanto Yo os he dicho. La paz os dejo, mi paz os doy. La paz que os doy Yo no es como la que da el mundo. No se inquiete vuestro corazón ni se alarme. Habéis escuchado lo que os he dicho: Yo me marcho, pero vuelvo a vosotros[2]. Si me amaseis, os alegraríais de que fuera al Padre, pues el Padre es mayor que Yo. Y os lo he dicho ahora, antes de que suceda, para que cuando sucediere, creáis. Ya no hablaré mucho con vosotros, porque va a llegar el dueño del mundo, pero

---

1. Jesús se confidenciaba con sus Apóstoles íntimamente, y les anunciaba que les enviaría su Espíritu Santo, el abogado y consolador.
2. Vuestra tristeza se convertirá en gozo.

contra Mí no puede nada. Mas es necesario que el mundo conozca que amo al Padre y que actúo según me ha mandado el Padre[1]."

Permaneced en Mí: Jn 15, 1-8

"Yo soy la vid verdadera y mi Padre es el viñador. Él corta todo sarmiento que, unido a Mí, no da fruto; y limpia todo sarmiento que da fruto para que dé más. Vosotros ya estáis limpios por la palabra que os he dirigido. Permaneced en Mí y Yo permaneceré en vosotros. Lo mismo que el sarmiento no puede dar frutos por sí mismo, si no permanece en la vid[2], así tampoco vosotros si no permanecéis en Mí. Yo soy la vid, vosotros los sarmientos. Quien permanece en Mí y Yo en él da mucho fruto, porque sin Mí no podéis hacer nada. El que no permanece en Mí es arrojado fuera, como el sarmiento que se seca lo recogen, echan al fuego y arde. Si permaneciereis en Mí y mis palabras permanecieren en vosotros, pediréis cuanto quisiereis y se os concederá. Mi Padre será glorificado si dais mucho fruto y sois discípulos míos."

Ley de amor: Jn 15, 18-25

"Éste es mi mandamiento: Amaos unos a otros como Yo os he amado. El amor supremo de un hombre consiste en dar su vida por sus amigos. Vosotros sois mis amigos si cumplís lo que os he mandado. Yo no os llamo siervos, porque el siervo no sabe lo que hace su dueño; a vosotros os he llamado amigos, porque cuanto he oído a mi Padre os lo he dado a conocer. No me habéis elegido vosotros a Mí; soy Yo quien os he elegido[3] a vosotros y os he destinado para que caminéis y deis fruto y vuestro fruto sea duradero, a fin de que todo cuanto pidáis al Padre en mi nombre os lo conceda. Lo que os mando es que os améis unos a otros."

Odio del mundo: Jn 15, 18-25

"Si el mundo os aborrece[4], pensad que primero me ha aborrecido a Mí. Si fueseis del mundo, el mundo os amaría como cosa propia;

---

1. Levantáronse de la mesa y prosiguió el coloquio.
2. La Gracia nos une con Cristo como la savia en la vid por medio de los Sacramentos. Sólo se rompe con el pecado mortal.
3. Él nos ha llamado y predestinado a su amor, para que demos frutos de virtudes y buenas obras, y crezcamos en su amor.
4. Porque el mundo sólo ama los placeres, honores y riquezas.

mas, como no sois del mundo, porque yo os he sacado de él, por eso os aborrece el mundo. Acordaos de lo que os he dicho: No es el siervo mayor que su dueño. Si a Mí me han perseguido, también a vosotros perseguirán. Si han recibido mi palabra también recibirán la vuestra. Pero estas cosas harán contra vosotros por causa mía, porque no conocen al que me ha enviado. Si Yo no hubiera venido y no les hubiese hablado, no tendrían pecado; pero ahora quien me aborrece a Mí, aborrece también a mi Padre. Si no hubiese realizado obras entre ellos cuales ningún otro ha realizado, no tendrían pecado, pero ahora las han visto, y, sin embargo, siguen odiando a Mi Padre y a Mí. Mas así se cumple la palabra escrita en su Ley. «Me han odiado sin motivo alguno» (Sl 24, 19).”

Asistencia del Espíritu Santo: Jn 15, 26-27; 16, 1-4

“Cuando venga el Abogado, que Yo os enviaré de parte del Padre, el Espíritu de Verdad, que procede del Padre, Él declarará en mi favor. Y también vosotros declararéis, porque desde el principio estáis conmigo.”

Obra del Espíritu Santo: Jn 16, 5-15

“Os conviene que Yo me vaya, porque si no me voy, el Abogado no vendrá a vosotros; pero si me voy, os lo enviaré. Y cuando Él venga, pondrá en claro ante el mundo el pecado, la santidad y el juicio; el pecado, en efecto, porque no creen en Mí; la justicia, porque me voy al Padre y ya no me veréis; el juicio, porque el dueño de este mundo está ya juzgado. Tengo todavía muchas cosas que deciros, pero no podéis comprenderlas ahora. Cuando venga Aquél, el espíritu de verdad os conducirá a la plenitud de la verdad[1]; porque no hablará por cuenta propia, sino que hablará lo que ha oído, y os anunciará lo que va a suceder. Él me glorificará, porque recibirá de lo que es mío, para manifestároslo. Todo cuanto tiene el Padre es mío; por eso os he dicho que recibirá de lo mío para manifestároslo.”

Alegría eterna: Jn 16, 16-22

“Dentro de poco ya no me vais a ver; pero dentro de otro poco me veréis[2].” Entonces algunos discípulos se dijeron unos a otros, “¿qué

---

1. El Espíritu Santo les llenará de sus dones y se lo explicará todo.
2. Después de la noche de la Pasión le volverán a ver resucitado y se alegrará su corazón.

significa esto que nos dice: Dentro de poco ya no me vais a ver, pero dentro de otro poco me veréis? Y, ¿me voy al Padre?" Decían, pues: "¿Qué significa este poco tiempo de que habla? No sabemos a qué se refiere." Comprendió Jesús que deseaban preguntarle, y les dijo: "¿Os preguntáis por qué habré dicho: Dentro de poco ya no me vais a ver, pero dentro de otro poco me veréis? Ciertamente os digo: Vosotros lloraréis mientras el mundo se alegrará; vosotros os entristeceréis, pero vuestra tristeza se convertirá en alegría."

Voy al Padre: Jn 16, 25-30

"He salido de Padre y he venido al mundo; ahora dejo el mundo y voy al Padre." Ahora sabemos que conoces todo y que no necesitas que nadie te pregunte. Por eso creemos que has salido de Dios."

Oración sacerdotal: Jn 17, 1-5

Estas cosas dijo Jesús; después, elevando los ojos al cielo, exclamó: "Padre, ha llegado la hora; Glorifica a tu Hijo para que tu Hijo te glorifique, a fin de que según el poder que le has dado sobre toda criatura, comunique la vida eterna a todos cuantos le has confiado. En esto consiste la vida eterna, en que te conozcan a Ti, único Dios verdadero, y a quien has enviado, Jesucristo. Yo te he glorificado sobre la tierra, he terminado, la obra que me habías encomendado; y ahora, Tú, Padre, glorifícamer junto a Ti con la gloria que tenía a tu lado antes de que el mundo existiese[1]."

Ruego por ellos: Jn 17, 6-19

"He dado a conocer tu nombre a los hombres que me diste de entre el mundo. Eran tuyos y me los confiaste y han observado tu palabra. Yo ruego por ellos, no ruego por el mundo[2], sino por los que me has confiado, porque son tuyos y todo lo mío es tuyo como todo lo tuyo es mío; y Yo soy glorificado en ellos. Yo ya no permanezco más en el mundo; pero éstos quedan en el mundo, mientras que Yo voy a Ti. Padre santo, consérvalos en tu nombre, el que me has dado a Mí, para que sean uno como nosotros. Mientras Yo estaba con ellos, los conservaba en tu nombre; he guardado a los que me confiaste y ninguno de

---

1. Jesús sale de este mundo para recibir de su Padre la misma gloria divina que tenía en el Reino del Cielo.
2. La última plegaria de Jesús en este mundo es para los sacerdotes que proseguirán su misión en el seno de la Iglesia.

ellos pereció, sino el hijo de perdición. Así se ha cumplido la Escritura. Pero ahora voy a Ti, y hablo estas cosas estando en el mundo, para que tengan en sí mismos la plenitud de mi gozo. Yo les he transmitido tu palabra, y el mundo los ha odiado, porque no son del mundo, lo mismo que Yo no soy del mundo. No pido que los saques del mundo, sino que los preserves del mal. No son del mundo, como Yo no soy del mundo. Conságralos en la verdad. Tu palabra es verdad."

Que sean uno: Jn 17, 20-26

"No ruego solamente por ellos, sino también por los que han de creer en Mí mediante su palabra; para que todos sean uno[1]; así como Tú, Padre, estás en Mí y Yo en Ti, también ellos sean uno en nosotros, para que crea el mundo que Tú me has enviado. Y Yo les he dado la gloria que Tú me has dado para que sean uno como nosotros somos uno. Padre, quiero que los que me has confiado estén allí donde Yo esté, para que contemplen mi gloria, la que me has dado, porque me has amado antes de la creación del mundo. Padre justo, el mundo no te ha conocido, pero Yo te he conocido, y éstos han conocido que Tú me has enviado. Yo les he revelado y revelaré tu nombre, para que el amor con que me has amado esté en ellos y Yo en ellos."

PROCESO RELIGIOSO

Camino del Huerto: Mt 26, 30-35 (Mc 14, 27-31; Jn 18, 1; Lc 22, 39)

Después de haber recitado el himno, se fueron hacia el monte de los Olivos. «Hacia el otro lado del torrente Cedrón.» «Según costumbre.» Entonces, Jesús les dijo: "Todos vosotros veréis esta noche en Mí un motivo para abandonarme, pues está escrito: Heriré al Pastor y las ovejas del rebaño se dispersarán (Zac 13, 7). Pero después de resucitado iré delante de vosotros a Galilea[2]."

---

1. La unidad de sus discípulos, unidos en la Iglesia con los vínculos de la caridad, es una de las principales encomiendas que les hace Jesús, para que vean que Dios le envió.
2. Jesús les dice que todos se escandalizarán en Él aquella noche y le abandonarán, pero después de la Pasión se reunirá con ellos en Galilea, ya resucitado.

Agonía en Getsemaní: (Mt 26, 36-46; Mc 14, 32-42; Lc 22, 39-46; Jn 18, 1)

Luego llegó Jesús con ellos a un lugar llamado Getsemaní «donde había un huerto[1], en el cual entraron Él y sus discípulos,» y dijo a los discípulos: "Sentaos aquí, mientras Yo voy allá para orar. «Orad para que no caigáis en la tentación»." Y tomando consigo a Pedro y a los dos hijos de Zebedeo, «Santiago y Juan,» comenzó a sentir tristeza y angustia. Entonces, les dijo: "Se ha apoderado de Mí una tristeza mortal. Quedaos aquí y velad conmigo." Y, adelantándose un poco «como un tiro de piedra, cayó rostro en tierra,» «por tierra,» y oró así: "Padre mío, si es posible, pase de Mí este cáliz; pero no se haga mi voluntad, sino la tuya." Volvió junto a sus discípulos y los encontró durmiendo, «cansados por la tristeza,» y dijo a Pedro: "«Simón, ¿estás dormido?» ¿De manera que no habéis resistido velar una hora conmigo? Velad y orad para que no caigáis en la tentación porque el espíritu está pronto, pero la carne es débil." Se alejó de nuevo y, por segunda vez, se puso a orar diciendo: "Padre mío, si este cáliz no puede pasar sin que Yo lo beba, hágase tu voluntad." Volvió de nuevo y los encontró durmiendo; porque sus ojos estaban cargados, «y no sabían qué responderle.» Él les dejó y se alejó de nuevo y oró por tercera vez, repitiendo las mismas palabras, «y se le apareció un ángel del cielo que le confortaba. Y, transido de angustia, oraba más intensamente. Y su sudor se convirtió como en gotas de sangre, que caían hasta el suelo[2].» Después volvió a sus discípulos y les dijo: "¡Dormid ahora y descansad! Ha llegado la hora y el Hijo del hombre va a ser entregado en manos de los pecadores. ¡Levantaos! ¡Vamos! Ya se acerca el que va a entregarme."

Beso traidor: Jn 18, 2-3 (Mt 26, 47-50; Mc 14, 43-45; Lc 22, 47-48)

Judas, el que lo había de traicionar, conocía el lugar, pues Jesús se había reunido allí muchas veces con sus discípulos. Judas, pues, tomando un pelotón de soldados y agentes de los jefes de los sacerdotes y de los fariseos, llegó allí con linternas, antorchas y armas.

---

1. Donde solía retirarse a orar, lugar conocido por Judas.
2. Causas de su agonía mortal pudieron ser: los dolores de su Pasión, los pecados asumidos de la humanidad, y la inutilidad de su sangre para muchos que se habían de condenar.

El traidor les había dado una señal: "Aquél a quien yo bese, ése es; prendedle. «Y llevadlo bien asegurado»." E inmediatamente se acercó a Jesús y dijo: "Salve, Maestro." Y le besó[1]. Jesús le dijo: "¡Amigo, a esto has venido! «Judas, ¿con un beso entregas al Hijo del hombre?[2]»"

¿A quién buscáis?: Jn 18, 4-9

Jesús, consciente de todo lo que iba a sobrevenirle, se adelantó y les dijo: "¿A quién buscáis?" Le respondieron: "A Jesús Nazareno." Jesús les contestó: "Soy Yo." Estaba también con ellos Judas, el traidor. Cuando, pues, les dijo "soy Yo", retrocedieron y cayeron a tierra[3]. De nuevo les preguntó: "¿A quién buscáis?" Ellos contestaron: "A Jesús Nazareno." Respondió Jesús: "Os he dicho que soy Yo. Si, pues me buscáis a Mí, dejad marchar a éstos." Así se cumplió la palabra que había dicho: "No he dejado perder a ninguno de cuantos me has confiado."

Prendimiento: Mt 26, 50-56 (Jn 18, 10-11); Mc 14, 46-53 (Lc 22, 49-53)

Entonces se acercaron, echaron mano a Jesús y le detuvieron. «Y viendo los que estaban con Jesús lo que iba a pasar, dijeron: "Señor, ¿es necesario herir con la espada?"»

En esto, uno de los que estaban con Jesús, «Simón Pedro, desenvainó una espada que tenía,» echando mano a su espada, la desenvainó e hirió a un siervo del pontífice, cortándole una oreja «derecha»; el criado se llamaba Malco, «y Jesús dijo: "Estaos quietos, ya basta." Y tocando la oreja la sanó.» Jesús le dijo: "Vuelve tu espada a su sitio; «envaina,» porque todos los que toman la espada, a espada morirán. ¿Crees que no puedo rogar a mi Padre que pondría inmediatamente a mi disposición más de doce legiones de ángeles? «¿Por qué no voy a beber el cáliz que me ha dado el Padre?» ¿Cómo, pues, se cumplirán las Escrituras, según las cuales es necesario que suceda así?" En aquel momento dijo Jesús a aquel tropel de gente: "Habéis venido a prenderme con espadas y palos como a un ladrón. Todos los días estaba sentado entre vosotros enseñando en el templo, y no me prendísteis." Entonces los discípulos le abandonaron todos y huyeron. «Entonces el pelotón, el tribuno y los agentes de los judíos se apoderaron de Jesús

---

1. Su perfidia llegó al extremo de entregarle con un beso.
2. A pesar de eso, Jesús le llamó amigo, ofreciéndole la última oportunidad.
3. Jesús muestra su poder y libre entrega.

y lo ataron.» «Únicamente cierto joven[1] le seguía envuelto en una
sábana sobre su cuerpo desnudo. Le agarraron; pero él, dejando la
sábana, escapó desnudo.»

Anás: Jn 18, 13-14; 19-24

Y lo llevaron primeramente a Anás[2], suegro de Caifás, que era
sumo sacerdote aquel año; Caifás era el que había dado este consejo a
los judíos: "Es mejor que un solo hombre muera por el pueblo."
El sumo sascerdote interrogó a Jesús[3] acerca de sus discípulos y de
su doctrina. Jesús le respondió: "Yo he hablado públicamente al
mundo; Yo he enseñado siempre en la sinagoga y en el templo, donde
se congregan los judíos, y no he hablado nada en privado. ¿Por qué
me preguntas? Pregunta a los oyentes qué les he hablado. Ellos saben
bien qué les he dicho." Al decir esto, uno de los agentes allí presentes, dio una bofetada a Jesús, diciendo: "¿Así respondes al Pontífice?" Jesús contestó: "Si he hablado mal, muéstrame en qué; si
bien, ¿por qué me pegas?" Anás le envió atado al sumo sacerdote,
Caifás.

Caifás: Mt 26, 57-68 (Mc 14, 35-65; Lc 22, 63-65)

Los que habían detenido a Jesús, le condujeron a casa de Caifás, el
sumo sacerdote, donde estaban reunidos los escribas y los hombres de
relieve. «Todos los jefes de los sacerdotes.» Los jefes de los sacerdotes y todo el Sanedrín buscaban un falso testimonio contra Jesús, para
poder condenarle a muerte. Pero no lo encontraron, aunque se presentaron muchos testigos falsos «Muchos presentaron acusaciones falsas
contra Él, pero sus declaraciones no estaban concordes.» Al fin se
presentaron dos, que hicieron esta declaración: "Éste ha dicho: Yo
puedo destruir el templo de Dios y en tres días reedificarlo[4]." Entonces, se levantó el sumo sacerdote y le dijo: "¿No respondes nada a lo
que éstos testifican contra Ti?" Pero Jesús callaba. El sumo sacerdote
se dirigió a Él en estos términos[5]: "Te conjuro por el Dios vivo, que
digas si Tú eres el Cristo, el Hijo de Dios." Jesús le respondió: "Tú lo

---

1. Jesús no necesitaba defensas humanas.
2. Debió ser el hijo del dueño del huerto y del Cenáculo, Juan Marcos, el Evangelista.
3. Este interrogatorio era ilegal, competía al Sanedrín.
4. La respuesta de Jesús era noble, y una lección de procedimiento judicial. No al reo, sino
   a los testigos hay que preguntar. Aunque no hacía falta la prueba testifical, pues ya estaba
   presenciado.
5. Caifás salvó el *impasse*.

has dicho[1]. «Sí lo soy; y vosotros veréis al Hijo del hombre sentado a la diestra del Poder y viniendo sobre las nubes del cielo»." Entonces, el sumo sacerdote rasgó sus vestiduras, exclamando: "¡Ha blasfemado! ¿Qué necesidad tenemos ya de testigos? Mirad, vosotros acabáis de oír la blasfemia. ¿Qué os parece?" "Reo es de muerte", respondieron ellos. Entonces le escupieron en la cara y le dieron puñetazos; otros le abofetearon, «y vendándole los ojos, le preguntaban:» "Adivínanos, Cristo, ¿quién es el que te ha pegado[2]?" «Y proferían contra Él otros muchos insultos[3].»

Primera negación: Jn 18, 15-17 (Lc 23, 54-57; Mt 26, 58-69-70; Mc 14, 54-66-68)

Seguían a Jesús «a distancia hasta el palacio del Sumo Sacerdote» Simón Pedro y otro discípulo[4]. Éste discípulo, era conocido del sumo sacerdote, por eso entró al mismo tiempo que Jesús en el atrio del Pontífice. Mas Pedro se quedó fuera, a la puerta. Pero el otro discípulo, conocido del Pontífice, salió, habló con la portera e introdujo a Pedro. La portera se encaró con Pedro: "¿Acaso eres tú también de los discípulos de este hombre?" "No lo soy", respondió él. «Se sentó con los criados para ver cómo terminaba aquello.» «Habiéndolo arrestado, lo llevaron y lo introdujeron en el palacio del Sumo Sacerdote. Pedro lo iba siguiendo de lejos.»

Segunda negación: Mt 26, 71-72; Jn 18, 18-25; Mc 14, 69-70; Lc 22, 58

«Los criados y agentes, que estaban allí, habían hecho fuego y se calentaban, pues hacía frío. Pedro también estaba con ellos y se calentaba... Dijéronle: "¿No eres tú también de sus discípulos?" Él lo negó diciendo: "No soy."»

Tercera negación: Lc 22, 59-62 (Mt 26, 73-75; Mc 14, 70-72; Jn 18, 26-27)

«Poco después se acercaron a Pedro los que estaban allí y le dijeron: "Seguramente que también tú eres de esos; porque tu manera de

---

1. Antes esas graves palabras Jesús habló y declaró ser el Hijo de Dios.
2. Así se vengaban del que tantas veces les había vencido. Espectáculo bochornoso ante un tribunal.
3. La sentencia condenatoria fue por la blasfemia de haberse hecho Hijo de Dios.
4. Juan el Evangelista.

hablar te delata[1]." Entonces comenzó a jurar[2].» «"No conozco a ese
hombre de que habláis."» «Uno de los criados del Sumo Sacerdote,
pariente de aquél a quien Pedro había cortado la oreja, añadió: "¿Pero
no te he visto yo en el huerto con él?" De nuevo negó Pedro[3].» Y al
instante, estando él hablando todavía, cantó el gallo. Y volviéndose el
Señor, miró a Pedro, y recordó Pedro la palabra del Señor, tal como le
había dicho: "Antes de que el gallo cante hoy, me negarás tres veces."
Y saliendo fuera lloró amargamente.

Ante el Sanedrín: Lc 20, 66-71; 32, 1 (Mt 26, 60; Mc 15, 1)

Y cuando se hizo de día se reunió el Senado del pueblo[4], jefes de
los sacerdotes y escribas «contra Jesús para hacerle morir» y lo llevaron a su tribunal. Y le dijeron: "Si Tú eres el Mesías, dínoslo." Les
contestó: "Si os digo que sí, no me creeréis; y si, por otra parte, Yo os
pregunto, no me vais a responder. A partir de este momento estará el
Hijo de hombre sentado a la diestra del poder de Dios (Dn 7, 13)."
Todos preguntaron: "¿Con que Tú eres el Hijo de Dios?" Él les respondió: "Vosotros lo estáis diciendo, Yo soy." Ellos dijeron: "¿Qué
necesidad tenemos de testigos? Nosotros mismos lo hemos oído de su
boca[5]." Después se levantó la asamblea en pleno y lo condujeron (Mt)
«atado al Gobernador Pilato[6].»

Judas: Mt 27, 3-10

Cuando supo Judas, el traidor, que había sido condenado, fue presa
del remordimiento y devolvió las treinta monmedas de plata a los jefes
de los sacerdotes y a los hombres de relieve, diciendo: "He pecado
entregando sangre inocente." Ellos contestaron: "¿A nosotros, qué?
¡Allá tú!" Entonces, él, arrojando las monedas de plata en el templo,
se alejó y fue a ahorcarse. Los príncipes de los sacerdotes recogieron
las monedas de plata y dijeron: "No pueden meterse en el tesoro del
templo, pues es precio de sangre." Y después de tener consejo, compraron con ellas el campo del alfarero, para sepultura de los peregrinos. Por eso aquel campo es llamado hasta hoy, Campo de sangre. Así

---

1. El acento galileo le delataba.
2. El pobre Pedro, en aquel aprieto, ya no pudo negar más, acordóse de Jesús y cantó un gallo.
3. La presunción de Pedro tuvo el castigo de tres negaciones.
4. La reunión se hizo para salvar las formalidades legales, pero el Reo ya estaba condenado.
5. Sin testigos de cargo condenaron a Jesús por blasfemo, por haberse hecho Hijo de Dios.
6. El gobernador romano de Palestina.

se cumplió el oráculo del profeta Jeremías: «"y tomaron las treinta monedas, de plata, precio de aquel a quien tasaron los hijos de Israel, y las dieron por el campo del alfarero, según me había mandado el Señor[1]"» (Jr 32, 6-10; Zac 11, 12-13).

Acusación pública: Jn 18, 28-32; Lc 23, 2

Llevaron a Jesús de casa de Caifás al Pretorio[2]. Era al amanecer; pero ellos no entraron, para no contaminarse, porque debían celebrar la Pascua. Salió, pues Pilato fuera ante ellos y dijo: "¿Qué acusación presentáis contra este hombre?" Le respondieron: "Si no fuera malhechor no te lo hubiésemos traído." Díjoles Pilato: "Tomadlo vosotros y juzgadlo según vuestra Ley." Los judíos le respondieron: "A nosotros no nos está permitido dar muerte a nadie." Así se cumplió la palabra que había dicho Jesús sobre el género de muerte con que había de morir. «Y comenzaron a acusarlo[3]:» "Hemos hallado a Éste soliviantando a nuestra gente y prohibiendo dar tributo al César, haciéndose pasar por el Rey Mesías[4]."

Interrogatorio privado: Jn 18, 33-38; Lc 23, 3 (Mt 11; Mc 15, 2-3)

Entró de nuevo Pilato en el Pretorio y, llamando a Jesús, le dijo: "¿Eres Tú el Rey de los judíos?" Respondió Jesús: "¿Dices esto por tu cuenta o porque otros te lo han dicho de Mí?" Contestó Pilato: "¿Acaso soy yo judío? Tu pueblo y los jefes de los sacerdotes te han entregado a mí. ¿Qué has hecho?" Respondió Jesús: "Mi reino no es de este mundo. Si mi reino fuese de este mundo, mis agentes hubieran luchado para no ser entregado a los judíos. Así, pues, mi reino no es de aquí." Pilato le dijo: "¿Luego Tú eres rey[5]?" Respondió Jesús: "Tú lo estás diciendo; Yo soy rey. Yo para esto he nacido y para esto he venido al mundo, para ser testigo de la verdad. Todo el que se pone de parte de la verdad escucha mi voz." Le preguntó Pilato: "¿Qué es la verdad?" Y dicho esto, salió de nuevo a presencia de los judíos, y les dijo: "No hallo en Él culpa alguna."

---

1. La desesperación de Judas por lo que había hecho no fue como el dolor de Pedro. Si se hubiera arrepentido, Jesús le hubiera perdonado.
2. Residencia del gobernador.
3. La condena del Sanedrín por blasfemo no valía ante Pilato.
4. Acusáronle como alborotador y que se hacía rey de los judíos.
5. Efectivamente Jesús es rey, pero no como los de este mundo, sino Rey eterno del Cielo y tierra.

Nuevo interrogatorio: Lc 23, 4-7 (Mt 27, 12-14; Mc 15, 4-5)

Pilato dijo a los jefes de los sacerdotes y a la concurrencia: "No hallo delito alguno en este hombre." «Y aunque estaban acusándole los jefes de los sacerdotes y los hombres de relieve» «de muchas cosas,» «nada respondía.» «Pilato le preguntó nuevamente: " ¿No respondes nada? Mira de cuántas cosas te recriminan." Pero Jesús no respondió ya nada, hasta el punto de causar admiración a Pilato.» Ellos insistían tercamente: "Solivianta al pueblo enseñando desde Galilea, pasando por toda Judea, hasta llegar aquí." Oyendo esto, Pilato preguntó si era galileo. Y habiéndose cerciorado de que era de la jurisdición de Herodes, lo remitió a Herodes, que estaba también en Jerusalén por aquellos días.

Herodes: Lc 23, 8-12

Herodes, viendo a Jesús, se regocijó extraordinariamente, porque desde hacía mucho tiempo estaba deseoso de verlo, pues había oído muchas cosas de Él, y esperaba verlo hacer algún milagro. Le hizo muchas preguntas, pero Él no le respondió a ninguna[1]. Estaban presentes los jefes de los sacerdotes y los escribas, que le acusaban con pertinacia. Herodes, juntamente con su guardia personal, lo despreció, y burlándose de Él, le puso un manto muy vistoso y lo devolvió a Pilato. Aquel mismo día, Herodes y Pilato, antes enemistados, se hicieron amigos.

Pilato: Lc 23, 13-17 (Mt 27, 15-19)

Habiendo, pues, Pilato convocado a los jefes de los sacerdotes, a los hombres de relieve y al pueblo, les dijo: "Me habéis presentado como agitador a este hombre, pero he aquí que yo, habiéndolo interrogado en vuestra presencia, no he hallado en Él ninguno de los delitos de que le acusáis. Pero tampoco Herodes, puesto que lo remitió a nosotros; en suma, que no se le ha probado nada por lo cual merezca la muerte[2]."

---

1. Herodes Antipa, el que mató al Precursor Juan. Era un rey lujurioso y mezquino. Jesús no quiso complacer la curiosidad de aquel disoluto rey.
2. Pilato reconoce su inocencia.

Jesús o Barrabás: Mt 27, 15-19; Mc 15, 6-10; Jn 18, 19

Por la fiesta, el gobernador tenía costumbre de poner en libertad
un prisionero, a elección del pueblo. Había entonces un prisionero
famoso, llamado Barrabás, «que era ladrón,» «encarcelado junto con
los sublevados que habían cometido un homicidio en la sublevación.
Y subiendo la muchedumbre, comenzaron a pedir se les concediera lo
de costumbre.» Estando ellos reunidos, les preguntó Pilato: «"Tenéis
por costumbre que os dé libertad a uno con ocasión de la Pascua." ¿A
quién queréis que os ponga en libertad: A Barrabás o a Jesús, «rey de los
judíos», el llamado Cristo[1]?" Porque sabían que le habían entregado
por envidia. Estaba él sentado en el tribunal, y su mujer le mandó a
decir: "No te metas con ese justo, porque he sufrido mucho hoy en
sueños por su causa."

Barrabás: Lc 23, 18-25 (Mt 27, 20-23; Mc 15, 11-15; Jn 18, 40)

«Pero los jefes de los sacerdotes y los hombres de relieve persua-
dieron a las turbas para que pidiesen a Barrabás e hiciesen perecer a
Jesús[2]. El gobernador, tomando la palabra, volvió a preguntarles: "¿A
cuál de los dos queréis que os suelte?"» Todo el pueblo se puso a
gritar a una: "A Barrabás." El cual, con motivo de un motín acaecido
en la ciudad y de un homicidio, había sido encarcelado. De nuevo
Pilato se dirigió a ellos, deseando soltar a Jesús. «"¿Qué haré, pues, de
Jesús, el llamado Cristo?"» Mas ellos gritaban: "¡Crucifícalo, crucifícalo!" Él por tercera vez, les dijo: "¿Pero qué mal ha hecho Éste? No
he hallado en Él delito alguno de muerte. Así que, después de castigar-
lo, lo pondré en libertad." Mas ellos instaban a grandes voces, exigien-
do que fuera crucificado, y sus voces se hacían cada vez más violen-
tas. Y Pilato, «deseando contener a la plebe[3],» sentenció según ellos
deseaban. Dio libertad, como ellos pedían, a aquel que por sedición y
homicidio había sido encarcelado, y a Jesús lo abandonó al capricho
de ellos.

Flagelación: Mt 27, 27-30 (Mc 15, 16-19; Jn 19, 1-3)

Entonces, los soldados del gobernador condujeron a Jesús al pretorio y reunieron en torno suyo a toda la cohorte. Le despojaron de sus

---

1. Pilato fue injusto después de haberlo declarado inocente.
2. Ellos fueron los culpables por soliviantar al pueblo contra Jesús.
3. Pilato cedió ante el alboroto del populacho.

vestidos, lo azotaron, le pusieron un manto escarlata, y tejiendo una corona de espinas, la pusieron sobre su cabeza y una caña en su mano derecha. Después se arrodillaban ante Él y le escarnecían, diciendo: "¡Salve, rey de los judíos!" (Jn) «Y le daban de bofetadas.» Y le escupían, cogían la caña y le golpeaban la cabeza[1].

"Ecce Homo": Jn 19, 4-7

Salió otra vez Pilato fuera y les dijo: "Mirad, os lo voy a sacar fuera para que veáis que no hallo culpa alguna en Él. Salió, pues, Jesús fuera llevando la corona de espinas y el vestido de púrpura. Y Pilato les dijo: "Aquí está el hombre[2]." Al verlo, los jefes de los sacerdotes y los agentes gritaron: "¡Crucifícalo, crucifícalo!" Pilato repuso: "Tomadlo vosotros y crucificadlo. Porque yo no hallo culpa en Él." Le respondieron los judíos: "Nosotros tenemos una Ley, y según esta Ley, debe morir, porque se ha hecho Hijo de Dios[3]."

Miedo de Pilato: Jn 19, 8-11

Cuando oyó Pilato esta frase, le entró miedo; penetró de nuevo en el Pretorio e interrogó a Jesús: "¿De dónde eres Tú?" Pero Jesús no le dio respuesta. Díjole Pilato: "¿A mí no me hablas? ¿No sabes que tengo poder para darte la libertad o para hacerte crucificar?" Jesús le respondió: "No tendrías poder alguno sobre Mí si no te hubiere sido dado de arriba; por eso, quien me ha entregado a ti tiene mayor pecado."

¡Crucifícale!: Jn 19, 12-15

Desde este momento, Pilato buscaba el medio de ponerlo en libertad. Pero los judíos gritaban: "Si pones a éste en libertad, no eres amigo del César. Todo el que se tiene por rey va contra el César." Al oír Pilato estas palabras mandó sacar a Jesús fuera y se sentó en el tribunal, en el lugar llamado Litóstrotos, en hebreo Gabbata. Era la víspera de la Pascua, hacia las doce del mediodía, y dijo Pilato: "Aquí está vuestro rey." Pero ellos gritaban: "¡Fuera, fuera! ¡Crucifícalo!" Pilato les increpó: "¿A vuestro rey voy a crucificar?" Respon-

---

1. Los soldados lo azotaron cruelmente y lo atormentaron y escarnecieron como rey de burla de los odiados judíos.
2. Creyendo moverles a compasión y soltarlo. Pero se exaltaron más.
3. Según la Ley debía ser apedreado, pero ellos querían que lo crucificase y satisfacer su odio e hipocresía.

dieron los jefes de los sacerdotes: "Nosotros no tenemos más rey que el César[1]."

MUERTE

Condenado a muerte: Mt 27, 24-25; Jn 19, 16 (Mc 15, 15; Lc 23, 25)

Viendo Pilato que no conseguía nada, y que el tumulto se hacía cada vez mayor, mandó traer agua, se lavó las manos[2] delante del pueblo y dijo: "Yo soy inocente de la sangre de este justo. Vosotros veréis." Todo el pueblo respondió: "¡Que su sangre recaiga sobre nosotros y sobre nuestros hijos[3]!" «Entonces se lo entregó para que fuera crucificado.»

Calvario: Mt 27, 31; Jn 19, 17; Lc 23, 26 (Mt 27, 32-33; Mc 15, 21-22)

Después de haberse mofado de Él, le quitaron el manto, le vistieron sus vestiduras y le llevaron para crucificarle. Y, llevando Él mismo la cruz, salió hacia el lugar llamado Calvario, en hebreo Gólgota. «Cuando le llevaban, echaron mano de un tal Simón de Cirene,» «padre de Alejandro y Rufo, que venía del campo.» «Y le obligaron a llevar la cruz.» «Y le cargaron la cruz para que la llevase detrás de Jesús.»

Crucifixión: Mc 15, 23-25; 27-28 (Mt 27, 34; Lc 23-33; Jn 19, 18)

Le habían crucificado hacia media mañana. Crucificaron con Él a dos ladrones, uno a su derecha y otro a su izquierda, cumpliéndose así la Escritura, que dice: «Fue contado entre los malhechores[4]» (Is 53, 12).

INRI: Jn 19, 19-22 (Mt 27, 37; Mc 15, 26; Lc 23, 38)

Mandó escribir Pilato un letrero «la causa» y poner sobre la cruz; «sobre su cabeza» tenía escrito: Jesús Nazareno. Rey de los judíos. Muchos judíos leyeron este letrero, pues el lugar donde fue crucificado Jesús estaba cerca de la ciudad y el letrero estaba escrito en hebreo,

---

1. Pilato creía ser su rey. No ser amigo del emperador era caer en desgracia, y se rindió.
2. Fue un gesto hipócrita y de cobardía.
3. La respuesta del pueblo fue horripilante.
4. El más inocente de los hombres fue reputado como un delincuente.

en latín y en griego. Dijeron a Pilato los jefes de los sacerdotes de los judíos: "No escribas Rey de los judíos, sino que Él dijo: Yo soy el rey de los judíos." Pilato les respondió: "Lo que he escrito, escrito está."

Vestidos: Jn 19, 23-24 (Mt 27, 35; Mc 15, 24; Lc 23, 38)

Los soldados, después de haber crucificado a Jesús[1], tomaron sus vestidos, hicieron cuatro partes, una para cada soldado; luego tomaron la túnica. La túnica era sin costura, tejida de una pieza de arriba a abajo. Por eso se dijeron entre sí: "No la rompamos, sino echemos a suertes, a ver a quién toca"; así se cumplió la Escritura: «Se repartieron mis vestidos y echaron a suertes mi túnica» (Sl 21, 22-19).

¡Perdónalos[2]!: Lc 23, 34-35

Y Jesús dijo: "Padre, perdónalos, porque no saben lo que hacen." El pueblo estaba presente mirando; también los jefes se burlaban de Él, diciendo: "A otros ha salvado; que se salve a Sí mismo, si es el Mesías de Dios, el Elegido."

Insultos[3]: Mc 15, 29-32 (Mt 27, 39-44; Lc 23, 36- 37)

Los que pasaban por allí le maldecían y movían la cabeza diciendo: "¡Vaya con el que era capaz de destruir el templo y edificarlo en tres días! ¡Sálvate a Ti mismo bajando de la cruz!" Igualmente los jefes de los sacerdotes se chanceaban entre sí y con los escribas, diciendo: "Salvó a otros y no puede salvarse a Sí mismo. ¡Que baje ahora de la cruz el Mesías, Rey de Israel, para que lo veamos y creamos!" Y hasta los mismos crucificados con Él le insultaban. «También se burlaban de Él los soldados, que se acercaban, ofreciéndole vinagre, y diciendo: "Si Tú eres el rey de los judíos, sálvate a Ti mismo".»

Madre e Hijo[4]: Jn 19, 25-27

Estaban junto a la cruz de Jesús su madre y la hermana de su madre, María, madre de Cleofás, y María Magdalena. Viendo Jesús a la madre y junto a ella al discípulo predilecto, dijo a su madre: "Mujer,

1. Cuarenta años más tarde pagó Jerusalén el deicidio. Fue destruida; según Flavio Josefo murieron un millón de judíos, faltaron cruces, y el resto fueron vendidos como esclavos.
2. Su primera palabra filial en la cruz fue de perdón para sus enemigos y de excusa.
3. El populacho seguía a sus jefes escarneciendo a Jesús.
4. Jesús nos dio a María por madre.

ahí tienes a tu hijo." Después dijo al discípulo: "Ahí tienes a tu madre." Y desde este momento el discípulo la recibió en su casa.

Buen ladrón: Lc 23, 39-43

Uno de los malhechores, de los que estaban crucificados, lo insultaba así: "¿No eres Tú el Mesías? Sálvate a Ti mismo y a nosotros." Mas el otro le reconvenía diciendo: "¿Ni siquiera temes a Dios estando en el mismo suplicio? Nosotros, a la verdad, lo estamos justamente, pues recibimos el justo castigo de lo que hicimos; mas Éste nada malo ha hecho." Y decía a Jesús: "Acuérdate de mí cuando estés en tu Reino." Le contestó: "Te aseguro con certeza que hoy estarás conmigo en el Paraíso[1]."

¡Dios mío, Dios mío!: Mt 27, 45-47, 49

Desde el mediodía hasta las tres de la tarde hubo tinieblas sobre la tierra. Hacia las tres de la tarde dio un grito muy fuerte: "Eli, Eli, ¿lema sabactini?", es decir, Dios mío, Dios mío, ¿por qué me has abandonado[2]? Algunos de los que estaban allí, al oírle, dijeron: "Éste llama a Elías." Pero los otros decían: "Deja, veamos si viene Elías a salvarle."

Tengo sed: Jn 19, 28-29

Luego, sabiendo Jesús que estaba todo cumplido, para que se cumpliese la Escritura, dijo: "Tengo sed." Había una vasija llena de vinagre; poniendo en una caña de hisopo una esponja empapada en vinagre, se la acercaron a la boca.

Todo acabado: Jn 19, 30

Cuando hubo tomado el vinagre, Jesús exclamó: "Todo está cumplido."

Muerte de Jesús: Lc 23, 46; Jn 19, 30

Jesús exclamó: "Padre en tus manos encomiendo mi espíritu." Y dicho esto, expiró.

E inclinando la cabeza, entregó su espíritu[3].

---

1. El arrepentimiento del Buen Ladrón fue tan profundo que pasó directamente al Paraíso.
2. Fue el más doloroso suplicio de Jesús, el abandono del Padre en cuanto hombre.
3. La Nueva Alianza quedaba sellada con la sangre de Jesús entre Dios y los hombres. Borrado el pecado, y restituida la Gracia.

Fenómenos extraños[1]: Mt 27, 51-54; Lc 23, 48-49

Entonces, el velo del templo se rasgó en dos de arriba abajo; la tierra tembló y las rocas se hendieron[2]; los sepulcros se abrieron y muchos cuerpos de santos, que ya habían muerto, resucitaron. Y saliendo de sus sepulcros después de la resurrección de Jesús, vinieron a la ciudad santa y se aparecieron a muchos. El centurión y los que estaban con él haciendo guardia a Jesús, al ver el terremoto y cuanto sucedía, estaban sobrecogidos de espanto y decían: "Verdaderamente, Éste era Hijo de Dios." Y todas las gentes que habían acudido a este espectáculo, considerando las cosas que habían sucedido, regresaban dándose golpes de pecho. Estaban allí a distancia —observando tales cosas— todos sus conocidos y las mujeres que lo habían acompañado desde Galilea.

José de Arimatea: Lc 23, 50-52; Mc 15, 44-45

Y en esto, un hombre, llamado José, miembro del Sanedrín, varón bueno y justo, que no había dado su asentimiento a la decisión de ejecución de los planes de los otros, natural de Arimatea, el cual esperaba el reino de Dios, presentándose a Pilato, pidió el cuerpo de Jesús. «Pero Pilato se extrañó de que ya hubiera muerto, y haciendo venir al centurión le preguntó si efectivamente había muerto. E informado por el centurión, tuvo a bien conceder el cadáver a José.»

Lanzada: Jn 19, 31-37

Como era Parasceve, a fin de que no quedasen los cuerpos en la cruz durante el sábado, pues era un día solemne este sábado, los judíos pidieron a Pilato que se les quebrasen las piernas y los retirasen. Vinieron, pues, los soldados y rompieron las piernas del primero y luego al otro que estaba crucificado con Él. Luego se acercaron a Jesús; viéndolo ya muerto, no le quebraron las piernas, sino que uno de los soldados le abrió con la lanza el costado, al instante salió sangre y agua[3]. Y quien lo vió así lo declara; y su declaración es digna de fe, y él sabe que dice la verdad a fin de que vosotros creáis. Con estas cosas se cumplió la Escritura: «No se le romperá hueso alguno» (Ex 12, 46). Y en otro pasaje: «Verán a quien traspasaron» (Zac 12, 10).

---

1. La misma naturaleza hizo duelo por su muerte.
2. Todavía hoy puede verse la resquebrajadura de la roca del Calvario.
3. En el misterio de la sangre y agua han visto los Santos Padres el símbolo del Bautismo y el origen de la Eucaristía.

Sepultura: Jn 19, 38-42

Pasadas estas cosas, José de Arimatea, que era discípulo de Jesús, aunque oculto por miedo a los judíos, pidió a Pilato le dejase llevar el cuerpo de Jesús. Accedió Pilato; vino, pues, y se llevó el cuerpo de Jesús. Llegó también Nicodemo, el que anteriormente había ido de noche al encuentro de Jesús, trayendo unas cien libras de una composición de mirra y áloe. Tomaron, pues, el cuerpo de Jesús y lo envolvieron en lienzos con aromas, según la costumbre que tienen los judíos de enterrar. En el lugar donde fue crucificado había un huerto, y en el huerto, un sepulcro nuevo, en el cual nadie había sido colocado todavía. Allí, por estar próximo al sepulcro, depositaron a Jesús, a causa de la Parasceve de los judíos[1].

Santas mujeres: Lc 23, 54-56

Era el día de Parasceve e iba a comenzar el sábado. Le siguieron las mujeres que habían venido con Él desde Galilea, para observar el sepulcro y ver el modo cómo era colocado su cuerpo. Y, regresando luego, prepararon aromas y perfumes; y durante el sábado observaron el descanso, conforme el precepto de la Ley.

Soldados de guardia: Mt 27, 62-66

Al día siguiente, el día después de la preparación para la Pascua, los jefes de los sacerdotes y los fariseos[2] se reunieron en casa de Pilato, y le dijeron: "Señor, nos hemos acordado de que aquel impostor dijo cuando vivía: 'Después de tres días resucitaré.' Manda, pues, que sea asegurado el sepulcro hasta el tercer día, no sea que vengan los discípulos a robarlo y digan al pueblo: 'Resucitó de entre los muertos'." Esta última impostura sería peor que la primera. Pilato les dijo: "Tenéis a vuestra disposición una guardia; id y tomad las medidas de seguridad como mejor os parezca." Fueron, pues, y aseguraron el sepulcro, sellando la piedra y poniendo una guardia[3].

---

1. Los cementerios de los judíos eran sólo para peregrinos y pobres.
2. Tenían sus dudas sobre la resurrección de Jesús al tercer día, pusieron guardia y sellaron la piedra.
3. Así quedó más patente la Resurrección.

Terremoto: Mt 28, 2-4

En esto, hubo un gran terremoto: El ángel del Señor bajó del cielo, removió la piedra y se sentó sobre ella. Su aspecto era como el del relámpago; su vestido, blanco como la nieve. Los guardianes temblaron de miedo ante él y quedaron como muertos[1].

RESURRECCIÓN

Sepulcro vacío: Mc 16, 1-4; Jn 20, 1; Mt 28, 1; Lc 24, 1-2

Una vez que pasó el sábado, María Magdalena, María, madre de Santiago, y Salomé compraron perfumes para ir a ungir el cuerpo de Jesús. Y el primer día de la semana, muy temprano, apenas salido el sol, se dirigieron al sepulcro. Se iban diciendo unas a otras: "¿Quién nos removerá la piedra del sepulcro?" Pero al mirar con atención, notaron que estaba ya apartada la piedra, que era en verdad enormemente grande[2].

Magdalena avisa: Jn 20, 2

Fue corriendo a Simón Pedro y al otro discípulo predilecto de Jesús y les dijo: "Se han llevado del sepulcro al Señor y no sabemos dónde lo han puesto."

Ángeles anunciadores: Mc 16, 5-7; Mt 28, 5-7; Lc 24, 3-8

Al entrar en el sepulcro[3] vieron a un joven sentado en la parte derecha, vistiendo túnica blanca, y se atemorizaron. Él les dijo: "No tengáis miedo. Buscáis a Jesús Nazareno, el crucificado. Resucitó, no está aquí. Este es el lugar donde lo pusieron. Pero vosotros id a decir a sus discípulos, sobre todo a Pedro, que Él irá delante de vosotros a Galilea. (Lc) «Recordad lo que os habló cuando estaba aún en Galilea. De cómo el Hijo del hombre había de ser entregado en manos de los pecadores y ser crucificado y al tercer día resucitar." Y ellas se acordaron de sus palabras.» Ellas salieron huyendo del sepulcro, pues le invadió el miedo y el estupor.

---

1. Y el sepulcro quedó abierto.
2. Pasado el sábado, que era de guardar, ya pudieron ir al sepulcro.
3. Las otras dos Marías.

Incredulidad: Lc 24, 9-11 (Mc 16, 8; Mt 26, 8-11)

Se alejaron del sepulcro y fueron a contárselo todo a los once y a todos los demás. Eran éstas: María Magdalena, y Juana, y María, la madre de Santiago. También las demás que iban con ellas referían a los Apóstoles este acontecimiento. Pero estos relatos les parecieron pura fantasía y no las creyeron.

Pedro y Juan: Jn 20, 3-10

Salieron Pedro[1] y el otro discípulo[2] con dirección al sepulcro. Corrían los dos juntamente, pero el otro discípulo corría más que Pedro y llegó primero al sepulcro, e, inclinándose, vio los lienzos por tierra, pero no entró. Seguidamente llegó también Pedro, entró en el sepulcro y vio los lienzos por tierra, y el sudario que había estado sobre la cabeza, no por tierra con los lienzos, sino enrollado en otro sitio aparte. Entonces entró también el otro discípulo, que había llegado primero al sepulcro; vio y creyó; pues no habían todavía comprendido que, según la Escritura, debía resucitar de entre los muertos. Luego, los discípulos regresaron a casa.

Jesús se aparece a la Magdalena: Jn 20, 11-16; Mt 28, 9

María estaba llorando fuera, junto al sepulcro[3]. Estando allí llorando se asomó al sepulcro, y vio dos ángeles vestidos de blanco, sentado uno a la cabecera y otro a los pies del sitio donde había sido colocado el cuerpo de Jesús. Ellos le preguntaron: "Mujer, ¿por qué lloras?" Respondió ella: "Porque se han llevado a mi Señor y no sé dónde lo han puesto." Dicho esto miro hacia atrás y vio a Jesús de pie, pero no se dio cuenta de que era Jesús. Jesús le dijo: "Mujer, ¿por qué lloras? ¿A quién buscas?" Ella, creyendo que era el jardinero, le dijo: "Señor, si tú lo has llevado, dime dónde lo has puesto y yo me lo llevaré[4]." Jesús le dijo: "¡María!" Volviéndose ella, le correspondió en arameo: "¡Rabboni!" (que significa Maestro[5]).

---

1. Por el anuncio de la Magdalena.
2. Juan.
3. María Magdalena volvió al sepulcro y se quedó a la entrada.
4. Embargada de pena, no sabía lo que se decía.
5. Entonces le reconoció.

¡Suéltame!: Jn 20, 17-18

Jesús le dijo: "¡Suéltame!, pues aún no he subido al Padre; vete al encuentro de mis discípulos y diles: Subo a mi Padre y a vuestro Padre, a mi Dios y a vuestro Dios." María Magdalena fue a notificar a los discípulos que había visto al Señor y le había dicho tales cosas.

Mala fe: Mt 28, 11-15

Mientras ellas caminaban, algunos de los soldados de la guardia vinieron a la ciudad y anunciaron a los jefes de los sacerdotes todo lo ocurrido. Reunidos éstos en consejo con los hombres de relieve, dieron a los soldados una fuerte suma de dinero con esta consigna: "Tenéis que decir esto: Sus discípulos vinieron de noche, mientras nosotros dormíamos[1], y lo robaron. Y si esto llegase al conocimiento del gobernador, nosotros le convenceremos y os pondremos a salvo." Ellos cogieron el dinero y obraron conforme a las instrucciones recibidas. Y esta mentira se divulgó entre los judíos hasta el día de hoy.

Camino de Emaús: Lc 24, 18-32; Mc 16, 12-13

Aquel mismo día, dos de los discípulos iban de camino hacia una aldea llamada Emaús, distante de Jerusalén sesenta estadios. Comentaban entre sí todos estos acontecimientos. Y mientras ellos conversaban y discutían, el mismo Jesús se les acercó y se puso a caminar con ellos. Pero sus ojos estaban imposibilitados para reconocerlo. Díjoles: "¿Qué impresiones vais cambiando mientras camináis?" Ellos, entristecidos, se detuvieron. Y tomando la palabra uno de ellos, llamado Cleofás, le dijo: "¿Serías Tú el único forastero en Jerusalén que no se haya enterado de lo que allí ha ocurrido estos días?" Él preguntó: "¿Qué ha ocurrido?" Ellos le dijeron: "Lo de Jesús de Nazaret, que se había manifestado delante de Dios y de todo el pueblo como un profeta poderoso en obras y en palabras; y cómo los jefes de los sacerdotes y nuestras autoridades lo entregaron e hicieron que lo condenaran a muerte, y lo hicieron crucificar. Nosotros esperábamos que Él sería el que había de liberar a Israel. Sin embargo, hoy hace tres días que esto sucedió. Verdad es que algunas de nuestras mujeres nos han alarmado; las cuales estuvieron muy de mañana en el sepulcro, y, no habiendo

---

1. Los que dormían eran ellos. El cuerpo no podía ser llevado sin violar el sábado. La piedra del sepulcro era enorme. Si los soldados estaban dormidos, ¿cómo podían ser testigos del hurto? Y si no, ¿cómo se lo dejaron llevar?

hallado el cuerpo de Jesús, volvieron diciendo que se les habían aparecido unos ángeles, quienes aseguran que Él vive. Y fueron algunos de los nuestros al sepulcro y hallaron las cosas como las mujeres habían dicho. Mas a Él no lo vieron." Y Él les dijo: "¡Oh, hombres ignorantes y tardos de inteligencia para creer todo lo que dijeron los Profetas! ¿Acaso no era necesario que el Mesías padeciese estas cosas para entrar en su gloria? Y comenzando por Moisés y siguiendo por los demás Profetas, les iba interpretando todos los pasajes de la Escritura que se referían a Él." Llegando cerca de la aldea donde se dirigían[1], Él hizo ademán de seguir adelante. Mas ellos insistieron, diciéndole: "Quédate con nosotros, pues ya es tarde y el día está terminando." Y entró para quedarse con ellos. Y estando con ellos a la mesa, tomando el pan recitó la bendición, y, después de partirlo, se lo dio. A ellos se les abrieron los ojos y lo reconocieron[2]; mas Él desapareció de su vista. Dijéronse entonces el uno al otro: "¿No es verdad que nuestro corazón nos ardía cuando Él nos hablaba por el camino y nos explicaba las Escrituras?"

Gran noticia: Lc 24, 33-45

Inmediatamente volvieron a Jerusalén y hallaron reunidos a los once y a sus compañeros, que decían: "¡Es una realidad! Él ha resucitado y se ha aparecido a Simón." Y ellos, a su vez, referían lo acaecido en el camino, y cómo lo reconocieron en la fracción del pan.

Regalo de paz: Jn 20, 19-23

Siendo ya tarde aquel día[3], primero de la semana, y estando, por miedo a los judíos, cerradas las puertas del lugar donde se hallaban los discípulos, se personó Jesús. Poniéndose en medio[4], les dijo: "La paz sea con vosotros." Y, dicho esto, les mostró las manos y el costado; se regocijaron, pues, los discípulos viendo al Señor. Les dijo de nuevo: "La paz sea con vosotros. Como me envió a Mí el Padre, así os envío yo a vosotros." Dichas estas palabras, sopló y les dijo: "Recibid el Espíritu Santo. A quienes les perdonareis los pecados, les serán perdonados; a quienes los retuviereis, les serán retenidos[5]."

---

1. Emaús dista 12 kilómetros de Jerusalén.
2. Era el mismo gesto de la Última Cena al instituir la Eucaristía.
3. El mismo Domingo de Resurrección.
4. Es propio de los cuerpos glorificados ser visibles o invisibles. Claridad. Agilidad. Impasibilidad.

Tomás, el incrédulo: Jn 20, 24-29

Pero Tomás, uno de los doce, por sobrenombre Dídimo, no estaba con ellos cuando llegó Jesús. Dijéronle, pues, los otros discípulos: "Hemos visto al Señor." Mas él les replicó: "Si no viere en sus manos la marca de los clavos y metiere mis dedos en el lugar de los clavos y mi mano en su costado, no creeré." A los ocho días, de nuevo los discípulos se encontraban dentro y Tomás con ellos. Se presentó Jesús, estando cerradas las puertas; se puso en medio y les dijo: "La paz sea con vosotros." Después dijo a Tomás: "Acerca tu dedo aquí y mira mis manos; extiende tu mano y métela en mi costado, y no seas incrédulo, sino creyente." Tomás le contestó: "¡Señor mío y Dios mío!" Le respondió Jesús: "¿Has creído porque me has visto? Dichosos los que han creído sin haber visto[1]."

Milagros para creer: Jn 20, 30-31

Muchos otros milagros hizo Jesús en presencia de los discípulos, los cuales no están escritos en este libro. Estos han sido escritos para que creáis que Jesús es el Mesías, el Hijo de Dios, y para que creyendo tengáis vida en su nombre.

Aparición en Galilea: Jn 21, 1-14

Después de esto, Jesús se manifestó de nuevo a los discípulos junto al mar de Tiberíades[2]; y fue de este modo: Se hallaban juntos Simón Pedro y Tomás, por sobrenombre Dídimo; Natanael, el de Caná de Galilea; los hijos de Zebedeo y otros dos de sus discípulos. Simón Pedro les dijo: "Voy a pescar." Ellos le replicaron: "vamos también nosotros contigo." Salieron, pues, y subieron a la barca; pero aquella noche no pescaron nada. Al ser de día, se presentó Jesús en la orilla; pero los discípulos no caían en la cuenta de que era Jesús. Jesús les dijo: "Muchachos, ¿tenéis algo que comer?" Le respondieron: "No." Él les replicó: "Echad la red a la parte derecha de la barca y encontraréis." Echaron, pues, y apenas podían arrastrarla, por la cantidad de peces. Entonces el discípulo predilecto de Jesús[3] dijo a Pedro: "¡Es el Señor!" Al oír Simón Pedro: "Es el Señor", se ciñó el vestido exterior, pues estaba desnudo, y se arrojó al mar; los otros discípulos llegaron

---

9. Así instituyó el Sacramento de la Penitencia.
1. La fe es más meritoria.
2. Tal como había dicho el Ángel a las Marías.
3. Juan.

con la barca arrastrando la red con los peces, pues sólo distaban de la orilla unos doscientos codos. Cuando saltaron a tierra vieron puestas brasas y peces encima, y pan. Jesús les dijo: "Traed algunos peces de los que habéis pescado ahora." Simón Pedro subió a la barca y arrastró a tierra la red, que estaba llena con ciento cincuenta y tres peces grandes. Y, a pesar de tener tantos, la red no se rompió. Jesús les dijo: "Venid a comer." Ninguno de los discípulos se atrevió a preguntarle: "¿Quién eres Tú?" Pues sabían que era el Señor. Jesús se acercó, tomó el pan y se lo dió; igualmente hizo con el pez. Ésta era ya la tercera vez que se aparecía Jesús a sus discípulos después de haber resucitado de entre los muertos.

Primado de Pedro: Jn 21, 15-19

Cuando hubieron comido, dijo Jesús a Simón Pedro: "Simón, hijo de Juan, ¿me amas más que éstos?" Le respondió: "Sí, Señor, Tú sabes que te amo." Díjole: "Apacienta mis corderos."

Por segunda vez le preguntó: "Simón, hijo de Juan, ¿Me amas?" "Sí, Señor, le contestó; Tú sabes que te amo." Le dijo: "Apacienta mis ovejas[1]."

Le preguntó por tercera vez: "Simón, hijo de Juan, ¿me amas?" Se entristeció Pedro porque le preguntó por tercera vez: "¿Me amas?" Y le respondió: "Señor, Tú sabes todo, Tú sabes que te amo." Le contestó Jesús: "Apacienta mis ovejas."

"Con toda certeza te digo: Cuando eras joven te ceñías tú mismo e ibas a donde querías. Pero cuando seas viejo extenderás tus manos, y otro te ceñirá y te llevará a donde no quieras." Dijo esto para insinuar con qué clase de muerte glorificaría a Dios. Después añadió: "Sígueme[2]."

Misión de los Apóstoles: Mt 28, 16-20; Mc 16, 14-20; Lc 14, 44-49; Jn 20, 21

Los once discípulos partieron a la montaña que les había indicado Jesús. Al verle, le adoraron. Algunos, sin embargo, dudaron. Jesús se acercó a ellos y les dijo estas palabras: "Se me ha dado todo poder en el cielo y en la tierra. Id, pues, y convertid en discípulos a todas las

---

1. Se lo había prometido y ahora lo hace efectivo. Pero antes tuvo que retractarse de las tres negaciones.
2. Le confirió el Primado de gobierno, santificación y magisterio. A Pedro y sus sucesores, los Papas, hasta el día de hoy.

naciones, bautizándolos en el nombre del Padre y del Hijo y del Espíritu Santo; y enseñándolos a observar todo cuanto Yo os he mandado. Yo estoy constantemente con vosotros hasta el fin del mundo[1]."

Última aparición: Lc 24, 41-48; Mt 28, 18-20

Como a causa que la alegría vacilasen aún y no saliesen de su asombro, díjoles: "¿Tenéis aquí algo de comer?" Ellos le presentaron parte de un pez asado; y, tomándolo, lo comió en su presencia[2].

Y les dijo: "Estas son las cosas de que os hablaba cuando aún estaba con vosotros, afirmando que debía cumplirse cuanto de Mí está escrito en Moisés, en los profetas y en los Salmos." Entonces les iluminó el entendimiento para que comprendiesen las Escrituras. Y añadió: "Está escrito que el Mesías debía padecer y resucitar de entre los muertos al tercer día, y que en su nombre se había de predicar a todas las naciones, comenzando por Jerusalén, la penitencia y el perdón de los pecados. Vosotros sois testigos de estos hechos."

Venida del Espíritu Santo: Lc 24, 49

"Y poned atención: Yo os voy a enviar lo prometido por mi Padre; vosotros permaneced en la ciudad hasta que seáis revestidos de la fuerza de lo alto[3]."

Ascensión: Mc 16, 14-20; Lc 24, 50-53; Mt 1, 1-11

Finalmente se apareció a los once cuando se hallaban a la mesa. Y les dijo: "Marchad por todo el mundo a predicar el Evangelio a toda criatura. Quien creyere y fuere bautizado[4], será salvo; pero quien no creyere será condenado."

Así, pues, el Señor, Jesús, después de hablar con ellos, fue elevado al cielo y está sentado a la diestra de Dios.

Ellos se fueron a predicar por todas partes, obrando con ellos la virtud del Señor, que confirmaba su doctrina con las señales que la acompañaban.

---

1. Además, ha prometido su presencia y asistencia a la Iglesia hasta el fin de los siglos.
2. Así pudieron decir: "Hemos comido con Él", no era un fantasma.
3. Cenáculo.
4. Ésta es la misión de la Iglesia: predicar el Evangelio a todo el mundo. Quien no quisiera creer será condenado.

Testimonio final: Jn 21, 24-25

Este mismo discípulo es el que es testigo de estas cosas y las ha escrito, y sabemos que su testimonio es digno de fe[1]. Hay otras muchas cosas que hizo Jesús. Si se narrasen una por una, yo creo que ni el mundo entero podría contener los libros que podrían escribirse.

HECHOS DE LOS APÓSTOLES[2]

INTRODUCCIÓN

Últimas instrucciones y Ascensión[3]. Y estando con ellos a la mesa, les mandó que no saliesen de Jerusalén, sino que aguardasen la promesa del Padre, "la que me oisteis; porque Juan bautizó con agua; pero vosotros seréis bautizados en el Espíritu Santo dentro de pocos días, recibiréis la fuerza del Espíritu Santo, que vendrá sobre vosotros, y seréis mis testigos en Jerusalén, en toda Judea, en Samaria y hasta los confines de la tierra."

Cuando les dijo esto, le vieron elevarse; y una nube lo ocultó de su vista. Y como se quedasen mirando atentamente al cielo mientras Él se iba, se les aparecieron dos varones[4] con vestidos blancos, que les dijeron: "Varones galileos, ¿a qué seguís mirando al cielo? Este Jesús que os ha sido arrebatado al cielo, vendrá así tal como lo habéis visto irse al cielo[5]."

Oración perseverante. Entonces regresaron a Jerusalén desde el monte del Olivar, que está próximo a Jerusalén, el camino de un sábado. Y así que entraron, subieron a la habitación superior, donde se alojaban habitualmente[6]. Eran Pedro y Juan, Santiago y Andrés, Felipe

---

1. La Escritura y la Tradición son las dos fuentes de la Revelación. San Juan nos dijo que no todo está escrito.
2. Son como la continuación del Evangelio de San Lucas. Ambos son del mismo autor.
3. Jesús se apareció a los Apóstoles durante 40 días hasta el día de su Ascensión.
4. Ángeles.
5. En la segunda Venida al final de los tiempos.
6. En el Cenáculo de Jerusalén.

y Tomás, Bartolomé y Mateo, Santiago el de Alfeo, Simón el Zelotes
y Judas el de Santiago. Todos ellos perseveraban unánimes en la oración, con las mujeres, y con María, la Madre de Jesús, y con sus
hermanos.

LA IGLESIA EN JERUSALÉN

Pentecostés. Al cumplirse el día de Pentecostés[1], estaban todos
juntos en el mismo lugar, y se produjo de repente un ruido del cielo,
como de viento impetuoso que pasa, que llenó toda la casa donde
estaban. Se les aparecieron como lenguas de fuego, que se dividían y
se posaban sobre cada uno de ellos, y todos quedaron llenos del Espíritu Santo, y comenzaron a hablar en lenguas extrañas, según el Espíritu Santo les movía a expresarse[2].

Ahora bien, había en Jerusalén varones piadosos de todas las naciones que hay bajo el cielo; al oír el ruido, se reunió la multitud y se
quedó estupefacta, porque los oía hablar a cada uno en su propia
lengua. Fuera de sí todos y admirados, decían: "¿No son galileos todos
los que hablan? Pues ¿cómo nosotros los oímos cada uno en nuestra
lengua materna? Partos y Medos y Elamitas, y los habitantes de Mesopotamia, Judea y Capadocia, el Ponto y el Asia, Frigia y Panfilia,
Egipto y las regiones de Libia y de Cirene, y los forasteros Romanos,
judíos y prosélitos, Cretenses y Árabes, los oímos hablar en nuestras
lenguas las grandezas de Dios[3]." Estaban, pues, todos fuera de sí y
perplejos diciéndose unos a otros: "¿Qué significa esto?" Mas otros,
burlándose, decían: "Están llenos de mosto."

Discurso de S. Pedro. Entonces Pedro[4], en pie con los Once, alzó
su voz y les dirigió estas palabras: "Varones israelitas[5], escuchad estas
palabras: A Jesús el Nazareno, acreditado por Dios ante vosotros con
los milagros, prodigios y señales que Dios obró por medio de Él entre
vosotros como sabéis; a éste, entregado conforme al consejo y previsión divina, lo matásteis, crucificándolo por manos de los inicuos;
pero Dios lo ha resucitado, rompiendo las ligaduras de la muerte,
porque era imposible que ésta dominara sobre Él, ya que David dice

---

1. Cincuenta días después de la Resurrección.
2. El Espíritu Santo les comunicó sus dones y carismas. Don de Milagros, etc.
3. 17 naciones representativas.
4. En uso de sus atribuciones de Primado, habló en nombre de los Apóstoles.
5. Antes se escondían, ahora saltan a las plazas. Antes ignorantes, llenos de sabiduría y
   elocuencia predicaban a Jesús crucificado.

de Él: que no abandonarás en el infierno mi alma, ni permitirás que tu Santo vea la corrupción[1].

Esto es lo que veis y oís. Porque no subió David a los cielos, sino que él dice: 'Dijo el Señor a mi Señor: Siéntate a mi derecha, hasta que pongá a tus enemigos por escabel de tus pies'. Tenga, pues, toda la casa de Israel la certeza de que Dios hizo Señor y Cristo a este Jesús, a quien vosotros habéis crucificado."

Primeras conversiones. Al oírle, se compugnieron de corazón, y dijeron a Pedro y a los demás Apóstoles: "¿Qué debemos hacer, hermanos?" Y Pedro les dijo: "Arrepentíos, y que cada uno de vosotros se baútice en el nombre de Jesucristo, para remisión de vuestros pecados; y recibiréis entonces el don del Espíritu Santo[2]. Que para vosotros y para vuestros hijos es la promesa, y para todos los de lejos, cuantos llamare el Señor, Dios nuestro." Y con muchas otras palabras testificaba y exhortaba diciendo: "Salvaos de esta generación perversa[3]." Y los que acogieron su palabra se bautizaron, y se agregaron aquel día unas tres mil almas. Perseveraban en la enseñanza de los Apóstoles, en la comunión, en la fracción del pan y en las oraciones.

Curación de un cojo. Pedro y Juan subían al Templo a orar a la hora nona. Y un hombre tullido de nacimiento era llevado y situado todos los días a la puerta del Templo, llamada Hermosa, para pedir limosna a los que entraban. Viendo a Pedro y Juan, que iban a entrar en el Templo, les pidió limosna. Pedro, fijando en él la mirada, a una con Juan dijo: "Míranos." Él los miraba esperando recibir algo de ellos. Mas Pedro dijo: "No tengo plata ni oro; pero lo que tengo, eso te doy: En nombre de Jesucristo, el Nazareno, anda." Y tomándole de la mano derecha, lo levantó; y al instante sus pies y sus tobillos se consolidaron, y de un salto se puso en pie y andaba, y entró con ellos en el Templo andando, saltando y alabando a Dios. Todo el pueblo lo vio andar y alabar a Dios; y reconocían que era el que solía sentarse junto a la puerta Hermosa a pedir limosna; y se llenaron de admiración y pasmo por lo que había sucedido.

Nuevo discurso de Pedro. Viendo esto Pedro, dijo al pueblo: "Hombres de Israel, ¿a qué os admiráis de esto, o por qué fijáis en nosotros la mirada, como si por propio poder o piedad hubiéramos hecho andar a éste? El Dios de Abraham, de Isaac y de Jacob, el Dios

---

1. Lugar de los muertos.
2. Dos cosas se necesitan para entrar en la comunidad cristiana: arrepentirse y ser bautizados.
3. El Precursor Juan anunció el verdadero Bautismo de agua y fuego del Espíritu.

de nuestros padres, glorificó a su Hijo Jesús, al que vosotros entregasteis y negasteis ante Pilato, el cual decidió dejarlo libre; mas vosotros negasteis al Santo y Justo, y pedisteis la gracia de un asesino, mientras matasteis al Autor de la vida, a quien Dios resucitó de entre los muertos, de lo cual nosotros somos testigos. Y por la fe en su nombre[1] fortaleció a éste que veis y conocéis; y la fe que por Él viene dio a éste la integridad completa en presencia de todos vosotros. Ahora bien, hermanos, sé que obrasteis por ignorancia[2], igual que vuestros jefes. Pero Dios cumplió así lo que anunció de antemano por boca de todos los profetas: que su Cristo había de padecer. Por tanto, arrepentíos y convertíos para que sean borrados vuestros pecados, para cuando lleguen los tiempos de refrigerio de parte del Señor y envíe el Cristo destinado para vosotros, a Jesús, al que el cielo debe guardar hasta los tiempos de la restauración universal, de que habló Dios por boca de sus profetas desde muy antiguo."

Prisión de Pedro y Juan. Hablando ellos al pueblo, se les presentaron los sacerdotes[3] y el Oficial del Templo y los saduceos, molestos de que enseñasen al pueblo y anunciasen en la persona de Jesús la resurrección, de entre los muertos; los prendieron y los encarcelaron hasta el día siguiente, pues era ya tarde. Pero muchos de los que oyeron el dicurso creyeron; y el número llegó a unos cinco mil[4]. Al día siguiente se reunieron en Jerusalén los jefes del pueblo, los ancianos y los escribas. Estaban Anás, el Sumo Sacerdote; Caifás, Juan, Alejandro y cuantos eran del linaje de los Sumos Sacerdotes. Los pusieron en medio y les preguntaron: "¿Con qué poder o en qué nombre habéis hecho esto?"

Amenazas del Sanedrín. Contemplando, por una parte, la seguridad de Pedro y Juan, y comprendiendo, por otra, que eran hombres sin instrucción y cultura, les ordenaron salir del Sanedrín, y se pusieron a deliberar entre ellos, diciendo: "¿Qué haremos a estos hombres? Porque en verdad han hecho un milagro notorio y manifiesto a todos los moradores de Jerusalén, y no podemos negarlo. Pero para que no se divulgue más entre el pueblo, amenacémoslos que no vuelvan a hablar a nadie en este nombre." Los llamaron y les mandaron que de ninguna manera hablasen ni enseñasen en el nombre de Jesús. Mas Pedro y Juan les

1. Como cuando pescaba, Pedro actuaba siempre en nombre de Jesús.
2. Pedro excusa a los que crucificaron a Jesús como Él lo hizo desde la cruz.
3. Isaías y otros.
4. Los jefes del pueblo y los ancianos se alarmaron con tantas conversiones.

replicaron: "Si es justo delante de Dios obedeceros a vosotros más bien que a Dios, juzgadlo vosotros[1]. Nosotros no podemos dejar de decir lo que hemos visto y oído." Pero ellos los despidieron amenazándolos de nuevo, sin encontrar modo de castigarlos, a causa del pueblo[2].

Oración de la Iglesia. Puestos en libertad, fueron a los suyos y contaron cuanto les habían dicho los pontífices y los ancianos. Después de escucharlos, elevaron a una su voz a Dios, diciendo: "Soberano Señor, Tú eres el Dios que has hecho el cielo y la tierra, el mar y cuanto hay en ellos. Ahora, Señor, mira sus amenazas y concede tu palabra, extendiendo tu mano para curar y obrar señales y prodigios por el nombre de tu santo siervo Jesús." Acabada su oración, tembló el lugar en que estaban reunidos y quedaron todos llenos del Espíritu Santo, y anunciaban con libertad la palabra de Dios[3].

Unión de los fieles. La multitud de los creyentes tenía un solo corazón y una sola alma, y nadie llamaba propia cosa alguna de cuantas poseían, sino que tenían en común todas las cosas. Y con gran energía testificaban los Apóstoles la Resurrección del Señor, Jesús, y todos gozaban de gracia singular. No había entre ellos indigentes, porque todos los que poseían haciendas o casas las vendían y llevaban el precio de lo vendido y lo ponían a los pies de los Apóstoles; y se repartía a cada uno según necesitaba. José, llamado por los Apóstoles Bernabé —que significa hijo de la consolación—, levita, chipriota de nación, tenía un campo, lo vendió, trajo el dinero y lo puso a los pies de los Apóstoles.

Incremento de la Iglesia. Por mano de los Apóstoles se obraban muchos milagros y prodigios en el pueblo, y se reunían todos en el pórtico de Salomón; y hasta sacaban los enfermos a las plazas y los ponían en camillas y angarillas para que, al pasar Pedro, al menos su sombra tocase alguno de ellos. Concurría también la multitud de las ciudades próximas a Jerusalén llevando enfermos y poseídos por espíritus inmundos, y todos eran curados.

Nueva persecución. Intervino entonces el Pontífice con todos los de su partido —la secta de los saduceos—. Llenos de celos, prendieron a los Apóstoles y los metieron en la cárcel pública. Pero un ángel del Señor abrió por la noche las puertas de la cárcel, los sacó y dijo: "Id al Templo y anunciad con valentía al pueblo todas las palabras de

---

1. Sin la piedra clave, Cristo, todo se derrumba.
2. Pedro y los demás Apóstoles no eran los mismos.
3. La Iglesia primitiva era modelo de unión y caridad, con una perfecta comunión de espíritu y fraternidad.

esta Vida." Oído esto, entraron de madrugada en el Templo y se pusieron a enseñar. Entretanto el Pontífice y sus partidarios convocaron al Sanedrín y a todos los ancianos de los hijos de Israel, y enviaron a la cárcel a buscar a los Apóstoles. Los alguaciles fueron, pero no los encontraron en la cárcel; volvieron y lo comunicaron diciendo: "Encontramos la cárcel cerrada cuidadosamente y los guardias junto a las puertas; pero al abrir a nadie hallamos dentro." Al oír esto, tanto el prefecto del Templo como los pontífices quedaron perplejos pensando qué habría sido de ellos[1]. Pero llegó uno diciéndoles: "Los hombres que encarcelasteis están en el Templo enseñando al pueblo." Entonces marchó el prefecto con los alguaciles y los condujo, mas no con violencia, porque temían que el pueblo los apredease; y habiéndolos conducido, los presentaron al Sanedrín. Y el Pontífice les preguntó: "¿No os ordenamos solemnemente que no enseñaseis en este nombre? Y he aquí que habéis llenado Jerusalén de vuestra doctrina y queréis hacer caer sobre nosotros la sangre de este hombre."

Respondió entonces Pedro con los Apóstoles: "Hay que obedecer a Dios antes que a los hombres. El Dios de nuestros padres ha resucitado a Jesús, a quien vosotros matasteis colgándolo de un madero. Dios lo ha ensalzado con su diestra como Jefe y Salvador para dar a Israel el arrepentimiento y la remisión de los pecados. Nosotros somos testigos de estas cosas, como lo es también el Espíritu Santo que Dios ha dado a los que lo obedecen[2]."

Esteban, ante el Sanedrín. Esteban[3], por su parte, lleno de gracia y de poder, realizaba grandes prodigios y milagros en el pueblo. Mas surgieron algunos de los de la sinagoga llamada de los Libertos, de los Cirenenses y Alejandrinos y de los de Cilicia y Asia, y se pusieron a disputar con Esteban, pero no podían resistir la sabiduría y el espíritu con que hablaba. Entonces sobornaron a unos hombres para que dijeran: "Nosotros le hemos oído a éste proferir blasfemias contra Moisés y contra Dios"; con esto amotinaron al pueblo, a los ancianos y a los escribas, los cuales se echaron sobre él, lo prendieron y lo llevaron al Sanedrín. Después presentaron testigos falsos, que dijeron: "Este hombre no cesa de proferir palabras contra este lugar santo y contra la Ley;

---

1. Aquellos saduceos y autoridades judías no creían lo que veían.
2. Nadie podía con la sabiduría y valentía de aquellos pobres analfabetos, porque estaban llenos del Espíritu Santo.
3. Era uno de los siete Diáconos que la Iglesia creó para atender a los pobres y las viudas, mientras que los Apóstoles se dedicaban al ministerio de la Palabra y Oración.

pues le hemos oído decir que ese Jesús, el Nazareno, destruirá este lugar y cambiará las costumbres que nos transmitió Moisés." Entonces todos los que estaban sentados en el Sanedrín fijaron sus miradas en él y vieron su rostro como el rostro de un ángel.

Discurso de Esteban. El Pontífice preguntó: "¿Es esto verdad?" Y él dijo: "Hermanos y padres, escuchad: El Dios de la gloria se apareció a nuestro padre Abraham cuando estaba en Mesopotamia, antes de morar en Jarrán, y le dijo: 'Sal de tu tierra y de tu parentela, y ven a la tierra que yo te mostraré.' Salió entonces de la tierra de los Caldeos y habitó en Jarrán. Y allí, después de la muerte de su padre, Dios lo trasladó a esta tierra en que vosotros habitáis ahora, y no le dio propiedad en esta región, ni siquiera un pie de tierra. Pero prometió dársela en posesión a él y a su descendencia."

Martirio de Esteban. Al oír esto brincaban de rabia sus corazones, y rechinaban los dientes contra él. Pero él, lleno del Espíritu Santo, con los ojos fijos en el cielo, vio la Gloria de Dios y a Jesús de pie a la derecha de Dios, y dijo: "Veo los cielos abiertos, y al Hijo del Hombre de pie a la derecha de Dios." Ellos lanzando grandes gritos se taparon los oídos, y se arrojaron a una sobre él, y echándole fuera de la ciudad, se pusieron a apedrearlo. Los testigos dejaron sus vestidos a los pies de un joven llamado Saulo. Mientras lo apedreaban, Esteban oró así: "Señor, Jesús, recibe mi espíritu." Y puesto de rodillas, gritó con fuerte voz: "Señor, no les imputes este pecado." Y diciendo esto, se durmió. Y Saulo aprobaba su muerte[1].

PROPAGACIÓN DEL EVANGELIO FUERA DE JERUSALÉN

Predicación de Felipe[2]. En cuanto a los dispersados, fueron por todas partes anunciando la palabra. Felipe, bajando, a la ciudad de Samaria, les predicó a Cristo. Las multitudes prestaban atención a las palabras de Felipe, oyendo y viendo unánimes lo que decía y los milagros que hacía[3]. Porque de muchos posesos salían los espíritus impuros, dando grandes voces. Y muchos paralíticos y cojos fueron curados. Y hubo por ello gran alegría en la ciudad aquella.

---

1. Saulo, el futuro Pablo.
2. Uno de los Diáconos, como Esteban.
3. El carisma de milagros y curaciones recibido del Espíritu Santo acredita a los mensajeros del Evangelio.

El Espíritu Santo. Los Apóstoles que estaban en Jerusalén, al saber que Samaria había recibido la palabra de Dios, les enviaron a Pedro y a Juan; los cuales bajaron y oraron por ellos, para que recibieran el Espíritu Santo; pues aún no había descendido sobre ninguno de ellos, y sólo habían recibido el bautismo en el nombre del Señor, Jesús. Entonces les impusieron las manos, y recibieron el Espíritu Santo.

Bautismo del etíope. El Ángel del Señor dijo a Felipe: "Ponte en marcha hacia mediodía, por el camino desierto que baja de Jerusalén a Gaza[1]." Y se puso en marcha. Y he aquí que un etíope eunuco[2], ministro de Candaces, reina de Etiopía[3], superintendente de todos sus tesoros, que había venido a Jerusalén, regresaba y, sentado en su carro, leía al profeta Isaías. Dijo el Espíritu a Felipe: "Avanza y júntate a ese carro." Felipe corrió y dijo: "¿Entiendes por ventura lo que lees?" Y él dijo: "¿Y cómo he de poder, si alguien no me guía?" Y rogó a Felipe que subiera y se sentara con él. El pasaje de la Escritura que leía era éste:

"Como oveja fue llevado al matadero, como cordero mudo ante el
    que lo esquila, y no abre su boca."

Dijo entonces el eunuco a Felipe: "Te ruego que me digas, ¿de quién dice esto el profeta? ¿De él o de otro?" Tomó entonces Felipe la palabra y comenzando por este pasaje de la Escritura, le evangelizó a Cristo. Continuando su camino, llegaron donde había agua, y dijo el eunuco: "He aquí agua, ¿qué impide que sea yo bautizado?" Y dijo Felipe: "Si crees[4] con todo tu corazón, se puede." Y respondió: "Creo que Jesucristo es el Hijo de Dios." Y mandó detener el carro. Bajaron ambos al agua, Felipe y el eunuco, y lo bautizó. Habiendo subido del agua, el Espíritu del Señor arrebató a Felipe, y no lo vio más el eunuco, quien continuaba gozoso su camino. Felipe se halló en Azoto, y fue evangelizando todas las ciudades hasta llegar a Cesarea.

Conversión de Saulo. Saulo, por su parte, respirando aún amenazas y muerte contra los discípulos del Señor, se presentó al Sumo Sacerdote, y le pidió cartas para las Sinagogas de Damasco, con el fin de si encontraba algunos que siguieran este camino[5], hombres o mujeres, llevarlos encadenados a Jerusalén. Iban caminando, y próximos ya a

---

1. Ciudad porteña al Sur de Palestina.
2. Favorito de la reina y ministro.
3. Región del valle del Nilo al Sur de Egipto entre Sudán y Abisinia.
4. La fe abre la puerta del Bautismo.
5. Nombre genérico de religión, cristianismo, Evangelio.

Damasco, de repente le circundó un resplandor del cielo[1], y, cayendo a tierra, oyó una voz que le decía: "Saulo, Saulo, ¿por qué me persigues?[2]" Y preguntó: "¿Quién eres, Señor?" Y Él: "Yo soy Jesús, a quien tú persigues. Pero levántate y entra en la ciudad y se te dirá lo que debes hacer." Y los hombres que lo acompañaban se detuvieron atónitos, oyendo la voz, pero sin ver a nadie. Saulo se levantó de la tierra, y aunque tenía los ojos abiertos, no veía nada; y llevándole de la mano lo introdujeron en Damasco. Y estuvo tres días sin ver, y sin comer ni beber.

Había en Damasco un discípulo llamado Ananías, a quien dijo el Señor en una visión: "¡Ananías!" Y él respondió: "Heme aquí, Señor." Y el Señor a él: "Levántate y ve a la calle llamada Recta[3], y busca en la casa de Judas a un tal Saulo de Tarso; pues está orando, y vio en visión un varón llamado Ananías, que entraba y le imponía las manos para que viese." Pero Ananías respondió: "Señor, he oído a muchos hablar de este hombre y decir cuánto mal hizo a tus santos en Jerusalén; y está aquí con plenos poderes de los Sumos Sacerdotes para prender a cuantos invocan tu nombre." Mas el Señor le dijo: "Anda, que éste es para mí instrumento elegido, para llevar mi nombre a los gentiles y reyes, y a los hijos de Israel. Yo le mostraré cuanto debe padecer por mi nombre." Fue entonces Ananías y entró en la casa, le impuso las manos y dijo: "Saulo, hermano mío, me envía el Señor Jesús, el que se te apareció en el camino por el que venías, para que veas y seas lleno del Espíritu Santo." Y enseguida cayeron de sus ojos como escamas, y recobró la vista, se levantó y fue bautizado; y tomando alimento, se reconfortó. Y estuvo algunos días con los discípulos que había en Damasco.

Saulo en Jerusalén y Tarso. Cuando llegó a Jerusalén, intentaba unirse a los discípulos; y todos lo temían, no creyendo que fuera verdaderamente discípulo. Entonces Bernabé[4], lo tomó consigo y lo llevó a los Apóstoles; y les refirió cómo en el camino Saulo había visto al Señor, que le había hablado y cómo en Damasco había predicado paladinamente en el Nombre de Jesús. Y estaba con ellos en Jerusalén, entrando y saliendo, hablando con libertad en el Nombre

---

1. Que le derribó del caballo y quedó ciego.
2. Saulo (Pablo) no perseguía directamente a Jesús, sino a los cristianos en quien Jesús se representaba.
3. Todavía se conserva hoy.
4. (Hebr. = Hijo de profecía) Presentó a Pablo a los Apóstoles y le acompañó en algunos viajes.

del Señor. Hablaba y disputaba con los helenistas, los cuales intentaron matarlo. Pero sabiéndolo los hermanos, lo condujeron a Cesarea[1] y lo hicieron partir para Tarso[2].

Visión y embajada de Cornelio. Pedro explica lo sucedido. Los Apóstoles y los hermanos que estaban en Judea supieron que también los gentiles habían recibido la palabra de Dios. Y cuando subió Pedro a Jerusalén, los circuncisos[3] discutían con él, diciendo: "¿Por qué has entrado en casa de hombres incircuncisos y has comido con ellos?" Entonces Pedro comenzó a explicarle por orden diciendo: "Estaba yo en la ciudad de Jope[4], orando, cuando tuve en éxtasis una visión: Un objeto descendía a modo de un gran lienzo, colgado por las cuatro puntas desde el cielo, y llegó hasta mí. Yo lo miré fijamente, examinándolo, y vi los cuadrúpedos de la tierra, y las bestias, los reptiles y las aves del cielo[5]. Y oí también una voz que me decía: 'Levántate, Pedro, mata y come.' Mas dije: 'De ninguna manera, Señor; porque nada profano o impuro ha entrado jamás en mi boca.' Pero la voz del cielo respondió por segunda vez: 'Lo que Dios ha purificado tú no lo llames impuro.' Esto se repitió por tres veces, y todo fue arrebatado de nuevo al cielo."

La Iglesia de Antioquía. Los que se habían dispersado por la tribulación ocurrida con ocasión de Esteban, llegaron hasta Fenicia y Chipre y Antioquía, predicando sólo a los Judíos. Pero había entre ellos algunos Chipriotas y Cirenenses[6], quienes llegado a Antioquía se dirigieron también a los Griegos anunciando al Señor Jesús. La mano del Señor estaba con ellos, y un gran número creyó y se convirtió al Señor. Llegó la noticia a oídos de la Iglesia de Jerusalén y enviaron a Bernabé a Antioquía. Al llegar y ver la gracia de Dios, se regocijó y exhortaba a todos a perseverar, con un corazón firme, fieles al Señor; porque era un hombre bueno y lleno del Espíritu Santo y de fe; y una gran multitud se unió al Señor. Se fue a Tarso en busca de Saulo, y, habiéndolo encontrado, lo llevó a Antioquía. Y estuvieron un año entero en aquella Iglesia e instruyeron a muchos; y fue en Antioquía donde por primera vez los discípulos recibieron el nombre de cristianos[7].

---

1. Capital de la Palestina romana.
2. Patria de San Pablo en Asia Menor.
3. En casa de Cornelio, centurión de la cohorte Itálica.
4. Ciudad de Palestina en el litoral.
5. Animales prohibidos por la Ley.
6. De Chipre y Cirene, en África del Norte.
7. Seguidores de Cristo.

Herodes Agripa persigue a la Iglesia[1]. Por aquel tiempo el rey Herodes prendió algunos de la Iglesia para maltratarlos. Hizo morir a espada a Santiago, hermano de Juan. Y viendo que esto agradaba a los judíos, hizo prender también a Pedro. Eran los días de los ácimos. Y habiéndolo prendido, lo encarceló y mandó que los custodiasen, con intención de hacerlo comparecer ante el pueblo después de la Pascua. Mientras Pedro estaba de este modo custodiado en la cárcel, la Iglesia oraba por él a Dios sin cesar.

Liberación de Pedro. La misma noche en que Herodes iba a hacerlo comparecer, Pedro estaba dormido entre dos soldados, atado con cadenas, y los centinelas montaban la guardia en la puerta de la cárcel. Y he aquí que se presentó el Ángel del Señor, y una luz resplandeciente en la estancia. El Ángel tocó a Pedro en el costado y lo despertó diciendo: "Levántate en seguida." Y se le cayeron las cadenas de las manos. El Ángel le dijo: "Cíñete y cálzate tus sandalias." Así lo hizo. Y añadió: "Envuélvete en tu manto y sígueme." Pedro salió y lo seguía; y no sabía si era realidad lo que el Ángel hacía, sino que se figuraba que era una visión. Pasaron la primera y segunda guardia y llegaron a la puerta de hierro que da a la ciudad, la cual se les abrió por sí sola. Salieron y avanzaron por una calle y de repente lo dejó el Ángel.

Entonces Pedro, volviendo en sí, dijo: "Ahora sé realmente que el Señor ha enviado su Ángel, y me ha arrancado de la mano de Herodes, y de todo lo que esperaba el pueblo judío." Y habiendo reflexionado se fue a casa de María, la madre de Juan[2], apellidado Marcos, donde había muchos reunidos y orando. Al venir el día hubo una gran turbación entre los soldados por lo que habría sido de Pedro.

PROPAGACIÓN DEL EVANGELIO ENTRE LOS GENTILES

PRIMER VIAJE DE SAN PABLO

Elección de Saulo y Bernabé. En la Iglesia de Antioquía había profetas y doctores: Bernabé y Simón, el llamado Niger, Lucio de Cirene, Manahem, hermano de leche de Herodes el tetrarca, y Saulo.

---

1. Vivía escandalosamente, relacionado con una organización secreta para oponerse a la expansión cristiana.
2. El Cenáculo. Juan Marcos era pariente de Bernabé, compañero de Pablo. En Roma fue secretario de San Pablo y escribió su Evangelio.

Mientras celebraban ellos el culto del Señor y ayunaban, dijo el Espíritu Santo: "Separadme a Bernabé y a Saulo para la obra a que los he llamado." Entonces, después de haber ayunado y orado, les impusieron las manos y los despidieron[1].

En Antioquía de Pisidia[2]. Habiendo zarpado de Pafos Pablo y los suyos llegaron a Perge de Panfilia. Pero Juan[3] los dejó y se volvió a Jerusalén. Ellos continuaron su viaje y de Perge pasaron a Antioquía de Pisidia. El sábado entraron en la sinagoga y se sentaron. Después de la lectura de la Ley y de los Profetas, los jefes de la Sinagoga les mandaron a decir: "Hermanos, si tenéis alguna palabra de exhortación para el pueblo, hablad."

Pablo se levantó y haciendo con la mano la señal de silencio, dijo: "Israelitas y los que teméis a Dios, escuchad[4].

Hermanos, hijos de la estirpe de Abraham, y los que teméis a Dios; a vosotros ha sido enviada esta palabra de salvación. Porque los habitantes de Jerusalén y sus jefes han cumplido sin saberlo, las palabras de los profetas que se leen cada sábado; y sin haber hallado ninguna causa de muerte, le han condenado y han pedido a Pilato que lo matase. Y así que cumplieron lo que acerca de él estaba escrito, lo bajaron del leño y lo sepultaron. Pero Dios lo resucitó de entre los muertos; el cual se apareció durante muchos días a los que habían subido con Él de Galilea a Jerusalén, y que ahora son sus testigos ante el pueblo. Y nosotros os anunciamos la Buena Nueva: La promesa hecha a nuestros padres.

Sabed, pues, hermanos, que por medio de Éste se os anuncia la remisión de los pecados, y quien cree en Él, es justificado de todas las cosas, de las que no pudisteis ser justificados por la Ley de Moisés."

Y al salir le rogaron que continuara hablando de lo mismo el próximo sábado. Disuelta la reunión, muchos judíos y prosélitos temerosos de Dios, seguían a Pablo y a Bernabé, los cuales hablaban con ellos exhortándolos a permanecer en la gracia de Dios. El sábado siguiente casi toda la ciudad acudió a escuchar la palabra de Dios.

Predican a los gentiles. Los judíos, al ver la multitud, se llenaron de celo y se opusieron con blasfemias a lo que Pablo decía. Entonces Pablo y Bernabé dijeron con toda libertad: "A vosotros había que

---

1. Este rito litúrgico parece ser una bendición usual para los misioneros al emprender viajes apostólicos.
2. De Pafos, en Chipre, a Perge, del Asia Menor.
3. Juan Marcos.
4. Pablo siempre comenzaba anunciando el Evangelio en las sinagogas, entre los judíos.

anunciar antes que a nadie la palabra de Dios; mas ya que la rechazáis, y no os juzgáis dignos de la vida eterna, nos vamos a los gentiles. Que así nos lo mandó el Señor[1]. Los gentiles al oírlo se regocijaban y glorificaban la palabra del Señor, y creyeron cuantos estaban ordenados a la vida eterna. Y se difundía la palabra del Señor por todo el país. Pero los judíos concitaron a las mujeres religiosas y nobles y a los principales de la ciudad, provocaron una persecución contra Pablo y Bernabé y los echaron de su territorio[2].

En Licaonia, Iconio, Listra y Derbe. En Iconio entraron también en la Sinagoga de los judíos, y hablaron de tal modo que creyó una gran muchedumbre de judíos y gentiles. Pero los judíos, que no quisieron creer, excitaron a los gentiles y los indispusieron contra los hermanos. Y como se produjo un tumulto de los gentiles y los judíos, en unión de sus jefes se dispusieron para ultrajarlos y apedrearlos; pero ellos dándose cuenta fueron en busca de refugio a las ciudades de Licaonia, Listra y Derbe y sus alrededores, donde se pusieron a anunciar la Buena Nueva.

En Listra había un hombre imposibilitado de los pies, sentado; cojo de nacimiento, jamás había andado. Oyó hablar a Pablo, el cual mirándolo fijamente y viendo que tenía fe para ser curado, dijo en alta voz: "Levántate y tente derecho sobre tus pies." Y dio un salto y echó a andar. Las multitudes, al ver lo que había hecho Pablo, se pusieron a gritar en licaonio: "Los dioses, en forma humana, han descendido a nosotros." Y llamaban a Bernabé Júpiter y a Pablo Mercurio, porque era el más elocuente. El sacerdote de Júpiter que estaba a la entrada de la ciudad llevó toros adornados con guirnaldas ante las puertas, y, en unión de las multitudes, querían ofrecer un sacrificio[3]. Cuando lo supieron los Apóstoles Bernabé y Pablo, rasgaron sus vestidos y se lanzaron en medio de las multitudes gritando: "Amigos, ¿a qué hacéis esto?, también nosotros somos hombres como vosotros." Aun con estas palabras a duras penas lograron impedir que la multitud les ofreciera un sacrificio.

Entonces vinieron de Antioquía e Iconio judíos que se ganaron a la multitud. Apedrearon a Pablo y lo arrastraron fuera de la ciudad, creyendo que estaba muerto. Mas habiéndolo rodeado los discípulos,

1. Desde entonces predicaron a los gentiles.
2. La ley Mosaica no perdonaba los pecados como la Ley de Gracia de la Nueva Alianza, y la Resurrección era el núcleo de su predicación.
3. La curación del cojo de nacimiento despertó un gran entusiasmo entre los gentiles y les tomaron como dioses.

se levantó y entró en la ciudad. Al día siguiente marchó a Derbe en compañía de Bernabé[1].

Después de haber evangelizado aquella ciudad y haber hecho un buen número de discípulos se volvieron a Listra, Iconio y Antioquía, confortando los ánimos de los discípulos, exhortándolos a permanecer en la fe y diciéndoles que tenemos que pasar por muchas tribulaciones para entrar en el Reino de Dios. Atravesando Pisidia llegaron a Panfilia; predicaron en Perge y bajaron a Antioquía.

Regreso a Antioquía de Siria. De allí navegaron a Antioquía, de donde habían partido, encomendados a la gracia de Dios para la obra que habían realizado. Cuando llegaron, reunieron la Iglesia y contaron todo lo que había hecho Dios por medio de ellos, y que había abierto a los gentiles la puerta de la fe. Y permanecieron largo tiemnpo con los discípulos.

Concilio de Jerusalén. Pero algunos que descendieron de Judea, enseñaban a los hermanos: "Si no os circuncidáis según el rito de Moisés, no podéis salvaros." Después de un altercado y discusión no pequeña, de Pablo y Bernabé contra ellos, se decidió que Pablo y Bernabé y algunos otros de entre ellos subieran a Jerusalén a los Apóstoles y ancianos para tratar esta cuestión.

Tras una larga discusión, se levantó Pedro y les dijo: "Hermanos, vosotros sabéis que hace mucho tiempo Dios me eligió entre vosotros para que los gentiles oyesen la palabra del Evangelio por mi boca, y creyesen. Ahora bien, ¿a qué tentáis a Dios imponiendo sobre la cerviz de los discípulos un yugo que ni nuestros padres ni nosotros hemos podido soportar? Pero creemos ser salvos por la gracia del Señor Jesús del mismo modo que ellos." Toda la multitud se calló y escucharon a Bernabé y a Pablo que contaban todos los prodigios y milagros que había hecho Dios entre los gentiles por medio de ellos.

Cuando ellos terminaron, habló Santiago y dijo: "Hermanos, escuchadme, Simón ha contado cómo Dios dispuso desde el principio tomar de entre los gentiles un pueblo para su nombre. Con esto están de acuerdo las palabras de los profetas. Por eso juzgo yo no hay que inquietar a quienes de los gentiles se convierten a Dios, sino escribirles que se abstengan de las contaminaciones de los ídolos, de la fornicación, de lo ahogado y de la sangre."

Decreto conciliar. Entonces los Apóstoles y los ancianos, con toda la Iglesia, decidieron elegir algunos de entre ellos y enviarlos a

---

1. Regresaron animando a los que habían ganado para Cristo y volvieron para Antioquia de Siria.

Antioquía con Pablo y Bernabé. Ellos les escribieron "Porque el Espíritu Santo y nosotros hemos decidido no poneros ninguna carga más que estas necesarias: Absteneros de lo sacrificado a los ídolos, de la sangre y animales ahogados y de fornicación; de estas cosas haréis bien en guardaros. Adios." Los delegados descendieron a Antioquía, donde reunieron a la muchedumbre y entregaron la carta. Y habiéndolo leído, se alegraron con este mensaje. Pablo y Bernabé permanecieron en Antioquía, enseñando y evangelizando la palabra del Señor en unión de otros muchos.

SEGUNDO VIAJE DE SAN PABLO

Bernabé se separa de Pablo. Pasados unos días, dijo Pablo a Bernabé: "Volvamos a visitar a los hermanos por todas las ciudades en que anunciamos la palabra del Señor, a ver cómo están." Pablo, escogió a Silas y partió encomendado por los hermanos a la gracia del Señor. Y atravesó la Siria y la Cilicia confirmando las Iglesias.

Timoteo. Llegó a Derbe[1] y luego a Listra, donde había un discípulo llamado Timoteo, hijo de una judía creyente y de padre griego. Los hermanos de Listra e Iconio daban buen testimonio de él. Pablo quiso que partiese con él. Lo tomó, pues, y lo circuncidó a causa de los judíos que había en aquellos lugares; pues todos sabían que su padre era griego. Y según iban pasando por las ciudades, les recomendaban guardar los decretos dados por los Apóstoles y los ancianos de Jerusalén. Las Iglesias se robustecían en la fe y crecían en número día a día.

Pablo llamado a Europa. Atravesaron la Frigia y el territorio de Galacia, impedidos por el Espíritu Santo de anunciar la palabra en Asia. Y llegados a Misia, intentaron entrar en Bitinia, pero no se lo permitió el Espíritu de Jesús. Y dejando a un lado la Misia, descendieron hasta Tróade[2]. Y durante la noche Pablo tuvo una visión: Un Macedonio, puesto en pie, le rogaba: "Ven a Macedonia y ayúdanos." Inmediatamente después de la visión intentamos pasar a Macedonia, persuadidos que Dios nos había llamado para evangelizarlos.

En Filipos. Zarpando, pues, de Tróade, fuimos derechos a Samotracia, y al día siguiente a Neápolis, y de allí a Filipos, la primera ciudad de esta parte de Macedonia[3], colonia en la que permanecimos algunos días. El sábado salimos fuera de la puerta, junto al río, donde

---

1. Del Asia Menor.
2. Puerto del mar Egeo, frente a Grecia. Allí tuvo la aparición del joven macedonio.
3. Ciudades de Grecia.

pensábamos que estaba el lugar de oración. Nos sentamos y hablamos con las mujeres que se habían reunido. Una mujer llamada Lidia, negociante en púrpura, de la ciudad de Tiatira[1], temerosa de Dios, nos estaba escuchando. El Señor abrió su corazón para que atendiese a las cosas que Pablo decía. Después de haber sido bautizada con toda su familia, nos suplicó: "Si habéis juzgado que soy fiel al Señor, venid y quedaos en mi casa." Y nos obligó a ello.

La multitud se sublevó contra ellos y los pretores mandaron rasgarles los vestidos y azotarlos con varas. Después de haberles dado muchos azotes, los metieron en la cárcel, encargando al carcelero que los guardase con cuidado; el cual, al recibir tal mandato, los metió en el calabozo interior, y sujetó sus pies en el cepo.

Hacia la media noche, Pablo y Silas oraban cantando himnos a Dios; y los presos escuchaban. Y de repente se produjo tan grande terremoto, que se conmovieron los cimientos de la cárcel, se abrieron al punto todas las puertas y se soltaron las cadenas de todos. Se despertó el carcelero y al ver abiertas las puertas de la cárcel, creyendo que los presos se habrían fugado, desenvainó la espada para matarse. Mas Pablo le gritó: "No te hagas daño, que todos estamos aquí." Pidió una luz, entró y se echó temblando ante Saulo y Silas, los sacó fuera y dijo: "Señores, ¿qué debo hacer para salvarme?" Ellos le dijeron: "Cree en el Señor Jesús y serás salvo tú y tu familia." Y le anunciaron la palabra del Señor, a él y a todos los que había en su casa. Y en aquella misma hora de la noche los tomó consigo, les lavó las heridas y fue en seguida bautizado él y todos los suyos. Y subiéndolos a su casa, puso la mesa, y se regocijó con toda su familia de haber creído en Dios.

Al llegar el día, los pretores mandaron a los lictores[2] a decir al carcelero: "Suelta a estos hombres." El carcelero refirió a Pablo estas palabras: "Los pretores han ordenado que seáis libertados. Salid, pues, y marchad en paz." Salieron de la cárcel y entraron en casa de Lidia; vieron a los hermanos, los consolaron y se fueron.

En Tesalónica. Pasando por Anfípolis y Apolonia, llegaron a Tesalónica[3], donde los judíos tenían una Sinagoga. Pablo, según su costumbre, se presentó a ellos, y durante tres sábados disputó con ellos sobre las Escrituras, explicando y probando que Cristo debía padecer y resucitar de entre los muertos, y "el Cristo, decía, es el Jesús que yo

---

1. Colonia romana de la región de Lidia. Centro industrial y comercial de Asia Menor.
2. Ministros de la justicia.
3. Capital de la provincia de Macedonia.

os anuncio." Algunos de ellos se convencieron y se unieron a Pablo y Silas, como también gran multitud de griegos temerosos de Dios, y buen número de mujeres nobles. Pero, envidiosos, los judíos echaron mano de algunos individuos perversos e infames y promoviendo alborotos perturbaron la ciudad.

En Berea. Los hermanos hicieron partir en seguida a Pablo y a Silas durante la noche a Berea, los cuales, así que llegaron, entraron en la Sinagoga de los judíos. Éstos eran más nobles que los de Tesalónica, y recibieron la palabra con toda prontitud, examinando todos los días las Escrituras para ver si todo era así. Y creyeron muchos de ellos, y mujeres griegas distinguidas, y buen número de hombres[1]. Los que acompañaban a Pablo lo llevaron hasta Atenas, y se volvieron en seguida con el encargo para Silas y Timoteo de que se unieran con él lo más pronto posible.

En Atenas[2]. Mientras Pablo los esperaba en Atenas, se indignaba su Espíritu al contemplar la ciudad llena de ídolos. Disputaba en la Sinagoga con los judíos y con los que temían a Dios; y en la plaza, cada día, con los que se encontraba. Algunos filósofos espicúreos y estoicos conversaban con él, y unos decían: "¿Qué querrá decir ese charlatán?" Y otros: "Parece ser un predicador de divinidades extranjeras, porque anuncia a Jesús y la resurrección." Lo tomaron y lo llevaron al Areópago, diciendo: "¿Podemos saber qué doctrina nueva enseñas? Porque traes a nuestros oídos cosas extrañas. Y queremos saber de qué se trata." Los atenienses todos, y los extranjeros que había allí sólo se entretenían en decir o en oír novedades.

Pablo en el Areópago[3]. Pablo, puesto en pie en medio del Areópago, dijo: "Atenienses, en todo veo que sois los más religiosos. Al recorrer, en efecto, vuestra ciudad, y al contemplar vuestros monumentos sagrados, me encontré también con un altar con esta inscripción: 'Al Dios desconocido'. Pues bien, lo que veneráis sin conocerlo, eso es lo que yo os voy a anunciar. El Dios que ha hecho el mundo y todo lo que hay en él, siendo Señor del cielo y de la tierra, no habita en templos construidos por la mano del hombre[4]. Ni es servido por manos humanas, como si necesitase algo Él, que da a todos la vida, el

1. Después de un éxito inicial, tuvo que abandonar la ciudad, y le llevaron hasta Atenas, meta que Pablo suspiraba.
2. En Atenas, emporio del saber y de las artes, vio que sus calles estaban llenas de ídolos.
3. El Areópago era un lugar o ateneo donde se discutían las novedades filosóficas. Tribuna codiciada por Pablo.
4. Que el Creador se conoce por sus obras.

aliento y todas las cosas; de un solo hombre ha hecho todo el género humano, para habitar sobre toda la superficie de la tierra, prefijando los tiempos y los límites de su Morada, para que busquen a Dios, y a ver, si buscando a tientas, le podían encontrar; aunque no está lejos de cada uno de nosotros, ya que en Él vivimos[1], nos movemos y somos; como también algunos de vuestros poetas han dicho: 'Porque somos de su linaje.' Pues si nosotros somos linaje de Dios, no debemos pensar que la divinidad es semejante al oro o plata o piedra, o escultura hecha por arte y el ingenio del hombre.

Dios, pues, pasando por alto los tiempos de la ignorancia, comunica ahora a los hombres que todos, en todas partes se arrepientan, puesto que ha establecido un día en el que ha de juzgar al universo con justicia por medio de un hombre, a quien ha designado y acreditado ante todos al resucitarle de entre los muertos." Al oir hablar de la "resurrección de los muertos", unos se burlaban y otros dijeron: "Te oiremos sobre esto otra vez." Así Pablo se retiró de ellos. Algunos, sin embargo, se unieron a él y creyeron; entre los cuales se encontraba Dionisio Areopagita y una mujer llamada Dámaris y otros con ellos.

En Corinto[2]. Después de esto salió Pablo de Atenas[3] y fue a Corinto. Allí encontró a un judío llamado Aquila, oriundo del Ponto, que acababa de llegar de Italia con su mujer Priscila, por haber decretado Claudio que salieran de Roma todos los judíos. Pablo se relacionó con ellos, y, como eran del mismo oficio, se quedó trabajando en su casa; pues se dedicaban a fabricar tiendas. Todos los sábados discutía en la Sinagoga y persuadía a judíos y griegos. Pero cuando llegaron de Macedonia Silas y Timoteo, Pablo se entregó por completo a la predicación de la palabra, testificando a los judíos que Jesús era el Mesías. Como ellos se opusieran y blasfemasen, sacudió sus vestidos y les dijo: "Vuestra sangre recaiga sobre vuestras cabezas; yo estoy limpio; desde ahora marcharé a los gentiles." Partió de allí y fue a casa de uno llamado Tito Justo, temeroso de Dios, cuya casa estaba junto a la Sinagoga. Crispo, el jefe de la Sinagoga, creyó en el Señor con toda su familia y muchos de los Corintios que habían oído a Pablo, creyeron y se bautizaban. Una noche el Señor dijo en visión a Pablo: "No temas, habla y no calles, porque yo estoy contigo, y nadie intentará hacerte mal, pues tengo en esta ciudad un

---

1. Que habita entre nosotros, no en los ídolos, y envió a su Hijo Cristo.
2. Ciudad muy floreciente, capital de Acaya, al Sur de Atenas.
3. En Atenas comprendió que la sabiduría humana era necedad a los ojos de Dios.

pueblo numeroso." Y se detuvo allí un año y seis meses, enseñando entre ellos la palabra de Dios[1].

Vuelta a Antioquía de Siria. Llegaron a Éfeso. Desembarcó en Cesarea y subió a saludar a la Iglesia, bajando luego a Antioquía.

Estuvo allí algún tiempo y recorrió nuevamente el territorio de Galacia y Frigia, alentando a todos los discípulos.

TERCER VIAJE DE SAN PABLO

Pablo en Éfeso[2]. Y mientras Apolo[3] estaba en Corinto, Pablo, después de haber recorrido las regiones montañosas, llegó a Éfeso.

Predica a los gentiles. Pablo entró en la Sinagoga, donde habló con absoluta libertad durante tres meses, disputando y esforzándose por convencerlos acerca del Reino de Dios. Pero, como algunos se endurecían y no querían creer, se apartó de ellos, separó a los discípulos y se puso a enseñar diariamente en la escuela de Tirano[4]. Esto duró dos años, de manera que todos los habitantes de Asia, tanto judíos como gentiles, oyeron la palabra de Dios.

Después de estos sucesos. Pablo se propuso atravesar Macedonia y Acaya e ir a Jerusalén. Después de estar allí, decía: "Debo visitar también Roma." Mandó a Macedonia a dos de sus colaboradores, a Timoteo y a Erasto, y él se detuvo algún tiempo en Asia.

A través de Macedonia y Grecia. Después Pablo llamó a los discípulos y los exhortó, se despidió de ellos y partió para Macedonia. Recorrió aquellas regiones exhortándolos con muchas palabras. Después llegó a Grecia, donde pasó tres meses. Cuando iba a embarcarse para Siria, le pusieron asechanzas los judíos, y determinó volver a Macedonia.

En Mileto. Nosotros, adelantándonos en la nave, fuimos a Aso, donde debíamos recoger a Pablo; al día siguiente llegamos a Mileto. Porque Pablo había resuelto pasar de largo a Éfeso, para no perder tiempo en Asia, pues quería darse prisa para encontrarse en Jerusalén el día de Pentecostés, si era posible. Desde Mileto, mandó a Éfeso a llamar a los ancianos de la Iglesia[5].

Discurso a los presbíteros de Éfeso. Cuando llegaron a él, les dijo: "Vosotros sabéis cómo me porté con vosotros todo el tiempo

---

1. Y trabajando con sus manos.
2. Éfeso era una ciudad jónica, un opulento puerto de mar en Asia.
3. Judío alejandrino, orador brillante y erudito.
4. Escuela pública.
5. De paso para Jerusalén para despedirse.

desde el primer día que entré en Asia. Sirviendo al Señor con toda humildad y con lágrimas, en medio de tantas pruebas, que me han sobrevenido por las asechanzas de los judíos. Jamás dejé de anunciaros y enseñaros en público y por las casas todo cuanto os pudiera ser útil, testificando a judíos y griegos la conversión a Dios y la fe en Nuestro Señor Jesús. Y ahora he aquí que, encadenado por el Espíritu, voy a Jerusalén, sin saber lo que allí me va a suceder, conociendo únicamente que el Espíritu Santo me testifica en todas las ciudades que me esperan prisiones y tribulaciones[1]. Pero yo no hago ningún caso de mi vida, ni la juzgo estimable, con tal de acabar mi carrera y cumplir el ministerio que he recibido del Señor Jesús, de anunciar la Buena Nueva de la gracia de Dios. Y ahora, he aquí que yo sé que todos vosotros, entre los que he pasado predicando el Reino no me volveréis a ver.

Velad por vosotros mismos, y por todo el rebaño del que el Espíritu Santo os ha constituido como obispos para apacentar la Iglesia de Dios, que ha adquirido con su propia sangre. Yo sé que, después de mi partida, se introducirán entre vosotros lobos crueles, que no perdonarán al rebaño[2]. Y que de entre vosotros mismos surgirán hombres que enseñen doctrinas perversas con el fin de arrastrar a los discípulos en pos de sí. Por lo cual, velad, acordándoos de que durante tres años no he cesado noche y día de exhortar con lágrimas a cada uno de vosotros. Y ahora os encomiendo a Dios y a la palabra de su gracia, al que puede edificar y daros la herencia con todos los santificados. Plata, oro o vestido, de nadie he deseado."

Pablo, en Jerusalén. Cuando llegamos a Jerusalén, los hermanos nos acogieron con alegría. Al día siguiente Pablo fue con nosotros a casa de Santiago, donde se reunieron todos los ancianos. Después de saludarlos, contó una por una las cosas que había hecho Dios entre los gentiles por su ministerio.

PRISIONES DE PABLO EN JERUSALÉN, EN CESAREA Y EN ROMA

Prisión de Pablo. Cuando iban ya a cumplirse los siete días, los Judíos de Asia, habiéndole visto en el Templo, alborotaron a toda la

---

1. Al despedirse definitivamente de ellos les hizo las últimas recomendaciones.
2. Lo más sensible para Pablo era la previsión de falsos hermanos que descarriarían a muchos.

multitud, y le echaron mano gritando: "Israelitas, ayudadnos; éste es el hombre que va enseñando por todas partes y a todos contra el pueblo, contra la Ley, contra este lugar[1]. Mientras intentaban matarle, se avisó al tribuno[2] de la Cohorte[3] de que toda Jerusalén estaba alborotada; el cual, tomando al instante soldados y centuriones, bajó corriendo hacia ellos; y ellos, al ver al tribuno y a los soldados, dejaron de sacudir a Pablo. Se acercó entonces el tribuno, se apoderó de él.

Cuando llegó a las escaleras tuvo que ser llevado a cuestas por los soldados a causa de la violencia de la multitud. Porque todo el pueblo venía detrás, gritando: "¡Mátale!"

Furor de los Judíos. Ciudadano romano. "Quita del mundo a este hombre, porque no es digno de vivir[4]." Como ellos continuaban gritando y arrojaban los vestidos y tiraban polvo al aire, el tribuno ordenó meterlo en la fortaleza, diciendo que lo castigasen con azotes para saber por qué gritaban así contra él. Pero cuando le iban a sujetar con correas, Pablo dijo al centurión que estaba allí: "¿Os es lícito azotar a un ciudadano romano y no juzgado aún[5]?" Al oír esto el centurión, salió a comunicárselo al tribuno, diciendo: "¿Qué vas a hacer? Este hombre es romano." Fue el tribuno y le dijo: "Dime, ¿eres romano?" Pablo contestó: "Sí." Y respondió el tribuno: "Yo logré este derecho de ciudadanía por una gran suma." Y Pablo dijo: "Yo lo tengo de nacimiento." Al instante se apartaron de él los que lo iban a atormentar. Y el tribuno tuvo miedo al darse cuenta de que era romano y que lo había encadenado. Al día siguiente, queriendo saber con certeza de qué lo acusaban los judíos, lo desató y mandó a los Sumos Sacerdotes y todo el Sanedrín que se reunieran. Después bajó a Pablo y le hizo comparecer ante ellos.

Ante el Sanedrín. Pablo, sabiendo que una parte del Sanedrín eran saduceos y otra fariseos, gritó así: "Hermanos, yo soy fariseo, hijo de fariseos; soy juzgado por la esperanza y la resurrección de los muertos[6]." Al decir esto, surgió una discusión entre los fariseos y saduceos, y se dividió la multitud. Porque los saduceos dicen que no

---

1. Y había introducido en el Templo a sus acompañantes griegos.
2. El tribuno era Claudio Lisia, que tenía a sus órdenes a mil soldados en la Torre Antonia.
3. Cohorte era la décima parte de una Legión, o sea 6 centurias.
4. El odio que tenían a Pablo como traidor exacerbado por el fanatismo religioso había llegado al paroxismo. De no intervenir el tribuno lo hubieran hecho pedazos.
5. Pablo apela a su condición de ciudadano romano, que no podía ser condenado sin ser antes juzgado. La ciudad de Tarso tenía el privilegio de ciudad romana.
6. Pablo los dividió.

hay resurrección, ni ángel, ni espíritu, mientras que los fariseos admiten una y otra cosa. Se produjo un gran clamor. Algunos escribas de la parte de los fariseos, se levantaron y afirmaron enérgicamente: "Nosotros no encontramos nada malo en este hombre, ¿y si le habló el espíritu o un ángel?" Como la discordia crecía cada vez más, temeroso de que despedazaran a Pablo, ordenó a la tropa bajar, sacarle de en medio de ellos y conducirlo a la fortaleza.

Conjuración para matar a Pablo. A la noche siguiente se le apareció el Señor y le dijo: "Ten ánimo, pues como has dado testimonio en Jerusalén acerca de Mí, así conviene también que lo des en Roma." Cuando se hizo de día, los Judíos convocaron una reunión, en la que se comprometieron con juramento a no comer ni beber hasta que matasen a Pablo. Pero el hijo de la hermana de Pablo, que tuvo conocimiento de la conjuración, se presentó, entró en la fortaleza y avisó a Pablo. Pablo llamó a uno de los centuriones y dijo: "Lleva a este joven ante el tribuno, porque tiene algo que comunicarle." Él, tomándolo consigo, lo llevó al tribuno y dijo: "El preso Pablo me ha llamado y me ha suplicado que te traiga a este joven, que tiene algo que decirte." El tribuno lo tomó de la mano y retirándose aparte le preguntó: "¿Qué es lo que tienes que decirme?" Y dijo: "Que los judíos han acordado pedirte hagas bajar mañana a Pablo al Sanedrín con el pretexto de examinar más a fondo su caso. Tú no lo creas, porque le ponen asechanzas más de cuarenta hombres de entre ellos, los cuales se han comprometido con juramento a no comer ni beber hasta que lo hayan matado; y ahora están preparados, esperando tan solo tu promesa." Y el tribuno despidió al joven ordenándole: "No digas a nadie que me has manifestado esto."

Pablo y el procurador Félix. Después llamó a dos centuriones y les dijo: "Preparad para la tercera hora de la noche doscientos soldados, para ir hasta Cesarea, y setenta jinetes y doscientos lanceros." Y dispusieron también cabalgaduras para que, montado Pablo, le llevasen sano y salvo al procurador[1] Félix.

Félix, que sabía detalladamente las cosas referentes al Camino[2], les dio largas diciendo: "Cuando baje el tribuno Lisias examinaré a fondo vuestra causa." Y mandó al centurión que lo custodiase, que le

---

1. El procurador era el gobernador de una provincia romana menor que ofrecía especial dificultad, como la de Judea. Lo fueron Pilato, Félix y Festo.

2. Camino = Religión cristiana.

permitiese tener alguna libertad y que no prohibiese a ninguno de los suyos asistirle.

Pasados dos años, sucedió a Félix Porcio Festo, y, queriendo congraciarse con los Judíos, Félix dejó a Pablo en la cárcel.

Pablo, juzgado por Festo. Festo, tres días después de haber llegado a la provincia, subió desde Cesarea a Jerusalén. Los Sumos Sacerdotes y los jefes de los Judíos se le presentaron para acusar a Pablo, y le pedían como una gracia que le trajese a Jerusalén, mientras ponían asechanzas para matarlo por el camino. Mas Festo respondió que Pablo estaba custodiado en Cesarea, y que él mismo tenía que marchar pronto. "Por tanto, los principales de entre vosotros, que bajen conmigo y lo acusen, si es que hay en ese hombre delito." Y Festo se detuvo entre ellos no más de ocho o diez días; después bajó a Cesarea; al día siguiente se sentó en el tribunal y mandó que trajesen a Pablo. Cuando se presentó, lo rodearon los Judíos que habían bajado de Jerusalén, aduciendo muchas y graves acusaciones que no podían probar; mientras que Pablo se defendía diciendo: "Yo no he cometido ninguna falta, ni contra la Ley de los judíos, ni contra el Templo, ni contra el César." Pero Festo, queriendo congraciarse con los Judíos, preguntó a Pablo: "¿Quieres subir a Jerusalén y ser allí juzgado ante mí de estas cosas?" Y Pablo dijo: "Estoy ante el tribunal del César, donde debo ser juzgado[1]. Yo no he injuriado en nada a los Judíos, como tú sabes muy bien. Si he cometido alguna injusticia o hecho algo digno de muerte, no rehuso morir; pero si no hay nada de lo que éstos me acusan, nadie puede entregarme a ellos. Apelo al César." Entonces Festo, después de haber hablado con el consejo, respondió: "Apelaste al César; al César irás."

Navegando hacia Roma. Cuando se decidió que embarcásemos para Italia, entregaron a Pablo y algunos otros presos a un centurión llamado Julio, de la cohorte Augusta. Y subimos a una nave de Adramito[2], que tenía que dirigirse a las costas de Asia.

La tempestad. Y habiéndose levantado un viento del sur, se creyeron en condiciones de efectuar su proyecto; levaron anclas y costearon Creta más de cerca. Al poco tiempo se desencadenó en la isla un viento huracanado, el llamado euroaquilón[3]. La nave fue embestida y,

---

1. El ciudadano romano no podía ser castigado y juzgado más que por el emperador, al que tenía derecho a apelar como tribunal supremo.
2. Pequeño puerto de Misia, Asia Menor.
3. Que los arrastraría hacia Occidente.

no pudiendo resistir al viento, nos dejamos ir a la deriva, y teníamos encima una tempestad tan fuerte que no nos quedaba ya esperanza alguna de poder salvarnos.

Pero fueron a dar contra un saliente azotado por el agua de ambos lados, encallaron la nave, y la proa, hincada, quedó inmóvil, mientras que la popa se deshacía por la violencia de las olas.

En Malta. Una vez salvos, supimos que la isla se llamaba Malta[1]. Los indígenas nos trataron con una humanidad poco común. Nos tributaron muchos honores y, al marchar, nos suministraron lo necesario.

Después de tres meses nos embarcamos en una nave alejandrina y así nos dirigimos hacia Roma[2]. Los hermanos de Roma, informados de nuestra llegada, nos salieron al encuentro hasta el Foro de Apio y las Tres Tabernas[3]; Pablo, al verlos, dio gracias a Dios y cobró ánimo. Cuando entramos en Roma, se permitió a Pablo estarse en una casa particular, con un soldado que lo custodiase.

Pablo permaneció dos años en una casa alquilada y recibía a todos los que venían a él, predicando el Reino de Dios y enseñando las cosas referentes al Señor, Jesucristo, con toda libertad y sin obstáculo alguno.

CARTAS DE SAN PABLO

CARTA A LOS ROMANOS

INTRODUCCIÓN

Acción de gracias. Manifiesta su deseo de ir a Roma. En primer lugar doy gracias a mi Dios a través de Jesucristo por todos vosotros, porque vuestra fe es conocida en todo el mundo[4].

---

1. Malta, a mitad de la travesía hacia Roma, fue el lugar del naufragio.
2. Emprendieron la navegación por el litoral de Italia.
3. Estación postal y de albergue en la Via Apia, a 48 kilómetros de Roma.
4. El conocimiento de Dios por las obras de la Creación implica la obligación de servirle.

PARTE DOGMÁTICA

Corrupción y castigo del paganismo[1]. Por eso Dios los entregó a las concupiscencias de sus corazones, a la impureza, hasta deshonrar sus propios cuerpos en sí mismos, los cuales trocaron la verdad de Dios por la mentira, y adoraron y dieron culto a la criatura en lugar de al Creador, el cual es bendito por los siglos. Amén.

Y como no procuraron tener conocimiento cabal de Dios, Dios los entregó a una mente depravada para hacer cosas indebidas, llenos de toda injusticia, malicia, perversidad, codicia, maldad; rebosantes de odio, de homicidio, aborrecedores de Dios, insolentes, altaneros, soberbios, inventores de maldades, desobedientes a los padres, insensatos, desleales, sin amor y sin piedad; los cuales conociendo el justo decreto de Dios, que los que hacen tales cosas son dignos de muerte, no solamente las hacen ellos, sino que se complacen también en quienes las practican[2].

Los gentiles tienen la Ley, según la cual serán juzgados. Porque no los que oyen la Ley son justos ante Dios, sino los cumplidores de la Ley serán justificados. Pues cuando los gentiles que no tienen Ley, practican por naturaleza las cosas de la Ley, éstos no teniendo Ley, son Ley para sí mismos, los cuales muestran la obra de la Ley escrita en sus corazones[3], como se verá en el día en que juzgue Dios los secretos de los hombres, según mi Evangelio, por Jesucristo.

Los judíos que violan la Ley, tienen mayor culpa. Mas si tú te llamas judío y confías en la Ley y te glorías en Dios, y conoces su voluntad y sabes discernir lo mejor, instruido por la Ley, y presumes ser tú mismo guía de ciegos, luz de los que están en tinieblas, educador de ignorantes, maestro de niños, teniendo en la Ley, la norma de la ciencia de la verdad; tú, pues, que enseñas a otro, ¿no te enseñas a ti mismo? Porque "el nombre de Dios por causa vuestra es blasfemado entre los gentiles", según está escrito.

Abraham justificado por la fe sin las obras de la Ley[4]. ¿Qué diremos, pues, que ha obtenido Abraham nuestro padre según la carne? Si, efectivamente, Abraham fue justificado en virtud de las obras

---

1. Por eso Dios los castigó por haberse apartado de Él con la idolatría.
2. No cumplieron la Ley de Dios y Él los entregó a sus bajos instintos y corrupción de costumbres.
3. Los paganos tienen los Mandamientos de la Ley de Dios en sus corazones.
4. La Ley Mosaica es posterior a Abraham. No se justificó por la Ley, sino por la obediencia a Dios. Por su fidelidad.

de la Ley, tiene de qué gloriarse, pero no ante Dios. ¿Qué dice, pues, la Escritura?: "Creyó Abraham en Dios[1] y le fue computado como justicia."

La obra de Adán y la de Jesucristo. Por tanto, así como por un hombre entró el pecado en el mundo y por el pecado la muerte y así la muerte pasó a todos los hombres, porque todos pecaron[2]... Pues ya anteriormente a la Ley estaba el pecado en el mundo; mas el pecado no se imputa cuando no hay Ley; sin embargo, la muerte reinó desde Adán hasta Moisés aún sobre aquellos que no habían pecado, conforme a la transgresión de Adán, que es figura del que había de venir...

Pero no como fue el delito, fue el don; porque si debido al delito de uno solo todos murieron, mucho más la gracia de Dios y el don por la gracia de un solo hombre, Jesucristo, sobreabundó en todos.

Si, pues, debido al delito de uno solo, la muerte reinó por conducto de este solo, mucho más los que reciben la sobreabundancia de la gracia y del don de la justicia, reinarán en la vida por medio de uno solo, Jesucristo.

Muertos al pecado, caminemos con nueva vida viviendo unidos a Cristo por el bautismo[3]. ¿Qué diremos, pues? Fuimos, pues, sepultados juntamente con Él por el bautismo en la muerte, para que, como Cristo fue resucitado de entre los muertos por la gloria del Padre, así también nosotros caminemos en nueva vida.

Pues si hemos llegado a ser una misma vida con Él por una muerte semejante a la suya, también lo seremos por una resurrección parecida. Nosotros somos conocedores de esto, que nuestro hombre viejo ha sido crucificado con Él para que el cuerpo del pecado sea destruido, a fin de que ya no seamos esclavos del pecado, pues el que muere, queda libre del pecado. Y si morimos con Cristo, creemos que también viviremos con Él, sabiendo que Cristo, resucitado de entre los muertos, ya no muere; la muerte ya no tiene dominio sobre Él. En realidad, lo que murió en Él, murió al pecado una vez para siempre, mas lo que vive, vive para Dios. Así también vosotros consideraos muertos al pecado, pero vivos para Dios en Cristo Jesús.

---

1. Fe práctica: creyó y obedeció.
2. Por el Pecado Original.
3. Por el Bautismo morimos al pecado y resucitamos a la Vida sobrenatural de la Gracia, que nos hace hijos de Dios, hermanos de Jesucristo y herederos del Cielo.

Los cristianos libres de la Ley de Moisés[1]. ¿O ignoráis, hermanos —pues hablo a los que conocen la Ley— que la Ley tiene dominio sobre el hombre mientras vive? Pues cuando estábamos en la carne, las pasiones de los pecados, por medio de la Ley, obraban en nuestros miembros para producir frutos de muerte. Mas ahora estamos desligados de la Ley de la muerte a la cual estábamos sujetos, a fin de que sirvamos en la novedad del espíritu y no en la vejez de la letra.

Oposición entre la carne y el espíritu[2]. Al querer yo hacer el bien hallo, pues, esta ley: que el mal se me pone delante; porque me complazco en la Ley de Dios según el hombre interior; pero veo otra ley en mis miembros que lucha contra la ley de mi razón y me esclaviza a la ley del pecado que está en mis miembros. ¡Desdichado de mí! ¿Quién me librará de este cuerpo de muerte? Gracias sean dadas a Dios por Jesucristo nuestro Señor. Así que yo mismo con la razón sirvo a la Ley de Dios, pero con la carne a la ley del pecado.

El cristiano es hijo de Dios y heredero por el Espíritu de Dios. En efecto, cuantos son guiados por el Espíritu de Dios, éstos son hijos de Dios, porque no recibisteis el espíritu de la esclavitud para recaer de nuevo en el temor, sino que recibisteis el espíritu de hijos adoptivos que nos hace exclamar: ¡Abba! ¡Padre! El mismo Espíritu da testimonio juntamente con nuestro espíritu de que somos hijos de Dios. Y, si hijos, también herederos[3]: herederos de Dios, coherederos de Cristo, si es que padecemos juntamente con Él, para ser también juntamente glorificados.

Esperanza de los hijos de Dios y de toda la creación. Estimo, en efecto, que los padecimientos del tiempo presente no se pueden comparar con la gloria que ha de manifestarse en nosotros[4]; porque la creación está aguardando en anhelante espera la revelación de los hijos de Dios, ya que la creación fue sometida a la vanidad, no por su voluntad, sino por el que sometió, con la esperanza de que la creación será liberada de la esclavitud de la corrupción para ser admitida a la libertad de la gloria de los hijos de Dios[5].

---

1. La Ley Mosaica, el Culto, los Sacrificios, todo ha caducado ante la Ley de la Gracia, de la Nueva Alianza.
2. La ley de la carne, con sus concupiscencias, lucha contra la del espíritu, pero con la Gracia de Dios triunfamos.
3. Si permanecemos Hijos de Dios, somos herederos de Dios y viviremos con Él para siempre.
4. Es preciso unir nuestros dolores con los sufrimientos de Cristo.
5. La creación misma, sometida a maldición por el pecado Original, será también liberada.

Sabemos, efectivamente, que toda la creación gime y está en dolores de parto hasta el momento presente, y no sólo ella, sino también nosotros que tenemos las primicias del Espíritu, gemimos dentro de nosotros mismos esperando la adopción filial, la redención de nuestro cuerpo, porque en la esperanza fuimos salvados.

La ayuda del Espíritu Santo y la predestinación. Igualmente también el Espíritu viene en ayuda de nuestra flaqueza, porque nosotros no sabemos qué pedir para orar según conviene; porque el mismo Espíritu intercede por nosotros con gemidos inefables.

Y sabemos que Dios ordena todas las cosas para bien de los que le aman, para bien de los que han sido llamados según su designio. Porque aquellos que de antemano conoció, también los predestinó a ser conformes con la imagen de su Hijo, para que Él sea el primogénito entre muchos hermanos; y a los que predestinó, a ésos también llamó; y a los que llamó, a ésos también justificó; y a los que justificó, a ésos también glorificó.

Seguridad de la salvación. ¿Qué diremos, pues, a esto? Si Dios está por nosotros, ¿quién contra nosotros[1]? El que aún a su propio Hijo no perdonó, sino que lo entregó por todos nosotros ¿cómo no nos dará gratuitamente con Él todas las cosas? ¿Quién levantará acusación contra los hijos de Dios? Siendo Dios quien justifica ¿quién será el que condene? ¿Cristo Jesús, el que murió, o más bien, el resucitado, es el que está a la diestra de Dios, y el que intercede por nosotros?

¿Quién nos separará del amor de Cristo? ¿La tribulación o angustia, la persecución o el hambre, o la desnudez o el peligro o la espada? Según está escrito que: "Por tu causa somos entregados a la muerte todo el día; somos considerados como ovejas destinadas al matadero."

Pero en todas estas cosas salimos triunfadores por medio de aquel que nos amó.

Sentimientos de Pablo por los judíos. Digo la verdad en Cristo, no miento, y conmigo da testimonio mi conducta en el Espíritu Santo, de que es grande mi tristeza y continuo el dolor de mi corazón[2]. Pues desearía yo mismo ser anatema por Cristo en favor de mis hermanos, connaturales míos según la carne, que son israelitas, de quienes es la adopción filial y la gloria y las alianzas y la legislación y el culto y las promesas, de quienes son también los patriarcas y de los que procede

---

1. Si Dios nos ha librado del pecado y de la muerte, nos glorificará.
2. El corazón de Pablo es corazón de Cristo.

en cuanto a la carne de Cristo, el que está por encima de todas las cosas[1], Dios bendito por los siglos. Amén.

La reprobación de Israel tampoco será perpetua. Pues no quiero, hermanos, que vosotros ignoréis este misterio —para que no seáis presuntuosos de vosotros mismos—: que el endurecimiento ha venido a una parte de Israel, hasta que la plenitud de los gentiles haya entrado; y así todo Israel será salvo, como está escrito:

"Vendrá de Sión el Libertador, apartará las impiedades de Jacob.
Y ésta será mi alianza con ellos, cuando yo borre sus pecados[2]."

En cuanto al Evangelio, son enemigos por vuestro bien, mas en cuanto a la elección son amados en atención a sus padres, porque los dones y la vocación de Dios son irrevocables.

Profundidad de los juicios de Dios. Himno a su sabiduría. ¡Oh profundidad de la riqueza y de la sabiduría y de la ciencia de Dios! ¡Cuán incomprensibles son sus juicios e inescrutables sus caminos!

PARTE MORAL

Compendio de la vida cristiana. Así que os ruego, hermanos, por la misericordia de Dios, que ofrezcáis vuestros cuerpos como sacrificio vivo, santo, agradable a Dios: éste es el culto que debéis ofrecer. Y no os adaptéis a este mundo; al contrario, reformaos por la renovación de vuestro entendimiento para que sepáis distinguir cuál es la voluntad de Dios: lo bueno, lo agradable a Él, lo perfecto.

Caridad con todos. El amor sea sin hipocresía; odiando el mal, aplicándoos al bien; amándonos los unos a los otros con amor fraterno; adelantándoos a estimaros mutuamente; en el cumplimiento del deber no seáis perezosos; sed fervorosos de espíritu, sirviendo al Señor; alegres en la esperanza, sufridos en las pruebas, constantes en la oración; socorriendo las necesidades de los santos, procurando practicar la hospitalidad.

Bendecid a los que os persiguen; bendecid y no maldigáis. Alegraos con los que se alegran, llorad con los que lloran. Tened unanimidad de sentimientos entre vosotros: no soberbios, sino acomodándoos a los humildes. "No seáis sabios en vuestra opinión." A nadie

---

1. El amor a Cristo está por encima de todo y nos une a Él.
2. Gracias a ellos, nosotros obtenemos el perdón de nuestros pecados y la misericordia del Señor.

paguéis mal por mal: "procurando lo bueno delante de todos los hombres[1]".

Si es posible, en cuanto de vosotros depende, tened paz con todos los hombres. Queridos, no os venguéis vosotros mismos, más bien dad lugar al castigo de Dios, pues está escrito: "Mía es la venganza. Yo pagaré, dice el Señor." De tal manera que si tu enemigo tiene hambre, dale de comer; si tiene sed, dale de beber, que si haces esto, amontonarás tizones encendidos sobre su cabeza. No te dejes vencer por el mal; al contrario, vence el mal con el bien.

El amor, plenitud de los mandamientos[2]. A nadie debáis nada, sino el amor mutuo; pues el que ama al prójimo, cumplió la Ley. Porque: "No cometerás adulterio; no matarás; no hurtarás; no dirás falso testimonio; no codiciarás", y si hay algún otro precepto, se reduce a este pensamiento: "Amarás a tu prójimo como a ti mismo." El amor no hace mal al prójimo; así que la plenitud de la Ley es el amor.

Deberes mutuos entre los fuertes y los débiles en la fe. Porque ninguno de vosotros vive para sí, y ninguno muere para sí. Pues si vivimos, para el Señor vivimos; y si morimos, para el Señor morimos. Así que, vivamos o muramos, somos del Señor. Porque por esto murió Cristo y resucitó, para reinar sobre muertos y vivos[3].

Pero tú, ¿por qué juzgas a tu hermano? o ¿por qué desprecias a tu hermano? Pues todos tenemos que presentarnos ante el tribunal de Dios. Por lo tanto, cada uno de nosotros dará a Dios razón de sí.

Mutua tolerancia o comprensión a ejemplo de Cristo. Nosotros, los fuertes, debemos sufrir las deficiencias de los débiles y no complacernos en nosotros mismos. Cada uno de nosotros procure complacer a su prójimo, para su bien y edificación.

Pues cuantas cosas fueron antes escritas, para nuestra enseñanza fueron escritas[4]; para que por la paciencia y por el consuelo de las Escrituras, conservemos la esperanza. Y que el Dios de la paciencia y el consuelo os conceda un mismo sentir en Cristo Jesús, para que con un solo corazón y una sola voz podáis dar gloria a Dios, Padre de nuestro Señor Jesucristo.

---

1. Pablo nos presenta el programa de la renovación cristiana fundamentándolo en el amor y el servicio a los demás.
2. La caridad cristiana obtiene su plenitud en el amor de Dios.
3. En la vida y en la muerte somos de Dios.
4. Cuantas cosas han sido escritas, lo son para nuestro bien.

EPÍLOGO

Noticias personales del apóstol. Excusas por haber escrito. Yo por mi parte estoy convencido, hermanos, de que vosotros estáis llenos de buenos propósitos y de toda clase de conocimientos para que podáis avisaros unos a otros.

Proyectos de viaje a Jerusalén y a España. Esto me ha impedido muchas veces llegar a vosotros deseando ir a visitaros desde hace bastantes años, cuando vaya a España[1], al pasar, espero veros y que vosotros me encaminéis allá, después de haber disfrutado un poco de vuestra compañía.

Ahora, sin embargo, marcho a Jerusalén para ayudar a los santos, porque Macedonia y Acaya han resuelto hacer una colecta a beneficio de los pobres que haya entre los santos de Jerusalén. Y así lo han determinado porque se consideran deudores suyos, pues si los gentiles han participado de sus bienes espirituales, deben ellos a su vez servirles con los materiales. Así que terminado esto, cuando les haya entregado la colecta recogida, iré a España, pasando por ahí. Y sé que si yo voy a vosotros, iré con la plenitud de la bendición de Cristo.

Pide oraciones. Os pido, hermanos, por nuestro Señor Jesucristo y por el amor del Espíritu Santo, que luchéis conmigo orando por mí a Dios, para que pueda yo defenderme de los incrédulos en Judea, y que la misión que llevo a Jerusalén resulte grata a los santos.

Que el Dios de la paz sea con todos vosotros. Amén.

Exhortación a que se prevengan contra los falsos doctores. Saludos de los que están con él. Y os ruego, hermanos, que no perdáis de vista a los que causen divisiones[2] y escándalos contra la doctrina que aprendisteis, y apartaos de ellos; porque éstos no sirven a Cristo nuestro Señor, sino a su vientre, y con palabras dulces y agradables engañan los corazones de los sencillos.

Os saluda Timoteo, mi colaborador, Lucio, Jasón y Sosípatro, mis parientes.

---

1. El apóstol bien pudo realizar este su deseo de venir a España después de su libertad, como asegura la tradición.
2. El santo Apóstol alerta a sus discípulos contra los falsos doctores y profetas que hacen estragos en la Iglesia.

1ª CARTA A LOS CORINTIOS

PRÓLOGO

Continuamente doy gracias a Dios por vosotros debido a la gracia de Dios. Él os conservará irreprensibles hasta el fin, en el día de nuestro Señor Jesucristo. Fiel es Dios, por el cual fuisteis llamados a la comunión de su Hijo, Jesucristo, nuestro Señor.

REPRUEBA LOS ABUSOS

Partidos en Corinto[1]. Os exhorto, hermanos, por el Nombre de nuestro Señor Jesucristo, a que tengáis el mismo lenguaje y no haya divisiones entre vosotros, sino que conservéis la armonía en el pensar y en el sentir. Porque, hermanos míos, me han referido los de Cloe las discordias existentes entre vosotros. Me refiero a lo que cada uno de vosotros dice: "Yo soy de Pablo, yo de Apolo, yo de Cefas, yo de Cristo." ¿Está dividido Cristo[2]? ¿Acaso Pablo fue crucificado por vosotros o habéis sido bautizados en su nombre? Pues no me mandó Cristo a bautizar, sino a evangelizar, no con artificios literarios para que no se desvirtúe la cruz de Cristo.

La sabiduría del mundo y la de Dios. Porque el lenguaje de la cruz es locura para los que perecen; mas para nosotros, que nos salvamos, es poder de Dios. Porque los judíos piden milagros, y los griegos buscan la sabiduría; mas nosotros predicamos a Cristo crucificado, escándalo para los judíos y locura para los gentiles; pero poder y sabiduría de Dios para los llamados, judíos o griegos[3]. Pues la locura de Dios es más sabia que los hombres, y la debilidad de Dios más fuerte que los hombres.

Considerad, si no, hermanos, vuestra vocación: no hay muchos sabios según la carne, ni muchos poderosos, ni muchos nobles; mas Dios eligió lo necio del mundo para confundir a los fuertes, lo vil, lo despreciable, lo que es nada, para anular lo que es, para que nadie se glorie delante de Dios[4]. Por Él vosotros estáis en Cristo Jesús, quien

---

1. Corinto era la capital de Acaya, en Grecia, famosa en la antigüedad por su comercio y corrupción de costumbres.
2. Ya desde el principio se formaron sectas. Jesucristo fundó una sola Iglesia.
3. El poder de Dios es infinitamente superior al poder de los hombres.
4. Los neófitos eran plebeyos.

de parte de Dios se ha hecho para nosotros sabiduría, justicia, santificación y redención, para que, como está escrito "el que se gloríe, que se gloríe en el Señor".

Predicación de San Pablo. Yo, hermanos, al llegar vosotros, vine anunciándoos el misterio de Dios no con sublimidad de palabra o de sabiduría; pues nunca entre vosotros me precié de saber otra cosa que a Jesucristo, y éste crucificado. Y me presenté entre vosotros débil, con miedo y con mucho temblor. Y mi palabra y mi predicación no se basaban en discursos persuasivos de sabiduría, mas en la demostración del espíritu y del poder, para que vuestra fe no se fundase en la sabiduría humana[1], sino en el poder de Dios. Entre los perfectos predicamos la sabiduría, no la de este mundo, ni la de los príncipes de este mundo, que quedan anulados.

Predicamos una sabiduría divina, misteriosa, oculta, que Dios predestinó para nuestra gloria antes de los siglos[2], y que ninguno de los príncipes de este mundo conoció. Porque si la hubieran conocido, no hubieran crucificado al Señor de la gloria. Y a nosotros nos lo reveló Dios mediante su Espíritu, pues el Espíritu lo escudriña todo, aun las profundidades divinas. ¿Qué hombre, en efecto, conoce lo íntimo del hombre, sino el espíritu del hombre que está en él? Así nadie conoce las cosas de Dios, sino el Espíritu de Dios. Y nosotros no hemos recibido el espíritu del mundo, sino el espíritu que viene de Dios, para que conozcamos lo que gratuitamente Dios nos ha dado.

De esto hablamos también, no con lenguaje aprendido de la sabiduría humana, sino aprendido del Espíritu, expresando doctrinas espirituales en términos espirituales. Pero el hombre material no acepta las cosas del Espíritu de Dios; son locura para él y no puede entenderlas, ya que hay que juzgarlas espiritualmente. El espiritual, por el contrario, lo juzga todo y a él nadie lo juzga. Porque, ¿quién conoció el pensamiento del Señor para poder enseñarlo? Mas nosotros poseemos el pensamiento de Cristo.

Dignidad y obligaciones de los predicadores. Yo planté y Apolo regó, pero quien hizo crecer fue Dios. Nada son ni el que planta ni el que riega, sino Dios, que hace crecer[3]. El que planta y el que riega son lo mismo, y cada uno recibirá la recompensa según su trabajo.

---

1. La sabiduría de los hombres, en su comparación, es necedad a los ojos de Dios.
2. El misterio de la Pasión y muerte de Jesús hemos de realizarlo en la vida muriendo al pecado y viviendo la vida de la Gracia.
3. El que da la vida es Dios.

¿No sabéis que sois templos de Dios y que el espíritu de Dios habita en vosotros, Si alguno destruye el templo de Dios, Dios le destruirá a él, porque el templo de Dios, que sois vosotros, es santo.

Verdadera sabiduría[1]. Nadie se engañe a sí mismo. Si alguno entre vosotros piensa que es sabio según el mundo, hágase necio para llegar a ser sabio. Porque la sabiduría de este mundo es necedad ante Dios, como está escrito: "Sorprende a los sabios en su astucia." Y además: "El Señor conoce cuán vanos son los pensamientos de los sabios." Por tanto nadie se gloríe en los hombres, pues todo es para vosotros: el mundo, o la vida, o la muerte, o el presente, o el futuro, todo es vuestro, vosotros de Cristo, y Cristo, de Dios[2].

Ministros de Cristo. Que nos tengan los hombres por ministros de Cristo y dispensadores de los misterios de Dios. Ahora bien, lo que se busca en los dispensadores es la fidelidad. A mí poco me importa ser juzgado por vosotros o por tribunal humano. Ni aun yo mismo me juzgo. No me siento culpable de nada; mas no por esto quedo justificado, porque quien me juzga es el Señor. Así, pues, nada juzguéis antes de tiempo, hasta que venga el Señor, que iluminará los escondrijos de las tinieblas y declarará los propósitos de los corazones[3], y entonces cada uno recibirá de Dios la alabanza debida.

¡Ea, ya estáis saciados! ¡Ya estáis ricos! ¡Habéis llegado a ser reyes sin nosotros! ¡Ojalá reinaseis, para que reinásemos con vosotros[4]! Pues creo que Dios nos ha presentado a nosotros, los Apóstoles, como lo último, cual condenados a muerte, porque hemos llegado a ser el espectáculo del mundo, de los ángeles y de los hombres. Nosotros tontos por Cristo, vosotros sabios en Cristo; nosotros débiles, vosotros fuertes; vosotros honrados, nosotros despreciados. Hasta ahora padecemos hambre, sed y desnudez. Somos abofeteados y andamos errantes, y nos fatigamos trabajando con nuestras propias manos. Insultados, bendecimos; perseguidos, lo soportamos; difamados, respondemos con bondad. Fuimos hasta ahora como basura del mundo, como desecho de todos.

Exhortación paternal. No os escribo esto para avergonzaros, sino para amonestaros como hijos míos y muy queridos. Porque aunque tuvierais diez mil pedagogos en Cristo, no tendríais muchos padres[5],

---

1. Por el misterio de la Gracia de Dios habita en nosotros.
2. Todo es vuestro, pero vosotros sois de Dios.
3. Porque de Juez sólo hay uno, Cristo.
4. San Pablo ironiza a sus engreídos detractores. Nosotros somos nada.
5. Lo que está claro es que de padres sólo tenemos uno.

pues por medio del Evangelio yo os engendré en Cristo Jesús. Os suplico, por tanto que seáis imitadores míos.

Los cristianos y los tribunales paganos. ¿O es que no sabéis que los injustos no heredarán el Reino de Dios[1]? No os engañéis: ni los fornicarios, ni los idólatras, ni los adúlteros, ni los afeminados, ni los sodomitas, ni los ladrones, ni los avaros, ni los borrachos, ni los maldicientes, ni los salteadores heredarán el Reino de Dios. Y esto fuisteis algunos, pero fuisteis lavados y santificados y justificados en el nombre de nuestro Señor Jesucristo y en el Espíritu de nuestro Dios.

Malicia de la deshonestidad. El cuerpo no es para la fornicación, sino para el Señor[2], y el Señor para el cuerpo. Y Dios resucitó al Señor y nos resucitará también a nosotros con su poder. ¿No sabéis que vuestros cuerpos son miembros de Cristo? ¿Y tomando yo los miembros de Cristo los haré miembros de una meretriz? ¡Jamás! ¿No sabéis que quien se une a la meretriz se hace un solo cuerpo con ella? Serán —dice— los dos una sola carne. Pero el que se une al Señor es un solo espíritu con Él. Huid de la fornicación. ¿O no sabéis que vuestro cuerpo es templo del Espíritu Santo, que habita en vosotros, Espíritu que habéis recibido de Dios y que no sois vuestros? Habéis sido comprados a gran precio. Glorificad, pues, a Dios en vuestro cuerpo.

SOLUCIÓN DE DIVERSAS CUESTIONES

Matrimonio y virginidad. Vengo ahora a lo que me habéis escrito. Bien le está al hombre no tocar mujer; mas por evitar la fornicación, tenga cada uno su mujer, y cada mujer su marido[3]. El marido dé el débito a la mujer y lo mismo la mujer al marido. La mujer no es dueña de su cuerpo, sino el marido; igualmente el marido no es dueño de su cuerpo, sino la mujer. No os privéis el uno del otro si no es de común acuerdo por cierto tiempo, para dedicaros a la oración, después volved de nuevo a lo mismo, para que no os tiente Satanás por vuestra incontinencia. Os digo esto condescendiendo, no mandando. Pues yo quisiera que todos los hombres fuesen como yo; pero cada uno tiene de Dios su propia gracia; unos de una manera, otros de otra. A los célibes y a las viudas digo: Les es bueno si permanecen como yo. Pero

---

1. Las disensiones deben ser dirimidas entre hermanos.
2. Nuestro cuerpo no es nuestro: es del Señor que lo ha creado. Es miembro de Cristo y resucitará algún día. A Dios hay que servirle en cuerpo y alma.
3. Es un deber de estado.

si no pueden guardar continencia, que se casen. Es mejor casarse que
abrasarse. A los casados mando, no yo, sino el Señor, que la mujer no
se separe del marido[1] —pero, si se separase, que no se case o que se
reconcilie con su marido— y que el marido no repudie a la mujer.

La virginidad es más excelente que el matrimonio[2]. Acerca de
los que son vírgenes, no tengo precepto del Señor; pero doy mi consejo como quien ha obtenido ser fidedigno por la misericordia del Señor.
Creo que por la necesidad presente es bueno al hombre permanecer
así. ¿Estás ligado a mujer? No la busques. Mas si te casas, no pecas, y
si se casa la joven, no peca; pero experimentarán las tribulaciones de
la vida que yo quisiera evitaros. Os digo, pues, hermanos, que el
tiempo es breve, pues pasa la escena de este mundo. Os quiero libres
de preocupaciones. El célibe se preocupa de las cosas del Señor y
cómo agradarle. El casado se preocupa de las cosas del mundo y cómo
agradar a la mujer; está, pues, dividido. La mujer no casada y la virgen
se preocupan de las cosas del Señor, de ser santas corporal y espiritualmente. Pero la que está casada, se preocupa de las cosas del mundo y cómo agradar a su marido. Os digo esto para vuestro bien, no
para tenderos un lazo, sino mirando a lo más perfecto y que facilita la
familiaridad con el Señor.

Licitud de las segundas nupcias. La mujer está vinculada todo el
tiempo que vive su marido; pero si el marido muere, queda libre para
casarse con quien quiera, pero en el Señor. Mas, a mi parecer, será
más feliz si continúa como está; que también pienso yo tener el Espíritu de Dios.

El ejemplo de San Pablo. Así también ordenó el Señor a los que
anuncian el Evangelio que vivan del Evangelio. Pero de nada de esto
hice uso. Pues ¡ay de mí si no evangelizara! Si hiciera esto por propia
voluntad, merecería recompensa; pero si lo hago por mandado, cum-
plo con un cargo que se me ha confiado. ¿Cuál es, pues, mi recompensa? Que predicando el Evangelio, lo hago gratuitamente, no haciendo
valer mis derechos por la evangelización[3]. Libre, de hecho, como
estoy de todos, me hice siervo de todos para ganarlos a todos. Y con
los judíos me hice judío; con los que están bajo la Ley, como quien

---

1. El matrimonio es indisoluble.
2. La virginidad por el reino de Dios es más perfecta que el matrimonio. No es un mandato
sino un consejo del Señor a quienes se ha dado.
3. Los que predican el Evangelio y los que sirven a los demás, háganlo desinteresadamente
como quien hace un servicio a Dios en la persona de los pobres y necesitados.

está bajo ella, sin estarlo, para ganar a los que están bajo la Ley; con los que están sin Ley, como quien está sin ella, para ganarlos, no estando yo sin ley de Dios, sino bajo la ley de Cristo. Me hice débil con los débiles para ganar a los débiles; me hice todo para todos, para, en todo caso, ganar algunos. Todo lo hago por el Evangelio, para participar de sus bienes.

¿No sabéis que los que corren en el estadio todos corren, pero sólo uno consigue el premio? Corred de modo que lo conquistéis. Pero los atletas se abstienen de todo, y lo hacen para conseguir una corona corruptible, mas la nuestra incorruptible. Yo, pues, corro, no como a la aventura; lucho, no como quien azota el aire, sino que disciplino mi cuerpo y lo esclavizo, no sea que, predicando a los demás, quede yo descalificado.

Lecciones de la historia de Israel. Por tanto, el que crea estar firme, mire no caiga. No os ha sobrevenido ninguna tentación que no sea proporcionada. Fiel es Dios, que no permitirá seáis tentados sobre vuestras fuerzas, mas con la tentación os dará fuerza para superarla.

Sed imitadores míos, como yo lo soy de Cristo.

Institución de la Eucaristía[1]. Yo, en efecto, recibí del Señor lo que os transmití: Que el Señor Jesús en la noche en que fue entregado tomó pan, y habiendo dado gracias, lo partió y dijo: "¡Éste es mi Cuerpo, que se da por vosotros; haced esto en memoria mía." Y asimismo también el cáliz, después de cenar, diciendo: "Este cáliz es el Nuevo Testamento, en mi Sangre; cuantas veces lo bebiereis, haced esto en memoria mía." Pues cuantas veces comáis este pan y bebáis este cáliz, anunciáis la muerte del Señor hasta que venga. Por esto quien comiere el pan o bebiere el cáliz del Señor indignamente, será reo del Cuerpo[2] y de la Sangre del Señor[3]. Examínese, pues, el hombre y entonces coma del pan y beba del cáliz. Porque quien come y bebe sin discernir el Cuerpo, come y bebe su propia condenación. Por eso hay entre vosotros muchos enfermos y débiles, y mueren muchos. Si nos examinásemos a nosotros mismos, no seríamos condenados. Mas al ser juzgados, nos corrige el Señor, para no ser condenados con el mundo.

Los dones espirituales. No quiero, hermanos, que ignoréis lo tocante a los dones espirituales. Hay diversidad de dones espirituales,

---

1. La Institución de la Eucaristía la conoció Pablo por revelación particular y por los Apóstoles mismos.
2. El que no sabe distinguir o lo recibe indignamente, en pecado, se hace reo del Cuerpo del Señor.
3. Por eso hay que recibirlo con alma limpia de pecado. Arrepentirse y confesarse si es grave.

pero el Espíritu es el mismo; diversidad de ministerios, pero el mismo Señor, y diversidad de operaciones, pero el mismo Dios que obra todas las cosas en todos. A cada cual se le da la manifestación del Espíritu para el bien común. Así el espíritu da a uno palabra de sabiduría; a otro, palabra de ciencia, según el mismo Espíritu; a otro la fe, en el mismo Espíritu; a otro, el don de curaciones en el único Espíritu; a otro, profecía; a otro discernimiento de espíritus; a otro diversidad de lenguas y a otro la interpretación de el único y mismo Espíritu, repartiendo a cada uno particularmente según quiere[1].

El cuerpo y los miembros. Del mismo modo que el cuerpo es uno aunque tiene muchos miembros, y todos los miembros del cuerpo, con ser muchos, forman un cuerpo, así también Cristo. Porque todos nosotros, judíos y griegos, esclavos y libres, fuimos bautizados en un solo Espíritu para formar un solo cuerpo. Y todos hemos bebido del mismo Espíritu. Muchos son los miembros, uno, empero, el cuerpo. El ojo no puede decir a la mano: no te necesito; ni la cabeza a los pies: no os necesito. Más aún: los miembros aparentemente más débiles, son los más necesarios, y a los que parecen más viles, los rodeamos de más honor. Y es que Dios formó el cuerpo, dando mayor honor a lo menos noble, para evitar divisiones en el cuerpo y que todos los miembros tengan mutua solicitud. Así si un miembro padece, con él padecen todos los miembros; si un miembro es honrado, todos se gozan.

El cuerpo místico de Cristo. Ahora bien, vosotros sois el cuerpo de Cristo y miembros cada uno por su parte[2]. Y así Dios puso en la Iglesia en primer lugar a los Apóstoles; en segundo lugar a los profetas; en tercero, a los doctores; luego los que tienen el poder de hacer milagros; después los de los dones de las curaciones, de asistencia, de gobierno, de hablar diversidad de lenguas[3]. ¿Son todos Apóstoles? ¿O todos profetas? ¿O todos doctores? ¿Tienen todos el poder de hacer milagros? ¿Tienen todos el don de curar? ¿Hablan todos lenguas? ¿O todos las interpretan? Aspirad a dones más altos[4]. Yo os voy a mostrar un camino muy superior.

Himno a la caridad. Aunque yo hablara las lenguas de los hombres y de los ángeles, si no tuviera caridad, soy como bronce que

---

1. Los carismas son dones sobrenaturales, milagros, curaciones, para edificación de los demás.
2. Somos miembros del Cuerpo Místico de Jesucristo, cada uno según el don recibido para edificación de los demás.
3. Los carismas no son signo de santidad.
4. Sin caridad somos nada.

suena o címbalo que retiñe. Aunque tuviese el don de profecía y conociese todos los misterios y toda la ciencia, y aunque tuviese tanta fe que trasladase las montañas, si no tuviera caridad, nada soy. Y aunque distribuyese todos mis bienes entre los pobres y entregase mi cuerpo a las llamas, si no tuviera caridad, de nada me sirve.

Características de la caridad. La caridad es paciente, es servicial, no es envidiosa, no se pavonea, no se engríe; la caridad no ofende, no busca el propio interés, no se irrita, no toma en cuenta el mal; la caridad no se alegra de la injusticia, pero se alegra de la verdad; todo lo excusa, lo cree todo, todo lo espera, todo lo tolera.

Eternidad de la caridad. La caridad no pasa jamás. Desaparecerán las profecías, las lenguas cesarán y tendrá fin la ciencia. Nuestra ciencia es imperfecta e imperfecta también nuestra profecía. Cuando, pues, llegue lo perfecto desaparecerá lo imperfecto. Cuando era yo niño, hablaba como niño, apreciaba como niño, razonaba como niño. Cuando llegué a hombre desaparecieron las cosas de niño. Vemos ahora mediante un espejo, confusamente, entonces veremos cara a cara. Ahora conozco imperfectamente, entonces conoceré como fui conocido. Ahora permanecen estas tres virtudes: la fe, la esperanza y la caridad, pero la más excelente de ellas es la caridad.

Así también vosotros que aspiráis a los dones espirituales, procurad abundar en ellos para edificación de la Iglesia.

La resurrección de Cristo. Apelo, hermanos, al Evangelio que os prediqué y aceptasteis y en el que perseveráis, y por el que sois salvos, si lo retenéis tal cual os lo prediqué, pues de otro modo habríais creído en vano. Desde luego os transmití, en primer lugar, lo que a mi vez recibí: que Cristo murió por nuestros pecados, según las Escrituras; que fue sepultado y resucitó al tercer día, según las Escrituras, y que se apareció a Pedro y luego a los Doce. Se apareció también a más de quinientos hermanos de una vez, de los que la mayoría viven todavía, otros murieron. Luego se apareció a Santiago, después a todos los Apóstoles y después de todos, como a un abortivo, también se me apareció a mí[1]. Porque yo soy el menor de los Apóstoles, indigno de ser llamado Apóstol por haber perseguido la Iglesia de Dios. Mas por la gracia de Dios soy lo que soy, y la gracia de Dios no fue estéril en mí, pues he trabajado más que los demás; pero no yo, sino la gracia de

---

1. La Resurrección de Jesucristo es un hecho rigurosamente histórico atestiguado por más de 500 testigos que lo vieron aparecido.

Dios conmigo. Pues bien, tanto ellos como yo, esto es lo que predicamos y lo que habéis creído.

Unión entre la resurrección de Cristo y la nuestra. Si se predica, pues, que Cristo ha resucitado de entre los muertos, ¿cómo algunos de vosotros dicen que no hay resurrección de los muertos? Porque si no hay resurrección de los muertos tampoco Cristo resucitó. Y si Cristo no resucitó, vana es nuestra predicación y vana nuestra fe. Incluso seríamos falsos testigos de Dios, pues contra Dios atestiguaríamos que resucitó a Cristo, mientras que no lo había resucitado si los muertos no resucitan. Porque si los muertos no resucitan, tampoco Cristo resucitó. Y si Cristo no resucitó, es vana nuestra fe; y todavía estáis en vuestros pecados, y por tanto están condenados los que murieron en Cristo. Si solamente en esta vida esperamos en Cristo, somos los más miserables de todos los hombres.

La resurrección de Cristo, prenda de la nuestra. Pero he aquí que Cristo resucitó de entre los muertos como primicias de los que mueren. Porque como por un hombre vino la muerte, así por un hombre la resurrección de los muertos. Y como todos mueren en Adán, así también todos revivirán en Cristo. Pero cada uno en su orden: las primicias, Cristo; luego, al momento de la Parusía[1], los de Cristo. Vendrá, finalmente, el fin cuando Él entregue el reino de Dios,Padre, después de haber destruido todo principado, toda potestad y toda fuerza[2]. Pues es necesario que Él reine "hasta poner a todos sus enemigos bajo sus pies". El último enemigo destruido será la muerte: porque "lo puso todo bajo sus pies".

Confirmación de la resurrección. Si los muertos no resucitan "comamos y bebamos, que mañana moriremos[3]". No os dejéis engañar: "las malas conversaciones corrompen las buenas costumbres". Sed juiciosos y no pequéis, pues algunos tienen gran ignorancia de Dios. Para vergüenza vuestra lo digo.

Modo de la resurrección. Pero dirá alguno: ¿cómo resucitarán los muertos? ¿Y con qué cuerpo? ¡Necio! La que tú siembras, no germina si no muere. Y lo que siembras, no es el cuerpo que ha de nacer, sino un sencillo grano, de trigo por ejemplo, o alguna otra semilla. Y Dios le da el cuerpo que quiere y un cuerpo propio a cada semilla. Así

---

1. Segunda Venida.
2. Si resucitó la cabeza, también los miembros.
3. Es la consecuencia de los necios, según la Escritura. Mientras tenemos tiempo hagamos el bien, dice San Pablo.

también la resurrección de los muertos. Se siembra en corrupción y resucita en incorrupción. Se siembra en vileza y resucita en gloria. Y como llevamos la imagen del terrestre, llevaremos también la del celeste. Ahora os voy a declarar un misterio. No todos moriremos, pero todos seremos transformados[1]. En un momento, en un abrir y cerrar de ojos, al son de la última trompeta, pues sonará la trompeta, los muertos resucitarán incorruptos y nosotros seremos transformados. Porque esto corruptible ha de vestirse de incorruptibilidad, y esto mortal de inmortalidad. Cuando esto corruptible se vista de incorruptibilidad, y esto mortal, de inmortalidad, entonces se cumplirá lo que está escrito: "La muerte ha sido absorbida por la victoria. ¿Dónde está, muerte, tu victoria? ¿Dónde, muerte, tu aguijón?" Pero gracias a Dios que nos da la victoria por Nuestro Señor Jesucristo. Por esto, queridos hermanos míos, manteneos firmes, inconmovibles, sobreabundando siempre en la obra del Señor, sabiendo que vuestra fatiga no es vana en el Señor.

EPÍLOGO

Saludos. Os saludan las iglesias de Asia. Os mandan muchos saludos Aquila y Priscila con la iglesia que está en su casa. Os saludan todos los hermanos, Pablo. Si alguno no ama al Señor, sea anatema. MARAN ATHA[2]. La gracia del Señor Jesús sea con vosotros. Os amo a todos en Cristo Jesús.

2ª CARTA A LOS CORINTIOS

PRÓLOGO[3]

Acción de gracias. Bendito sea el Dios y Padre de nuestro Señor Jesucristo, Padre de las misericordias y de toda consolación, que nos consuela en todas nuestras tribulaciones, para que podamos consolar a cuantos están atribulados, con el consuelo que nosotros mismos recibimos de Dios. Así como abundan en nosotros los padecimientos de Cristo, así también, por Cristo, abunda nuestra consolación.

· 1. Glorificados como el cuerpo de Jesús. El grano de trigo se pudre y nace una espiga.
2. Hebr. = Ven, Señor.
3. Enviado Tito para informarle, supo San Pablo que en la comunidad no todo andaba bien. Los judaizantes lo revolvían todo y algunos cuestionaban su autoridad.

DEFENSA DE SU APOSTOLADO

Superioridad del Nuevo Testamento sobre el Antiguo. Por eso investidos misericordiosamente de este ministerio, no nos desanimamos, no procedemos con astucia ni falsificamos la palabra de Dios, y nos recomendamos[1] a toda conciencia humana delante de Dios con la manifestación de la verdad. Si todavía queda encubierto nuestro Evangelio, lo es para los que se pierden, para los incrédulos, cuyas inteligencias cegó el dios de este siglo para que no brille el resplandor del Evangelio de la gloria de Cristo, que es imagen de Dios. Porque no nos predicamos a nosotros mismos, sino a Jesucristo, el Señor; nosotros somos vuestros siervos por Jesús. Pues el mismo Dios que dijo: "De las tinieblas brille la luz, iluminó nuestros corazones para que brille el conocimiento de la Gloria de Dios, que brilla en el rostro de Cristo.

Sufrimientos y esperanza del ministerio apostólico. Pero llevamos este tesoro en vasos de barro[2], para que aparezca claro que esta pujanza extraordinaria viene de Dios y no de nosotros. Estamos atribulados en todo, pero no abatidos; perplejos, pero no desesperados; perseguidos, pero no abandonados; desechados, pero no aniquilados; llevamos siempre por doquier en el cuerpo los sufrimientos de muerte de Jesús, para que la vida de Jesús se manifieste también en nosotros. Porque viviendo, estamos siempre expuestos a la muerte por causa de Jesús, para que la vida de Jesús se manifieste también en nuestra carne mortal. Así que la muerte actúa en vosotros, mas en vosotros la vida. Pero teniendo el mismo espíritu de fe, según lo que está escrito: "Creí, por eso hablé", también nosotros creemos y por eso hablamos, convencidos de que quien resucitó al Señor Jesús, también nos resucitará en vuestra compañía. Porque todo es por vosotros para que la gracia, cada vez más abundante, multiplique las acciones de gracias para gloria de Dios. Por esto no desfallecemos, pues aunque nuestro hombre exterior vaya perdiendo, nuestro hombre interior se renueva de día en día. Pues el peso momentáneo y ligero de nuestras tribulaciones, produce, sobre toda medida, un peso eterno de gloria, para los que no miramos las cosas que se ven, sino las que no se ven, pues las visibles son temporales, las invisibles eternas[3].

---

1. Pablo no se predica a sí mismo. En su Evangelio no hay doblez ni engaño.
2. Consciente de su fragilidad humana, se siente fuerte con la Gracia de Dios.
3. El cristiano mira y juzga con los ojos de la Fe.

Sabemos, pues, que si esta nuestra tienda en que habitamos en la tierra, se destruye, tenemos otra casa que es obra de Dios[1], una morada eterna en los cielos, no construida por manos de hombres. Por esto, presentes o ausentes, anhelamos serle gratos, pues todos debemos comparecer ante el tribunal de Cristo para que cada cual reciba lo que mereció durante su vida mortal conforme a lo que hizo, bueno o malo.

La caridad, estímulo del ministerio apostólico. Conociendo bien el temor del Señor, tratamos de convencer a los hombres, pues a Dios bien conocidos le somos, y espero que también a vuestras conciencias. No intentamos recomendarnos de nuevo, sino daros ocasión de gloriaros de nosotros, para que podáis responder a los que se glorían externamente y no de corazón. Porque la caridad de Cristo nos apremia[2], pensando que si uno murió por muchos, luego todos han muerto; y murió por todos para que los que viven, no vivan para sí, sino para quien murió y resucitó por ellos. De modo que el que está en Cristo, es una criatura nueva; lo viejo ya pasó y apareció lo nuevo. Todo viene de Dios que nos reconcilió con Él por medio de Cristo, y nos confió el misterio de la reconciliación[3]. Pues en Cristo, Dios reconciliaba al mundo, no imputándole sus pecados y confiándonos la palabra de la reconciliación. Somos, pues, embajadores de Cristo, como si Dios exhortase por nosotros. En nombre de Cristo os rogamos: reconciliaos con Dios.

Al que no conoció pecado, le hizo pecado en lugar nuestro para que seamos justicia de Dios en Él.

La santidad cristiana. No os mezcléis con los paganos, pues ¿qué tiene que ver la justicia con la injusticia, y qué de común tienen la luz y las tinieblas? ¿Qué armonía entre Cristo y Belial, o qué parte tiene el fiel con el pagano? ¿Qué relación entre el templo de Dios y los ídolos[4]? Porque nosotros somos templos del Dios viviente. Como dijo Dios: "Habitaré y caminaré en medio de ellos y seré su Dios y ellos serán mi pueblo." Por esto: "No toquéis nada impuro, y yo os recibiré, y seré para vosotros Padre y vosotros seréis para mí hijos e hijas", dice el Señor Omnipotente.

---

1. Nuestra Patria del Cielo.
2. El celo por la Gloria de Dios y la salvación de las almas.
3. Los Apóstoles prosiguen la obra de Jesús.
4. El paganismo y la idolatría son el reino del demonio. No contaminarse con las impurezas del mundo.

Teniendo, pues, tales promesas, queridos, purifiquémonos de toda mancha de la carne y del espíritu procurando la santificación en el temor de Dios.

PABLO REFUTA A SUS ENEMIGOS

Desinterés de San Pablo. En todo me guardé y me guardaré de seros gravoso. Y lo que hago, lo seguiré haciendo para cortar todo pretexto a los que buscan la ocasión de hallar en qué gloriarse como nosotros. Éstos son falsos apóstoles, obreros engañosos que se disfrazan de Apóstoles de Cristo. Lo cual no es de extrañar, pues también Satanás se disfraza de Ángel de luz[1]. No es, pues, mucho que sus ministros se disfracen de ministros de justicia; pero su fin será conforme a sus obras.

Impresionante hoja de servicios de San Pablo. Lo repito: Nadie me tome por fatuo; y sino, aunque sea como fatuo, permitidme que me gloríe también yo un poco[2]. ¿Son hebreos? También yo. ¿Son israelitas? También yo. ¿Del linaje de Abraham? También yo. ¿Son ministros de Cristo? —como loco hablo—, yo más que ellos. Más en trabajos, más en prisiones; en heridas, inmensamente más. Cinco veces recibí de los judíos los treinta y nueve latigazos; tres veces fui azotado con varas, una vez apedreado, naufragué tres veces; he pasado en los abismos del mar un día y una noche; incontables viajes con peligros de ríos, peligros de salteadores, peligros de los de mi raza, peligros de los paganos, peligros en la ciudad, peligros en los desiertos, peligros en el mar, peligros de los falsos hermanos. En trabajos y fatigas, en vigilias frecuentes, en hambre y sed, en constantes ayunos, en frío y desnudez. Y además mi obsesión diaria: la solicitud por todas las iglesias. ¿Quién sufre depresión, que no la sufra yo? ¿Quién se escandaliza, que yo no me queme? Si hay que gloriarse, me gloriaré de mi debilidad. Dios y Padre del Señor, Jesús, eternamente bendito, sabe que no miento. En Damasco el etnarca del rey Aretas guardaba la ciudad de los damascenos para prenderme, y por una ventana fui descolgado muro abajo en un serón y así escapé de sus manos.

Visiones y revelaciones. ¿Es necesario gloriarse? Aunque realmente no conviene, vendré a las visiones y revelaciones del Señor.

---

1. Los falsos apóstoles aparentan espiritualidad. Y entresacan y tergiversan los textos bíblicos para apoyar sus errores y teorías.
2. Sus detractores le obligaron a defenderse.

·Conozco un hombre[1] en Cristo, que catorce años ha —si en el cuerpo o fuera del cuerpo, no lo sé, Dios lo sabe—, fue arrebatado hasta el tercer cielo. Y sé que este hombre —si en el cuerpo o fuera del cuerpo, no lo sé, Dios lo sabe— fue arrebatado al Paraíso y oyó palabras inefables que el hombre no puede expresar. De ese hombre me gloriaré, pero de mí no me gloriaré sino de mis flaquezas. Si intentase gloriarme, no haría el necio, pues diría la verdad; pero me abstengo para que nadie me considere sobre lo que ve en mí u oye de mí. Y para que no me enorgullezca por la sublimidad de las revelaciones, me fue dado un aguijón de la carne, un ángel de Satanás que me abofetee para que no me ensoberbezca[2]. Acerca de esto tres veces rogué al Señor para que lo alejase de mí, pero me respondió: "Te basta mi Gracia, pues mi poder triunfa en la flaqueza." Con gusto, pues, me gloriaré en mis debilidades para que me mnore en mí el poder de Cristo. Por esto me complazco en mis flaquezas, en los oprobios, en las necesidades, en las persecuciones, en las angustias por Cristo, pues cuando soy débil, entonces soy fuerte.

Abnegación de San Pablo. He hecho el tonto, pero vosotros me obligasteis. Pues debíais vosotros alabarme, ya que en nada les fui en zaga a los más eximios Apóstoles, aunque nada soy. Lo característico del verdadero Apóstol se verificó ante vosotros: paciencia constante, señales, prodigios y milagros. ¿En qué habéis sido menos que las demás iglesias, si no es en no haberos sido gravoso? ¡Perdonadme este agravio!

Ved que por tercera vez estoy a punto de ir a vosotros, y no os seré gravoso, pues no busco vuestras cosas, sino a vosotros mismos. Porque no deben atesorar los hijos para los padres, sino los padres para los hijos. Yo, gustosísimamente gastaré y me desgastaré por vuestras almas. ¿Por qué, amándoos más a vosotros, voy a ser menos amado de vosotros?

Inquietudes de San Pablo. Os parecerá hace rato que nos estamos justificando ante vosotros. Ante Dios y en Cristo hablamos; todo, carísimos, para vuestra edificación. Pues temo que cuando yo vaya no os halle como quisiera, y vosotros me halléis cual no quisierais; temo que haya contiendas, envidias, animosidades, ambiciones, discordias, detracciones, murmuraciones, engreimientos, alborotos, y que cuando llegue me humille mi Dios a causa vuestra.

---

1. El mismo Pablo.
2. No sabemos si una enfermedad corporal, heridas recibidas, tentación espiritual. Lo que sí ~sabemos es que Dios no permite que seamos tentados sobre nuestras fuerzas.

Exhortaciones y amenazas. Lo que pedimos en nuestras oraciones es vuestra perfección[1]. Por eso escribo esto ausente, para que, presente, no tenga que obrar severamente conforme a la potestad que el Señor me dio para edificar y no para destruir.

EPÍLOGO

Recomendaciones finales y despedida. Por lo demás, hermanos, alegraos, perfeccionaos, consolaos, tened un mismo sentir, vivid en paz, y el Dios de la caridad y de la paz estará con vosotros. Saludaos unos a otros con el ósculo santo. Todos los santos os saludan. La gracia del Señor Jesucristo, el amor de Dios y la comunicación del Espíritu Santo sean con todos vosotros.

CARTA A LOS GÁLATAS[2]

PRÓLOGO

Sólo hay un verdadero Evangelio: el de Cristo. Me admiro de que tan rápidamente os paséis del que os llamó por la gracia de Cristo a otro evangelio; y no es que haya otro, sino que hay quienes os turban y quieren pervertir el Evangelio de Cristo. Pero aun cuando nosotros o un ángel del cielo os anunciase un Evangelio distinto del que os hemos anunciado, sea anatema[3].

Como antes habíamos dicho, así lo digo nuevamente ahora. Si alguno os anuncia un evangelio distinto del que recibisteis, sea anatema. Ahora, pues, ¿busco yo el favor de los hombres o el de Dios? ¿O es que busco agradar a los hombres? Si aún hubiera tratado de agradar a los hombres, no hubiera sido siervo de Cristo.

---

1. La carta está escrita en tono de corrección, pero al fin suaviza sus palabras en un tono de amistad.
2. Galacia era un país cuyo origen eran unas tribus de la Galia instaladas en Asia Menor evangelizadas por San Pablo.
3. Eran los judaizantes los que perturbaban la comunidad.

APOLOGÍA DEL APOSTOLADO DE PABLO

El Evangelio de Pablo es el de Cristo. Porque os hago saber, hermanos, que el Evangelio predicado por mí no es según los hombres; pues yo no lo recibí ni lo aprendí de hombre alguno, sino por revelación de Jesucristo. Habéis oído, en efecto, mi conducta de otro tiempo en el judaísmo; con cuánto exceso perseguía a la Iglesia de Dios y la devastaba, y aventajaba en el judaísmo a muchos de mi edad en mi nación, siendo extremadamente celoso de las tradiciones de mis padres. Mas cuando plugo al que me eligió desde el vientre de mi madre, y me llamó por su gracia, para revelar en mí a su Hijo, a fin de que yo lo anunciase entre los gentiles.

LA JUSTIFICACIÓN POR LA FE

La Ley[1] no puede justificarnos. ¡Oh insensatos Gálatas! ¿Quién os fascinó a vosotros, ante cuyos ojos fue presentada la figura de Jesucristo crucificado? Solamente quiero saber esto de vosotros: ¿Recibisteis el Espíritu por las obras de la Ley o por la fe que habéis oído? ¿Tan insensatos sois? ¿Habiendo comenzado en Espíritu, ahora termináis en carne? ¿Tantas cosas experimentasteis en vano? Sí que sería en vano. Pues el que os da el Espíritu y obra milagros en vosotros ¿lo hace por las obras de la Ley o por la fe que habéis oído?

La Ley no es contraria a la promesa, sino preparación para Cristo. Ahora bien, antes de venir la fe estábamos encerrados bajo la custodia de la Ley, en espera de la fe que debía revelarse. No hay judío, ni griego, no hay esclavo ni libre, no hay varón ni mujer, pues todos vosotros sois uno en Cristo Jesús, y si vosotros sois de Cristo, luego sois descendencia de Abraham, herederos según la promesa[2].

Situación de los hombres hasta Jesucristo. Digo, pues: Por todo el tiempo en que el heredero es niño, en nada difiere del siervo, aun siendo señor de todo, sino que está bajo tutores y administradores hasta el tiempo prefijado por el padre. Así también nosotros, cuando éramos menores de edad, estábamos esclavizados bajo los elementos del mundo; mas cuando vino la plenitud del tiempo, envió Dios a su

---

1. San Pablo habla siempre de la Ley Mosaica y la contrapone a la Fe. La Fe y las obras de los Mandamientos es lo que salva, no la Fe sola. Sería presunción.
2. La nueva Ley del Evangelio no es sólo para los judíos diseminados por el mundo, sino para todos los hombres, que por todos murió Jesús, sin distintición alguna.

Hijo, nacido de una mujer, nacido bajo la Ley, a fin de que recibiésemos la adopción de hijos, y porque sois hijos, Dios ha enviado a vuestros corazones al Espíritu de su Hijo, que clama: Abba, Padre, de suerte que ya no eres esclavo, sino hijo; y si hijo, también heredero por Dios.

Recuerdos y ansiedades de San Pablo. Os ruego, hermanos, seáis como yo, porque yo también soy como vosotros. ¿De modo que soy enemigo vuestro diciéndoos la verdad? Os tienen celo no para bien, sino que os quieren alejar de mí para que los queráis con celos a ellos. Buena cosa es ser querido con celos siempre en lo bueno, y no sólo mientras me hallo presente entre vosotros, hijitos míos, por los cuales de nuevo sufro dolores de parto, hasta que se forme Cristo en vosotros. Pues quisiera estar presente ahora entre vosotros y cambiar mi tono de voz, porque estoy en incertidumbre respecto a vosotros.

CONSECUENCIAS MORALES

La libertad cristiana. Cristo nos liberó para gozar de libertad; permaneced, pues, firmes y no os sujetéis de nuevo al yugo de la esclavitud[1]. Mirad, yo, Pablo, os digo que si os circuncidáis, Cristo de nada os aprovechará. Y declaro de nuevo a todo hombre que se circuncida que queda obligado a cumplir toda la Ley. Quedáis desligados de Cristo[2] los que queréis ser justificados por la Ley; caísteis separados de la gracia. Poca levadura hace fermentar toda la masa.

Libertad, no libertinaje. Las obras del espíritu son distintas de las obras de la carne. Vosotros, en efecto, hermanos, fuisteis llamados a la libertad; mas procurad que la libertad[3] no sea un motivo parea servir a la carne, antes bien servíos los unos a los otros mediante la caridad. Porque toda Ley se resume en un solo precepto, en aquél: "Amarás a tu prójimo como a ti mismo." Pero si os mordéis y devoráis los unos a los otros, mirad que no os aniquiléis los unos a los otros.

Consejos y aplicaciones varias. Hermanos, si un hombre fuere sorprendido en alguna falta, vosotros, los espirituales, corregidle con espíritu de mansedumbre, observándote a ti mismo, no sea que tú también seas tentado. Sobrellevad mutuamente vuestros cargos y así

---

1. Esclavitud de la Ley Mosaica y del pecado.
2. Separados de la Gracia que nos ha recobrado Cristo, quedamos excluidos del Reino de Dios.
3. Que vuestra libertad no sea libertinaje.

cumpliréis la Ley de Cristo, porque si alguno se imagina ser algo, siendo nada, se engaña a sí mismo. No os engañéis: Dios no se deja burlar; pues lo que el hombre siembre, eso mismo cosechará; porque el que siembra su propia carne, de la carne cosechará corrupción; pero el que siembra en el espíritu, del espíritu cosechará la vida eterna.

No nos cansemos, pues, de hacer, el bien, porque a su tiempo cosecharemos, si no desfallecemos. Por consiguiente, mientras tenemos tiempo, hagamos el bien a todos, y especialmente a los hermanos en la fe.

CARTA A LOS EFESIOS[1]

Salutación del apóstol. Pablo, apóstol de Jesucristo por la voluntad de Dios, a los santos y fieles en Cristo Jesús, que están en Éfeso.

EL MISTERIO DE CRISTO[2]

Bendición, y elección divina, filiación y predestinación. Bendito sea el Dios y Padre de nuestro Señor Jesucristo, que en los cielos nos bendijo en Cristo con toda suerte de bendiciones espirituales, por cuanto nos eligió en Él antes del comienzo del mundo para que fuésemos santos e inmaculados ante Él, predestinándonos por amor a la adopción de hijos suyos por Jesucristo en Él mismo, conforme al beneplácito de su voluntad, para alabanza de la gloria de su gracia, la que nos hizo gratos en el Amado.

Redención por Cristo y recapitulación en Él. En el cual tenemos por su sangre la redención, el perdón de los pecados, según la riqueza de su gracia, la cual sobreabundantemente derramó sobre nosotros con toda sabiduría y prudencia, haciéndonos conocer el misterio de su voluntad según su beneplácito, que se propuso en Él, en la economía de la plenitud de los tiempos al recapitular todas las cosas en Cristo, las de los cielos y las de la tierra.

Unión e igualdad de judíos y gentiles en Cristo. Él, en efecto, es nuestra paz; el que de ambos pueblos, hizo uno, derribando el muro

---

1. En la ciudad de Éfeso, capital del Asia Menor, fundó Pablo una floreciente cristiandad en su tercer viaje apostólico.
2. El misterio es la Encarnación del Verbo, cuyo fin es la reunión de todas las cosas en Cristo.

medianero de separación, la enemistad; anulando en su carne la Ley
de los mandamientos formulados en decretos, para crear de los dos en
sí mismo un solo hombre nuevo, haciendo la paz, y reconciliar a
ambos en un solo cuerpo con Dios por medio de la cruz, destruyendo
en sí mismo la enemistad[1], y con su venida anunció la paz a vosotros
los que estabais lejos y paz a los que estaban cerca, porque por Él los
unos y los otros tenemos acceso al padre en un mismo Espíritu; de tal
suerte que ya no sois extranjeros y huéspedes, sino que sois ciudadanos de los santos y familiares de Dios, edificados sobre el fundamento
de los apóstoles y de los profetas, siendo piedra angular el mismo
Cristo Jesús, en el cual el edificio entero, bien trabado, se alza para
formar un templo santo en el Señor, en el cual también vosotros sois
coedificados mediante el Espíritu Santo para ser la habitación de Dios.

El misterio anunciado por Pablo. Por esto es por lo que yo,
Pablo, estoy prisionero de Cristo Jesús por amor a vosotros los gentiles… porque habéis ciertamente venido a conocer, cómo Dios me ha
dispensado la gracia del apostolado, la que me ha confiado en favor
vuestro, cuando por medio de una revelación me fue dado a conocer el
misterio, como expuse antes brevemente[2].

Este misterio consiste en que los gentiles son coherederos y miembros de un mismo cuerpo y participantes del Evangelio, del cual yo he
sido hecho ministro por un don de la gracia de Dios que me ha sido
concedida según la eficacia de su poder.

A mí, inferior, al último de todos los cristianos, me fue dada esta
gracia de evangelizar a los gentiles, la incalculable riqueza de Cristo,
y esclarecer a todos cuál es la dispensación del misterio escondido
desde todos los siglos en Dios[3], el creador de todas las cosas, para que
sea dado a conocer ahora por medio de la Iglesia a los principados y a
las potestades en lo alto de los cielos la incalculable sabiduría de Dios,
según el plan eterno que realizó en Cristo Jesús.

NORMAS DE VIDA CRISTIANA

Exhortación a la unidad. Yo, pues, —que estoy prisionero por la
causa del Señor— os exhorto a que caminéis de una manera digna de

---

1. Con su sangre borró las fronteras de todos los pueblos.
2. El misterio de amor.
3. De ese misterio de amor a los hombres derivan todas las bendiciones que hemos recibido
   como hijos de Dios.

la vocación con que fuisteis llamados, con toda humildad y mansedumbre, con longanimidad, soportándoos los unos a los otros con
caridad, siendo solícitos por conservar la unidad[1] con el vínculo de la
paz, pues no hay más que un solo cuerpo y un solo espíritu, como
igualmente una esperanza a la que habéis sido llamados por vuestra
vocación, un solo Señor, una sola fe, un solo bautismo y un solo Dios,
Padre de todos, que está sobre todos, por todos y en todos.

Diversidad de dones[2]. Mas a cada uno de nosotros ha sido dada la
gracia conforme a la medida del don de Cristo. Él a unos constituyó
apóstoles, a otros profetas, a unos evangelistas, y a otros pastores y
doctores, a fin de perfeccionar a los cristianos en la obra de su ministerio y en la edificación del cuerpo de Cristo, hasta que todos llegue-
mos a la unidad de la fe y al conocimiento completo del Hijo de Dios,
y a constituir el estado del hombre perfecto a la medida de la edad de
la plenitud de Cristo, para que de ninguna manera seamos niños vaci-
lantes y nos dejemos arrastrar por ningún viento de doctrina al capricho de los hombres por la astucia que nos induce a la maquinación del
error, antes al contrario, aleccionados en la verdad, crezcamos en el
amor de todas las cosas hacia el que es la cabeza, Cristo.

Renovarse en Cristo, despojándose del hombre viejo. Os digo,
pues, esto, y os exhorto en el Señor que no andéis ya como andan los
gentiles conforme a la vanidad de sus pensamientos, que tienen su
razón oscurecida, apartados de la vida de Dios por la ignorancia que
hay en ellos a causa del endurecimiento de su corazón, los cuales
habiéndose hecho insensibles se entregaron a la impureza, para obrar
con avidez toda suerte de disoluciones.

Pero vosotros, debéis despojaros, por lo que mira a vuestro pasado,
del hombre[3] viejo que se corrompe según los deseos depravados del
error, y renovaros en el espíritu de vuestra mente y revestiros del
hombre nuevo, el creado según Dios en justicia y santidad verdadera.

Ejemplo de Cristo. Sed, pues, imitadores de Dios, como hijos
muy amados. Vivid en el amor, siguiendo el ejemplo de Cristo que nos
amó y se entregó por nosotros a Dios en oblación y sacrificio de
agradable olor[4].

---

1. La unidad deseada por Cristo es vínculo de paz y amistad.
2. Cada uno ha de servir a Dios y a los hermanos con el don que haya recibido.
3. Nosotros debemos despojarnos de las malas costumbres y revestirnos del espíritu de Jesús.
4. Con su gran sacrificio mostró la medida de su infinito amor.

Huida de la impureza. En lo que se refiere a la fornicación y a toda clase de impureza o avaricia, que ni siquiera se nombre entre vosotros como conviene a santos; ni palabras torpes, groserías o bajezas, cosas que no convienen, sino más bien acciones de gracias.

Porque tened bien entendido que ningún fornicario o impuro o avaro —que es lo mismo que culto de ídolos— no ha de heredar el Reino de Cristo y de Dios. Nadie os engañe con vamos discursos, pues por estas cosas vendrá la ira de Dios sobre los hijos de la desobediencia. No tengáis, pues, parte alguna con ellos[1].

La conducta de los hijos de Dios. Erais, en efecto, en otro tiempo tinieblas, pero ahora sois luz en el Señor; andad como hijos de la luz. (Porque el fruto de la luz consiste en la bondad, en la justicia y en la verdad), juzgando por experiencia qué es lo que agrada al Señor, y no toméis parte con ellos en las obras infructuosas de las tinieblas; por el contrario condenadlas abiertamente, porque las cosas que ellos hacen en secreto da vergüenza decirlas, y todas estas cosas, una vez manifestadas por la luz, son reprendidas, y todo lo que es manifiesto es luz[2].

Por lo que está dicho: "Despierta tú, que duermes, y levántate de entre los muertos, y Cristo te iluminará."

Prudencia y sobriedad. Mirad, pues, con diligencia, cómo andáis, que no sea como necios, sino como sabios, aprovechando el tiempo, porque los días son malos. Por consiguiente, no seáis insensatos, sino procurad conocer cuál es la voluntad del Señor, dando siempre gracias por todo al que es Dios y Padre en nombre de nuestro Señor Jesucristo, siendo sumisos igualmente unos a otros en el temor de Cristo.

Deberes recíprocos de los casados. Las mujeres sean sumisas as sus maridos como si fuese el Señor, porque el marido es cabeza de la mujer, del mismo modo que Cristo es cabeza de la Iglesia, cuerpo suyo, del cual Él es el Salvador. Mas así como la Iglesia está sujeta a Cristo, así también las mujeres lo deben estar a sus maridos en todo. Maridos, amad a nuestras esposas como Cristo amó a la Iglesia y se entregó Él mismo por ella, con el fin de santificarla y purificándola en el bautismo del agua con la palabra que la acompaña, para presentar ante sí mismo esta su Iglesia gloriosa sin mancha ni arruga ni cosa parecida, sino santa e inmaculada.

Así los maridos deben también amar a sus mujeres como a su propio cuerpo. El que ama a su mujer se ama a sí mismo, porque nadie

---

1. Por la corrupción de costumbres vinieron los grandes castigos de Dios sobre los hombres.
2. Las obscenidades e impurezas de la obscuridad serán puestas de manifiesto algún día.

odia jamás su propia carne, sino, por el contrario, la alimenta y la cuida, como también Cristo a la Iglesia, pues somos miembros de su cuerpo. "Por este motivo el hombre dejará a su padre y a su madre y se adherirá a su mujer y los dos serán una sola carne." Este misterio[1] es grande; mas yo lo digo en orden a Cristo y a la Iglesia. Mas por lo que a vosotros toca, que cada uno ame a su mujer como a sí mismo y que la mujer reverencie a su vez al marido[2].

Deberes de los hijos y de los padres. Hijos, obedeced a vuestros padres en el Señor, porque esto es de justicia. "Honra a tu padre y a tu madre", (que es el primer mandamiento con promesa), "para que seáis felices y tengáis larga vida sobre la tierra." Y vosotros, padres, no provoquéis a vuestros hijos a la ira, sino criadlos en la disciplina y en la corrección del Señor.

EPÍLOGO

Las armas del cristiano[3]. En definitiva, confortaos en el Señor y en la fuerza de su poder. Revestíos de la armadura de Dios para que podáis resistir las tentaciones del diablo, porque nuestra lucha no es contra la carne y la sangre, sino contra los principados y potestades, contra los dominadores de este mundo tenebroso, contra los espíritus malos. Por esto, recibid la armadura de Dios[4] para que podáis resistir en el día malo y ser perfectos en todo. Estad, pues, firmes, ceñidos vuestros lomos con la verdad y revestidos con la coraza de la justicia, y teniendo calzados los pies, prontos para anunciar el Evangelio de la paz. Empuñad en todas las ocasiones el escudo de la fe con el cual podáis inutilizar los dardos encendidos del Maligno.

Tomad también el yelmo de la salud y la espada del Espíritu que es la palabra de Dios. Orando en todo momento en el Espíritu con toda clase de oraciones y súplicas y velando a este fin con toda perseverancia y súplica por todos los santos, y por mí, para que me sean dadas las palabras aptas cuando abro mi boca para anunciar con valentía el misterio de Cristo, del cual soy su embajador, prisionero, de modo que me atreva a hablar libremente de Él como conviene.

---

1. Misterio, o sea sacramento, por su propio significado refleja la Iglesia.
2. El matrimonio no sólo es indisoluble sino que su santidad le viene de Cristo.
3. El cristiano es un militante.
4. Las armas espirituales del cristiano son: la Fe, la espada de la palabra de Dios, la justicia y la verdad, prontos a anunciar la Buena Nueva a los demás.

Salutación final. La paz y la caridad, así como la fe, sea concedida a los hermanos de parte de Dios Padre y del Señor Jesucristo.

CARTA A LOS FILIPENSES[1]

Acción de gracias y súplicas. Cuántas veces me acuerdo de vosotros doy gracias a mi Dios, haciendo súplicas siempre en todas mis oraciones por vosotros con alegría, por vuestra participación en el progreso del Evangelio.

Sentimientos del prisionero de Cristo. Quiero que sepáis, hermanos, que las cosas que me han ocurrido han venido a favorecer el progreso del Evangelio, hasta el punto de que en el pretorio y en todo lugar es notorio que llevo las cadenas por Cristo, y la mayoría de los hermanos, alentados en el Señor por mis cadenas, se muestran más intrépidos anunciando sin temor la palabra de Dios[2]. Cierto que algunos predican a Cristo por espíritu de envidia y competencia, pero otros lo hacen con recta intención; éstos movidos por la caridad sabiendo que estoy puesto para defensa del Evangelio; aquéllos por rivalidad predican a Cristo creyendo que añaden tribulación a mis cadenas[3]. Pero, al fin y al cabo, ¿qué importa? De cualquier manera que Cristo sea anunciado, hipócrita o sinceramente, yo me alegro y me alegraré. Pues para mí la vida es Cristo y la muerte ganancia, y si bien el continuar viviendo es para mí fruto de apostolado, no sé qué elegir. Me siento apremiado por ambas partes: por una anhelo la muerte para estar con Cristo, lo que es mejor para mí; por otro lado continuar viviendo, lo que juzgo más necesario para vosotros. Persuadido estoy de que me quedaré y permaneceré con vosotros para vuestro progreso y gozo en la fe, a fin de que vuestra gloria crezca en Cristo Jesús por mí con mi segunda ida a vosotros.

Vida digna frente a los enemigos. Os ruego sobre todo que viváis una vida digna del Evangelio de Cristo, para que, sea que vaya y lo vea, sea que ausente lo oiga, perseveréis firmes en un mismo espíritu, luchando con una sola alma por la fe del Evangelio, sin dejaros intimidar en lo más mínimo ante vuestros adversarios; lo que para ellos es

---

1. Filipos era una ciudad romana de Macedonia en Grecia, y puerto de mar. Fue evangelizada por San Pablo en su segundo Viaje Apostólico.
2. Parece escribir desde Roma, y la Fe se propagaba.
3. A Pablo no le faltaban envidiosos, pero Dios se valía de ellos para anunciar el Evangelio.

señal de perdición, lo es en cambio para vosotros de salvación[1], y esto por obra de Dios. Pues a vosotros ha sido otorgada la gracia no sólo de creer en Cristo sino también de padecer por Él, teniendo que sostener el mismo combate que antes visteis en mí y ahora oís de mí.

Cristo impresionante ejemplo de abnegación. Procurad tener los mismos sentimientos que tuvo Cristo Jesús, el cual teniendo la naturaleza gloriosa de Dios no consideró como codiciable tesoro el mantenerse igual a Dios, sino que se anonadó a sí mismo tomando la naturaleza de siervo, haciéndose semejante a los hombres; y en su condición de hombre se humilló a sí mismo haciéndose obediente hasta la muerte y muerte de cruz[2]. Por ello Dios le exaltó sobre manera y le otorgó un nombre, para que al nombre de Jesús doblen su rodilla los seres celestiales, los de la tierra y los infernales, y toda lengua confiese que Jesucristo es Señor para gloria de Dios Padre.

Vida ejemplarmente cristiana. Así, pues, amados míos, como siempre habéis obedecido no sólo durante mi presencia sino también y mucho más mientras estuve ausente, trabajad por vuestra salvación con temor y temblor; pues es Dios el que obra en vosotros[3] el querer y el obrar conforme a su beneplácito. Hacedlo todo sin murmuraciones ni discusiones, a fin de que seáis irreprochables y sin malicia, hijos de Dios irreprensibles en medio de esta generación perversa y descarriada en medio de la cual brilláis como astros en el universo, manteniendo firme la palabra de vida de modo que pueda gloriarme en el día de Cristo de no haber corrido ni trabajado en vano. Y aunque tuviera que derramar mi sangre como libación sobre el sacrificio y servicio de vuestra fe me gozo y congratulo con todo vosotros. Alegraos también vosotros de esto mismo y congratulados conmigo.

Advertencias respecto de los judaizantes[4]. Por lo demás, hermanos, alegraos en el Señor. No me resulta molesto escribiros las mismas cosas, y a vosotros os es útil. ¡Cuidado con los perros, cuidado con los malos obreros, cuidado con los de la circuncisión! La verdadera circuncisión, somos nosotros, los que nos damos culto llevados del espíritu de Dios y nos gloriamos en Cristo Jesús no poniendo nuestra confianza en la carne, si bien yo podría poner mi confianza en la carne. Si

---

1. A sus cristianos les exhorta a la fidelidad; Cristo es siempre signo de contradicción.
2. Nuestro único maestro y modelo será siempre Cristo.
3. La Iglesia enseña que sin la Gracia de Dios no podemos salvarnos. Fe y Obras con la Gracia de Dios.
4. Pablo los alerta contra los judaizantes de todas partes.

alguno cree poder confiar en la carne, más podría yo. Fui circuncidado al ocatvo día, del linaje de Israel, de la tribu de Benjamín, hebreo, hijo de hebreos, y por lo que la Ley se refiere fariseo, por el celo de ella perseguidor de la Iglesia, en cuanto a la justicia que viene del cumplimiento de la Ley, irreprensible.

Pablo lo ha sacrificado todo por Cristo. Pero cuantas cosas tuve entonces por ventaja las juzgo ahora daño por Cristo; más aún todo lo tengo por daño ante el sublime conocimiento de Cristo Jesús, mi Señor, por quien he sacrificado todas las cosas y las tengo por basura por ganar a Cristo, y encontrarme en Él no en posesión de mi justicia, la que viene de la Ley, sino de la que se obtiene por la fe en Cristo, la justicia de Dios que se funda en la fe; a fin de conocerle a Él y la virtud de su resurrección y la participación en sus padecimientos configurándome a su muerte para alcanzar la resurrección de los muertos[1].

La imitación de Pablo. Somos ciudadanos del cielo. Sed, hermanos, todos a una imitadores míos y observad a los que se conducen conforme al modelo que tenéis en nosotros, pues andan muchos entre vosotros, de quienes muchas veces os dije y tengo ahora que repetiros con lágrimas en los ojos, que son enemigos de la cruz de Cristo; su fin será la perdición, su dios es su vientre, su gloria lo que los deshonra, teniendo puesto su corazón en las cosas de la tierra[2]. Nuestra patria está en los cielos de donde esperamos al Salvador y Señor Jesucristo, el cual transformará nuestro cuerpo lleno de miserias conforme a su cuerpo glorioso por virtud del poder que tiene para someter a sí todas las cosas.

Así pues, hermanos míos amadísimos, mi alegría y mi corona, permaneced firmes en el Señor, muy amados.

La alegría y la paz. Alegraos en el Señor siempre; lo repito, alegraos. Que vuestra benignidad sea notoria a todos los hombres. El Señor está cerca. No os inquietéis por cosa alguna, sino más bien en toda oración y plegaria presentad al Señor vuestras necesidades con acción de gracias. Y la paz de Dios[3] que sobrepasa toda inteligencia guardará vuestros corazones y vuestros pensamientos en Cristo Jesús.

---

1. San Pablo tiene por nada los títulos y grandezas humanas, comparados con el amor de Dios.
2. Enemigos de la cruz de Cristo que buscan los placeres y rehuyen todo sacrificio.
3. El don de la paz. "Sólo Dios basta", decía Santa Teresa.

Agradecimiento de Pablo a los filipenses. He sentido una gran alegría en el Señor porque habéis reavivado vuestros sentimientos por mí; vosotros los sentíais, pero no habíais tenido ocasión de manifestarlos. No digo esto inducido por mi indigencia, pues he aprendido a contentarme con mi suerte. Sé carecer de lo necesario y vivir en la abundancia; estoy enseñado a todas y cada una de estas cosas, a sentirme harto y a tener hambre, a nadar en la abundancia y a experimentar estrecheces. Todo lo puedo en Aquél que me conforta. Habéis hecho bien, sin embargo, al haceros cargo de mi tribulación. Tengo cuanto podía necesitar y más todavía; sobreabundo después de haber recibido de Epafrodito vuestros socorros[1], ofrenda de suave olor, sacrificio grato, agradable a Dios. Mi Dios, a su vez, proveerá colmadamente a vuestra indigencia según sus riquezas gloriosamente en Cristo Jesús. A Dios y Padre nuestro la gloria por los siglos de los siglos. Amén.

CARTA A LOS COLOSENSES[2]

EL MISTERIO DE CRISTO

Excelencia de la persona de Cristo:

a) **En la creación del mundo.** El cual es imagen de toda la creación, porque por Él mismo fueron creadas todas las cosas, las de los cielos y las de la tierra, lo invisible y lo visible, tanto los tronos como las dominaciones, los principados, como las potestades; absolutamente todo fue creado por Él y para Él; y Él mismo existe antes que todas las cosas y todas en Él subsisten[3].

b) **En la Iglesia.** Él es también la cabeza del cuerpo de la Iglesia, siendo el principio, primogénito entre los mortales para así ocupar el mismo puesto entre todas las cosas, ya que en Él quiso el Padre que habitase toda la plenitud.

La obra de Cristo y los sufrimientos del apóstol. Ahora me complazco en mis padecimientos por vosotros y en compensación

---

1. Pablo nunca aceptaba cosa alguna por los servicios de su ministerio. Con sus queridos filipenses hizo una excepción.
2. Colosas era una ciudad de Frigia, en el Asia Menor. Pablo encomendó a Epafras la fundación de una comunidad cristiana allí. Y les corrige los errores que se habían introducido.
3. Cristo en la creación y en la Iglesia.

completo en mi carne lo que falta a las tribulaciones de Cristo por su cuerpo[1], que es la Iglesia, de la que fui hecho ministro según la misión que Dios me dio para bien vuestro con el fin de dar cumplimiento a su mensaje divino, el misterio oculto desde los siglos y desde las generaciones y ahora revelado a sus santos, a quienes quiso Dios descubrir cuál es la riqueza de la creencia de este misterio entre los gentiles, el cual es Cristo entre vosotros[2], la esperanza de la gloria, a quien nosotros anunciamos amonestando e instruyendo a todos los hombres en toda sabiduría, para presentarlos perfectos en Jesucristo, con miras a lo cual me fatigo luchando mediante su acción que obra poderosamente en mí.

NORMAS DE LOS CRISTIANOS

Vida nueva en Cristo. Por consiguiente, si habéis resucitado con Cristo, buscad las cosas de arriba, donde Cristo está sentado a la diestra de Dios; deleitaos en lo de arriba no en las cosas de la tierra. Realmente moristeis y vuestra vida permanece oculta con Cristo en Dios. Cuando Cristo se manifieste, Él que es vuestra vida, entonces vosotros también apareceréis con Él en la gloria.

Huida de los vicios antiguos[3]. No viváis mutuamente engañados sino despojaos del hombre viejo con todas sus malas acciones, y revestíos del nuevo que sucesivamente se renueva hasta adquirir el pleno conocimiento conforme a la imagen del que lo ha creado, en el que no cabe distinción entre griego y judío, circuncisión o incircuncisión, bárbaro, escita, siervo, libre, sino que Cristo es todo en todos[4].

Las virtudes cristianas. Por tanto, como elegidos de Dios, santos y amados, revestíos de un corazón compasivo, bondadoso, humilde, manso, magnánimo, sobrellevándoos, perdonándoos mutuamente cuantas veces alguno tuviese motivo de queja contra otro. Del mismo modo que el Señor os perdonó, así también vosotros debéis perdonaros. Pero ante todo revestíos de caridad que es el lazo de la perfección. Igualmente la paz de Cristo reine en vuestros corazones en la que fuisteis llamados para construir un cuerpo único; y sed agradecidos. La palabra de Cristo viva ricamente entre vosotros enseñándoos y amo-

---

1. Con nuestros sufrimientos compensamos lo que falta en nosotros, la Pasión de Cristo.
2. Sufrir con Cristo es compartir con Él nuestra Redención.
3. La Resurrección de Cristo ha de ser el inicio de una vida más cristiana.
4. Si vivimos con Cristo, el mismo Espíritu que resucitó a Jesús nos resucitará también a nosotros.

nestándoos mutuamente por medio de toda sabiduría, con salmos, himnos, cánticos divinos, cantando y complaciendo en vuestros corazones a Dios. Y todo cuanto de palabra u obra realicéis hacedlo en nombre del Señor Jesús[1] dando gracias por su intercesión a Dios Padre.

Los deberes familiares. Mujeres, estad sumisas a vuestros maridos como conviene en lo que mira al Señor. Maridos, amad a vuestras esposas y no os irritéis contra ellas. Hijos, obedeced a vuestros padres en todo porque esto place al Señor. Padres, no excitéis a ira a vuestros hijos para que no se desalienten.

Oración y prudencia. Amos, practicad la justicia y equidad con los siervos, puesto que sabéis que también vosotros tenéis a vuestro Señor en el cielo. Perseverad en la oración velando durante ella y con acción de gracias, orando también a la vez por nosotros a fin de que Dios nos abra la puerta de la palabra para revelar el misterio de Cristo —por el que también estoy encadenado—. Y manifestarlo a los gentiles buscando la ocasión favorable. Portaos sabiamente con los de afuera, aprovechando las ocasiones propicias. Sea siempre vuestra conversación agradable, sazonada con la sal de la gracia, de modo que sepáis cómo debéis responder a cada uno.

Saludos finales[2]. El saludo os lo pongo con mi propia mano, la de Pablo. La gracia sea con vosotros. Amén.

1ª CARTA A LOS TESALONICENSES[3]

El apostolado de Pablo en Tesalónica. Sabemos muy bien, hermanos amados de Dios, que habéis sido elegidos. Porque nuestro mensaje evangélico no os fue transmitido solamente con palabras sino también con obras portentosas bajo la acción del Espíritu Santo y, por parte nuestra, con una profunda entrega. En efecto, vosotros sabéis cuál fue nuestra actuación entre vosotros para bien nuestro. Y vosotros os habéis comportado como imitadores nuestros y del Señor, recibiendo la predicación con el gozo del Espíritu Santo, aun en medio de

---

1. Todo cuanto hagáis, hacedlo en el nombre de Jesús, ofreciéndole vuestras obras y trabajos de cada día a su intención.
2. Desde la prisión en Roma envía saludos a los colonenses de parte de Epafras y su médico Lucas el evangelista.
3. Tesalónica, la actual Salónica, era la capital de Macedonia, situada en la costa del mar Egeo. Fue evangelizada en su segundo Viaje.

grandes tribulaciones; hasta convertiros en modelo para todos los creyentes de Macedonia y de Acaya, de suerte que no tenemos necesidad de hablar de ella. En relación a nosotros, todos van refiriendo la acogida que nos hicisteis, y cómo os convertisteis de la idolatría a Dios, para servirle a Él, único vivo y verdadero, en la espera de su Hijo Jesús que vendrá de los cielos y a quien Él resucitó de entre los muertos y que nos ha de librar de la ira venidera.

COMPORTAMIENTO DE PABLO EN TESALÓNICA[1]

Fe y paciencia de los tesalonicenses. Por todo ello es continua nuestra acción de gracias a Dios: porque, una vez recibida la palabra de Dios, que de palabra os predicamos, la abrazasteis no como palabra de hombre, sino como lo que es en verdad la palabra de Dios, que permanece vitalmente activa en vosotros, los creyentes. En efecto, hermanos, os habéis hecho imitadores de las iglesias de Dios en Cristo Jesús, que hay en Judea; pues habéis padecido de parte de vuestros conciudadanos, lo mismo que ellos de parte de los judíos, que dieron muerte al Señor Jesús y a los profetas, y a nosotros nos han perseguido y desagradan a Dios, siendo enemigos de todos los hombres, al impedirnos predicar a los gentiles, para que se salven. Con lo cual van colmando la medida de su pecado. Mas la cólera está para caer pesadamente sobre ellos.

Timoteo a Tesalónica. Pues bien, no pudiendo resistir más, resolvimos quedarnos solos en Atenas, y enviamos a Timoteo, nuestro hermano y ministro de Dios en el Evangelio de Cristo, con la misión de confortaos y alentaros en vuestra fe, para que nadie se deje desalentar por estas tribulaciones. Pues bien sabéis vosotros mismos que son parte de nuestra vocación. Durante nuestra estancia entre vosotros, os predecíamos ya que habríamos de tener tribulaciones, como realmente ha sucedido. Bien lo sabéis. Por esto, no pudiendo resistir ya más, le envié para que me informara de vuestra fe; no fuera que os hubiera tentado ya Satanás y hubiera resultado estéril nuestro trabajo.

---

1. Su primera diligencia fue ponerse en guardia contra los judíos que turbaban y acosaban a la pequeña comunidad.

EXHORTACIONES

Santidad, de vida, caridad y trabajo. En fin, hermanos, os rogamos y exhortamos en el Señor Jesús a que progreséis todavía más en
la manera de vivir, que agrada a Dios, como la aprendisteis de nosotros y conforme a la cual ya os comportáis. Bien sabéis qué instrucciones os dimos en nombre del Señor Jesús. Ahora bien, ésta es la voluntad de Dios: vuestra santificación: que huyáis de la impureza; que cada
uno de vosotros sepa tratar santa y dignamente su propio cuerpo, sin
dejarse llevar por la pasión, como hacen los gentiles que no conocen a
Dios. Que en este punto nadie, con violencia o con engaño, haga
injuria a su hermano, porque vengador de todo esto es el Señor, según
ya os lo dejamos dicho y recalcado. Y es que Dios no nos ha llamado
a la impureza, sino a vivir en la santidad. Por tanto, quien todo esto
desprecia, no desprecia a un hombre, sino a Dios, el cual os da su
Espíritu Santo.

Acerca del amor fraterno, no necesitáis que se os escriba, porque
personalmente habéis aprendido de Dios cómo debéis amaros los unos
a los otros. Y, en efecto, así lo hacéis con todos los hermanos de toda
Macedonia. Sin embargo, queremos exhortaros, hermanos, a que progreséis todavía más, y a que con todo empeño os afanéis en vivir
pacíficamente, ocupándoos en vuestros quehaceres y trabajando con
vuestras propias manos, conforme os lo tenemos recomendado. Así
viviréis decorosamente a los ojos de los no cristianos, sin tener necesidad de ninguno.

La suerte de los cristianos muertos, en la Parusía[1]. No queremos, hermanos, dejaros en la ignorancia acerca de los muertos, para
que en modo alguno os aflijáis, como los otros que no tienen esperanza. Porque, si creemos que Jesús ha muerto y resucitado, así también
reunirá consigo a los que murieron en Jesús. Ved pues lo que os
decimos como palabra del Señor: Nosotros los vivos, los que estemos
todavía al tiempo de la venida del Señor, no precederemos a los murieron. Porque el Señor mismo, a la señal dada por la voz del Arcángel
y al son de la trompeta de Dios, bajará del cielo y los muertos en
Cristo resucitarán primeramente. Después nosotros, los vivos, los que

---

1. El destino de los difuntos preocupaba a los tesalonicenses. La Parusía es la segunda
Venida del Señor al fin de los tiempos. Cuando el Señor juzgue al mundo y confirme la
sentencia particular de cada uno a la hora de nuestra muerte. Escatología = últimos
destinos.

estemos hasta la venida del Señor, seremos arrebatados juntamente con ellos, entre nubes por los aires, al encuentro del Señor. Y para siempre estaremos con el Señor. Consolaos, pues, mutuamente con estas palabras.

Incertidumbre de la Parusía. En cuanto al tiempo preciso, no tenéis, hermanos, necesidad de que se os escriba. Vosotros sabéis perfectamente que el día del Señor vendrá como el ladrón en la noche. Andarán diciendo: "Paz y Seguridad", y entonces, de improviso, les sorprenderá la perdición, como los dolores del parto a la mujer encinta, y no podrán escapar. Mas vosotros, hermanos, no vivís en la oscuridad, para que ese día pueda sorprenderos, como el ladrón. Todos vosotros sois hijos de la luz e hijos del día; no sois hijos de la noche ni de las tinieblas. Por tanto no durmamos, como los otros, sino vigilemos y seamos sobrios, para que, vivos o muertos, vivamos siempre con Él. Por eso, animaos mutuamente y edificaos los unos a los otros, como ya lo venís haciendo.

Recomendaciones especiales. Os rogamos, hermanos, que os mostréis deferentes con los que trabajan entre vosotros y, en el Señor, os dirigen y amonestan. Corresponded a sus desvelos con amor siempre creciente. Vivid en paz entre vosotros. También, os rogamos, hermanos, que corrijáis a los indisciplinados, que alentéis a los pusilánimes, que sostengáis a los débiles y que seáis pacientes con todos. Procurad que nadie vuelva a otro mal por mal, mas tened siempre por meta el bien, tanto entre vosotros, como para los demás. Estad siempre alegres. Orad sin cesar.

EPÍLOGO

Votos y saludos. Que el Dios de la paz os santifique cabalmente y que vuestro ser, todo entero: espíritu, alma y cuerpo sea conservado irreprochablemente para la venida de nuestro Señor Jesucristo. Fiel es el que os ha llamado y Él así lo hará. Hermanos, orad por nosotros. Saludad a todos los hermanos con el ósculo santo. Os conjuro por el Señor que hagáis leer esta carta a todos los hermanos[1]. La gracia de nuestro Señor Jesucristo sea con todos vosotros.

---

1. Las cartas de San Pablo solían ser circulares. Pasaban de una comunidad cristiana a otra.

2ª CARTA A LOS TESALONICENSES

Acción de gracias. Hermanos, continuamente —y esto es justo— debemos dar gracias a Dios respecto de vosotros por los grandes progresos de vuestra fe y por lo mucho que aumenta la caridad mutua entre vosotros, y vuestra fe en todas las persecuciones y tribulaciones que tenéis que soportar[1]. Es esto una manifestación del justo juicio de Dios, para haceros así dignos de su reino, por el cual padecéis. Porque es propio de la justicia divina retribuir con tribulación a quienes os la infligen, y a vosotros, que la padecéis, daros el descanso en compañía nuestra, cuando aparezca en el cielo el Señor Jesús con los ángeles de su poder, entre llamas de fuego, para tomar venganza de los que no conocen a Dios y no obedecen al Evangelio de nuestro Señor Jesús. Todos estos sufrirán el castigo de una perdición eterna, lejos de la faz del Señor y de su gloria esplendorosa, cuando venga aquel día para ser glorificado en sus santos y admirado en todos los que creyeron.

LA PARUSÍA DEL SEÑOR[2]

La Parusía y el Anticristo. Respecto de la venida de nuestro Señor Jesucristo y de nuestra reunión con Él, os rogamos, hermanos, que no os dejéis tan fácilmente impresionar en vuestro espíritu ni os alarméis por revelaciones, palabra o carta que os induzcan a pensar que el día del Señor es inminente, por más que se os diga ser nuestras. Que nadie en modo alguno os engañe, porque antes ha de venir la apostasía[3] y manifestarse el Hombre impío, el Destinado a la perdición, el Adversario, que se levantará contra todo lo que se llama Dios o envuelve carácter religioso, hasta llegar a sentarse en el santuario de Dios, haciéndose pasar a sí mismo por Dios. ¿No recordáis que, estando todavía entre vosotros, os decía ya esto? Vosotros sabéis muy bien qué es lo que le retiene ahora, impidiendo su aparición hasta su tiempo. Realmente, el misterio de iniquidad está ya en acción; sólo falta que el que ahora le retiene sea quitado de en medio. Entonces se manifestará el Inicuo, a quien el Señor Jesús hará desaparecer con el

---

1. El acoso de los perseguidores, pues en ambas cartas trata de ello. El apóstol los conforta y consuela preparándo para la recompensa eterna a los que perseveran en la Fe.
2. De nuevo habla de la Parusía. Tal vez sus enseñanzas fueron adulteradas o mal comprendidas.
3. Dice que a la segunda Venida precederá una apostasía general y el Anticristo.

soplo de su boca y aniquilará con el resplandor de su venida. La
venida del Impío, en razón de la actividad de Satanás, irá acompañada
de toda suerte de prodigios, de señales y de portentos engañosos y de
todas las seducciones propias de la maldad para aquellos que están
abocados a la perdición, por no haber aceptado el amor de la verdad,
que los habría salvado. Por esto mismo Dios les envía un poder enga-
ñoso, que les impulsa a creer en la mentira, de suerte que serán condenados todos aquellos que no solamente se resistiron a creer en la
verdad, sino que además se complacieron en la iniquidad.

Exhortación a la perseverancia. Mas nosotros debemos dar continuamente gracias a Dios por vosotros, hermanos amados del Señor,
porque Dios os ha escogido desde el principio, para salvaros por la
acción santificadora del Espíritu y la fe en la verdad. Precisamente
para esto os llamó por nuestra predicación del Evangelio, para que
alcancéis la gloria de nuestro Señor Jesucristo.

TRABAJO Y OBEDIENCIA

Trabajo y orden. Os mandamos, hermanos, en nombre de nuestro
Señor Jesucristo, que os mantengáis alejados de todo hermano que
viva ociosamente, en contra de las enseñanzas que habéis recibido de
nosotros[1]. Bien sabéis cómo es vuestro deber imitarnos. No vivimos
ociosamente entre vosotros, no comimos gratis el pan de nadie, sino
que, con sudor y fatiga, trabajábamos de noche y de día para no
resultar gravosos a ninguno de vosotros, y no porque no tuviéramos
derecho, sino porque queríamos daros en nosotros un ejemplo que
imitar. En efecto, cuando todavía estábamos entre vosotros, os dimos
esta norma: "El que no trabaje que no coma." No obstante, nos hemos
enterado que algunos de entre vosotros viven en la ociosidad, sin otra
ocupación que curiosear. Pues bien, a estos tales exhortamos y amo-
nestamos en el Señor Jesucristo a que, trabajando disciplinadamente,
coman el pan que ganen. Vosotros, empero, hermanos, no os canséis
de hacer el bien. Mas si alguno no obedeciere a las instrucciones de
esta carta, señaladle y cortad todo trato con él, para que así se sienta
avergonzado. No obstante, no le miréis como a enemigo, sino corregidle como hermano.

---

1. Debió de haber en la comunidad algunos vagos que daban ocasión de malestar a los
   demás; a éstos los amonestará de palabra y con el ejemplo del trabajo de sus manos para
   ganarse el pan.

EPÍLOGO

Que el Señor de la paz os dé Él mismo la paz, siempre y en toda coyuntura. El Señor sea con todos vosotros.

CARTAS PASTORALES[1]

1ª CARTA A TIMOTEO

Saludo. Pablo, apóstol de Cristo Jesús por mandato de Dios, nuestro Salvador, y de Cristo Jesús, nuestra esperanza, a Timoteo, verdadero hijo en la fe: de parte de Dios Padre y de Cristo Jesús.

Actitud frente a falsas doctrinas[2]. Al partir para Macedonia te rogué que permanecieres en Éfeso con el fin de que intimases a algunos que se abstengan de enseñar cosas extrañas y no presten atención a fábulas y genealogías interminables, más aptas para promover discusiones que para la realización de los planes de Dios, que se fundan en la fe. El fin de esta intimación es la caridad de un corazón puro, de una conciencia buena y de una fe sincera, de las cuales algunos se desviaron perdiéndose en palabras vanas, pretendiendo ser doctores de la Ley sin comprender ni lo que dicen, ni lo que categóricamente afirman. Pues sabemos que la Ley es buena si se hace de ella un legítimo uso, conscientes de que la Ley no es para el justo, sino para los malvadosy rebeldes, los impíos y pecadores, los irreligiosos y perversos.

Recomendación a Timoteo. Esta es la recomendación que te hago, hijo mío, Timoteo, en conformidad con las profecías de que en otro tiempo fuiste objeto, a fin de que, puestas en ellas los ojos, libres el buen combate, manteniendo la fe y buena conciencia. Habiéndola algunos abandonado, naufragaron en la fe.

La oración litúrgica. Que todos se salven. Es esto bueno y agradable a Dios, nuestro Salvador, el cual quiere que todos los hombres

---

1. Llamadas así las dirigidas a sus discípulos Timoteo y Tito que Pablo había dejado como obispos de Éfeso y Creta respectivamente, dándoles normas de buen gobierno.
2. Vigilancia.

se salven y vengan al conocimiento de la verdad[1]. Porque uno es Dios, único también el mediador entre Dios y los hombres, Cristo Jesús, también Él hombre, que se entregó a sí mismo para redención de todos; testimonio dado a su debido tiempo, para cuya promulgación yo he sido constituido heraldo y apóstol —digo verdad, no miento— doctor de los gentiles en la fe y en la verdad.

Actitud que ha de observar Timoteo. Serás buen ministro de Cristo Jesús si enseñas estas cosas a los hermanos, alimentando tu espíritu con las enseñanzas de la fe y de la buen doctrina, de que tan fiel discípulo te has mostrado. Rechaza, en cambio, las fábulas profanas y cuentos de viejas. Ejercítate en la piedad, pues la gimnasia corporal es de poca utilidad, pero la piedad es útil para todo[2] teniendo promesas para la vida presente y para la futura. Esta doctrina es digna de fe y de toda aceptación. Por esto, pues, nos esforzamos y luchamos, porque tenemos puesta nuestra esperanza en Dios vivo, que es el Salvador de todos los hombres, sobre todo de los creyentes.

Estas cosas has de prescribir y enseñar. Que nadie te menosprecie por tu juventud, sino que seas, más bien, ejemplo de los fieles en la palabra, en el comportamiento, en la caridad, en la fe, en la castidad. Persevera en estas cosas. Obrando así te salvarás a ti y a quienes te escuchan[3].

Conducta con diversas clases de personas. No reprendas con dureza al anciano, sino más bien exhórtalo como a un padre; a los jóvenes como a hermanos; a las ancianas como a madres; a las jóvenes como a hermanas, con toda pureza.

Conducta para con los presbíteros. Los presbíteros que gobiernan bien sean tenidos en doble honor, especialmente los que se ocupan de la predicación y la enseñanza. Yo te conjuro delante de Dios y de Cristo Jesús, y de los ángeles elegidos, que observes estas cosas imparcialmente, sin dejarte llevar de apreciaciones humanas. No impongas a nadie las manos sin la debida consideración, no te hagas partícipe de los pecados ajenos. Consérvate puro a ti mismo.

Los pecados de algunos hombres son conocidos aun antes del juicio; los de otros sólo con ocasión de él. Lo mismo ocurre con las

---

1. Magnífica declaración de San Pablo sobre la voluntad salvífica de Dios de que todos los hombres lleguen al conocimiento de la Verdad. Éfeso era una ciudad cosmopolita.
2. Recomendación especial de la piedad.
3. Timoteo era joven y había de ganarse el prestigio con una vida ejemplar.

obras buenas; unas son manifiestas, y las que no lo son no podrán permanecer ocultas.

Avaricia y frugalidad. En verdad nada hemos traído a este mundo, ni cosa alguna podremos llevarnos de él. Teniendo con qué alimentarnos y vestirnos sintámonos con ello contentos. Pues los que quieren enriquecerse caen en la tentación, en lazos y en muchas codicias insensatas y funestas que hunden a los hombres en la ruina y la perdición, porque la avaricia es la raíz de todos los males, llevados de la cual algunos se apartaron de la fe y se infligieron a sí mismos muchos dolores.

Amonestación final. ¡Oh Timoteo! Guarda el depósito de la fe que te ha sido confiado, evitando las palabras vanas y vacías y las contradiciones de una falsa ciencia. Jactándose de ella algunos perdieron la fe. La gracia sea con vosotros.

2ª CARTA A TIMOTEO

Fortaleza en la predicación del Evangelio. Por esta causa te amonesto que reavives la gracia de Dios, que te fue conferida por la imposición de las manos. Pues no nos ha dado el Señor espíritu de temor, sino de fortaleza, de caridad y de prudencia[1]. Así, pues, no te avergüences del testimonio de nuestro Señor, ni de mí, su prisionero, sino soporta conmigo los trabajos por el Evangelio con la ayuda del poder de Dios, que nos salvó y nos llamó con vocación santa no en virtud de nuestras obras, sino según su beneplácito y la gracia que nos fue dada en Cristo Jesús desde la eternidad, y manifestada ahora por la aparición de nuestro Señor, Cristo Jesús, que destruyó la muerte e hizo brillar la vida y la inmortalidad por el Evangelio, del cual yo he sido constituido heraldo, apóstol y doctor. Por esa causa sufro estas cosas, pero no me avergüenzo, pues sé en quien he puesto mi confianza y estoy persuadido de que es poderoso para guardar mi depósito para aquel día.

Luchar como buen soldado de Cristo. Tú, pues, hijo mío, fortalécete con la gracia de Cristo Jesús, y las cosas que oíste de mí ante muchos testigos confíalas a hombres fieles que sean capaces de ense-

---

1. Le exhorta a que no quede en balde en él la gracia de la vocación que ha recibido y la comunique a los demás.

ñar a otros. Soporta conmigo las fatigas como buen soldado de Cristo. Quien se alista en la milicia no se entrega a los negocios de la vida, a fin de complacer a quien lo alistó. Y el atleta no es coronado si no combate conforme a las leyes. El labrador que se fatiga es quien primero debe percibir los frutos. Medita lo que te digo, pues el Señor te dará la inteligencia de todo.

Sufrir con Cristo para reinar con Cristo[1]. Acuérdate de Jesucristo, resucitado de entre los muertos, del linaje de David, según mi Evangelio. Por Él sufro hasta cadenas, como si fuera un malhechor, pero la palabra de Dios no está encadenada. Lo soporto todo por los elegidos, a fin de que ellos alcancen la salvación que tenemos en Cristo Jesús con la gloria eterna. Digna de toda fe es esta palabra: si morimos con Él, también con Él viviremos; si sufrimos con Él, también con Él reinaremos; si le negamos, Él nos negará a nosotros. Si nosotros no le fuéremos fieles.

Practicar las virtudes, especialmente la mansedumbre. Huye de las pasiones propias de la juventud y sigue la justicia, la fe, la caridad, la paz con quienes invocan al Señor con corazón puro.

Vendrán tiempos difíciles. Sabe esto, que en los últimos días vendrán momentos difíciles. Pues los hombres serán egoístas, amigos del dinero, altivos, orgullosos, blasfemos, rebeldes a los padres, ingratos, impíos. Apártate de ellos.

Perseverancia firme a ejemplo del Apóstol. Tú, en cambio, permanece fiel en lo que has aprendido y de lo que estás convencido, sabiendo por quiénes has sido instruido; pues desde la infancia conoces las Sagradas Letras, las cuales pueden darte la sabiduría que conduce a la salvación por la fe en Jesucristo. Pues toda la Escritura divinamente inspirada es putil para enseñar, para argüir, para corregir, para formar en la justicia, a fin de que el hombre de Dios sea perfecto, preparado para toda obra buena.

Fidelidad invicta al ministerio. Yo te conjuro ante Dios y Jesucristo, que ha de juzgar a los vivos y a los muertos, por su venida y por su reino: predica la palabra, insiste oportuna e inoportunamente, arguye, reprende, exhorta con toda paciencia y preparación doctrinal. Pues vendrá tiempo en que hombres no soportarán la sana doctrina, sino que, llevados de sus pasiones y afán de oír novedades, reunirán en torno a sí multitud de maestros, y apartarán los oídos de la verdad volviéndose a

1. La unión con Cristo por la Fe y el Amor hace que nosotros corramos y alcancemos la misma suerte que Cristo, su Pasión, Muerte, Resurrección y Glorificación.

las fábulas[1]. Pero tú muéstrate vigilante en todo, soporta los trabajos, haz labor de evangelista, cumple con perfección tu ministerio.

Pablo, apóstol ideal[2]**.** Yo ya voy a ser derramado en libación, y está muy próximo el momento de mi partida. He combatido el buen combate, he concluido mi carrera, he conservado la fe. Y ahora me está preparada la corona de la justicia con la que me recompensará en aquel día el Señor, justo Juez, y no sólo a mí, sino también a cuantos esperaron con amor su venida.

En mi primera defensa nadie me asistió, sino que todos me abandonaron. ¡Que no les sea tenido en cuenta! Pero el Señor me asistió y me fortaleció para que por medio de mí fuese cumplida la predicación y la oyesen todas las naciones, y fui librado de la boca del león. El Señor me librará de toda obra mala y me salvará para su reino celestial[3]. A Él la gloria por los siglos de los siglos. Amén.

El Señor, Jesús, sea con tu espíritu. La gracia sea con vosotros.

CARTA A TITO[4]

Saludo introductorio. Pablo, siervo de Dios y apóstol de Jesucristo para llevar a los elegidos de Dios la fe y el conocimiento de la verdad que conduce a la piedad, con la esperanza puesta en la vida eterna, a Tito, mi verdadero hijo en nuestra fe común: gracia y paz de parte de Dios Padre y de Cristo Jesús, nuestro Salvador.

Los obispos presbíteros. Te dejé en Creta con el fin de que pusieses en toda regla lo que faltaba que ordenar y constituyeses presbíteros por las ciudades conforme a las instrucciones que te he dado: que el candidato sea irreprochable, casado una sola vez, que tenga hijos creyentes, que no se les pueda inculpar de libertinaje o indisciplina. Es preciso que el obispo sea irreprochable, como administrador que es de la casa de Dios[5].

---

1. Es una profecía repetida por San Pablo, de plena actualidad en la multitud de sectas derivadas del "Libre Examen" o libre albedrío protestante.
2. Grito de victoria del anciano Pablo.
3. En el ocaso de su vida y en cadenas ve cumplida su misión y tiene ya a su alcance el premio eterno.
4. Tito, convertido a la Fe por Pablo, prestóle buenos servicios y Pablo le consagró obispo de Creta.
5. San Pablo aconseja el celibato. Al principio se admitieron casados al sacerdocio, por necesidad; después, sólo viudos ejemplares, como hoy.

Conducta con los falsos doctores. Pues hay muchos insubordinados, charlatanes y embaucadores, sobre todo entre los de la circuncisión, a los que es preciso tapar la boca. Revuelven familias enteras enseñando lo que no deben llevados por la codicia de torpes ganancias. Todo es limpio para los limpios, pero para los contaminados y los que no tienen fe nada es puro, porque tienen contaminada su mente y su conciencia. Hacen profesión de conocer a Dios, pero le niegan con las obras, siendo abominables y rebeldes, incapaces de toda obra buena[1].

Regenerados por Cristo. Pues nosotros fuimos también necios algún tiempo, desobedientes, descarriados, dominados por concupiscencias y placeres de toda clase, viviendo en la maldad y en la envidia, aborrecibles, odiándonos mutuamente. Pero cuando se manifestó la benignidad y el amor para con los hombres de Dios, nuestro Salvador, nos salvó, no por las obras justas que nosotros hubiéremos practicado, sino por su misericordia, mediante el lavatorio de regeneración y renovación del Espíritu Santo, que derramó abundantemente sobre nosotros por Jesucristo, nuestro Salvador, a fin de que, justificados por su gracia, vengamos a ser partícipes, conforme a la esperanza, de la vida eterna.

Obras buenas y doctrina sana frente al error. Digna de fe es esta palabra y quiero que inculques constantemente estas cosas para que los que han creído en Dios sobresalgan en buenas obras. Éstas son buenas y útiles para los hombres. Del hombre hereje, después de una y otra amonestación, sepárate sabiendo que está pervertido y peca, condenándose a sí mismo.

Te saludan todos los que están conmigo. Saluda a los que nos aman en la fe. La gracia sea con todos vosotros.

CARTA A FILEMÓN[2]

Saludo y destinatarios. Pablo, prisionero de Cristo Jesús, y Timoteo, el hermano, a Filemón, amado y colaborador nuestro, a Apia, la hermana; a Arquipo, nuestro compeñaro de fatigas, y a la iglesia que

1. Los judaizantes eran también los enemigos declarados de los cristianos. Recibirán su paga, lo mismo que los pseudoprofetas.
2. Es un patricio, rico ciudadano de Colosas, convertido por Pablo.

se reúne en su casa. A vosotros la gracia y la paz de parte de Dios Padre y del Señor Jesucristo.

Acción de gracias y elogio de Filemón. Doy gracias a mi Dios, haciendo siempre memoria de ti en mis oraciones, porque oigo caridad y la fe que tú tienes para con el Señor Jesús y para con todos los santos, a fin de que tu participación en la fe venga a ser eficaz por el conocimiento de todo bien que hay en vosotros para gloria de Cristo. He recibido gran alegría y consuelo por tu caridad, porque los corazones de los santos han sido confortados por ti, hermano.

Petición en favor de Onésimo[1]. Por lo cual, aunque tengo plena libertad en Cristo para mandarte lo que es tu deber, te lo ruego más bien en nombre de la caridad, siendo el que soy, Pablo, anciano, y ahora además prisionero de Cristo Jesús; te ruego por mi hijo, a quien engendré a la fe en mi prisión, Onésimo, inútil un tiempo para ti, pero ahora bien útil para ti y para mí. Te envío a él, es decir, mis propias entrañas. Yo querría retenerlo a mi lado para que me ayudase en tu lugar en mi prisión por el Evangelio, pero nada he querido hacer sin tu consentimiento, a fin de que me hagas esta buena obra no forzadamente, sino de buen grado[2].

Tal vez por esto se separó de ti, para que lo tuvieras para siempre, no ya como esclavo, sino como un hermano amado, que lo es muchísimo para mí ¡cuánto más para ti según la carne y en el Señor! Si me tienes por compañero, recíbele a él como me recibirías a mí. Si en algo te ofendió, o algo te debe, ponlo a mi cuenta; yo, Pablo, lo firmo con mi puño y letra, yo pagaré; si bien podría decirte que tú mismo te me debes. Sí, hermano, que yo obtenga esto de ti en el Señor; proporciona este consuelo a mi corazón en Cristo. Te he escrito confiado en tu docilidad, sabiendo que tú harás más de lo que te digo[3].

Encargo y saludos. A la vez ve preparándome el hospedaje, pues espero por vuestras oraciones seros restituido. Te saluda Epafras, mi compañero de cautiverio en Cristo Jesús; Marcos, Aristarco, Demas, Lucas, mis colaboradores. La gracia del Señor Jesucristo sea con vuestro espíritu. Amén.

---

1. Onésimo era un esclavo escapado de su amo que se convirtió a la Fe en Roma. Se lo envía y le pide su libertad.
2. Es admirable la delicadeza con que intercede por un esclavo hermano ya en la Fe.
3. La Iglesia hizo desaparecer esta plaga tan arraigada de la humanidad no con violencia sino con amor.

CARTA A LOS HEBREOS[1]

PRÓLOGO

Dios, después de haber hablado muchas veces y en diversas formas a los Padres por medio de los profetas, en estos días, que son los últimos, nos ha hablado por el Hijo, a quien ha constituido heredero de todas las cosas, por quien hizo también el universo.

EXCELENCIAS DEL NUEVO TESTAMENTO

I. Cristo, Hijo natural de Dios, superior a los ángeles[2]

Prueba de Escritura. En efecto, ¿a cuál de los ángeles dijo Dios alguna vez: "Tú eres mi Hijo, yo te he engendrado hoy"? Y además: "Yo seré su Padre y Él será mi Hijo." Y de nuevo, cuando introdujo al Primogénito en el mundo, dijo: "Que le adoren todos los ángeles de Dios." "Tu trono, oh Dios, subsiste eternamente", y "el cetro de tu reino es cetro de equidad". "Has amado la justicia y odiado la iniquidad; por eso Dios, tu Dios, te ha ungido con el óleo de la alegría con preferencia a tus compañeros." Más todavía: "Eres tú, Señor, quien, en el principio, pusiste los fundamentos de la tierra y los cielos son obra de tus manos. Éstos perecerán, pero tú permaneces." Y ¿a cuál de los ángeles dijo nunca: "Siéntate a mi derecha hasta que ponga a tus enemigos como escabel de tus pies[3]"? ¿No son todos ellos espíritus encargados de un ministerio, enviados al servicio de aquéllos que deben heredar de un salud?

Exhortación. Por eso debemos adherirnos con más diligencia a las enseñanzas recibidas, no sea que marchemos a la deriva. Porque si la palabra promulgada por los ángeles estaba garantizada hasta el punto que toda transgresión y desobediencia recibió su justo castigo, ¿cómo podríamos escapar nosotros si descuidamos tan gran salud?

La redención realizada por Cristo. Convenía, en efecto, que aquel por quien y para quien todo fue hecho, queriendo llevar a la

---

1. San Pablo dirigió esta carta a los judíos conversos, desde Roma.
2. Los judíos no acababan de asimilar la Nueva Doctrina y las realidades cristianas y añoraban el esplendor litúrgico del culto del Templo de Jerusalén, distinto de la Nueva Alianza.
3. Jesús, el Hijo de Dios, está sentado a la derecha del Padre. San Pablo argumenta con textos de la Biblia por tratarse de judíos.

gloria un gran número de hijos, hiciese perfecto, mediante los sufrimientos, al jefe que debía guiarlos a su salud. Porque el santificador y los santificados tienen todos el mismo origen. Por lo cual no se avergüenza de llamarlos hermanos[1], diciendo: "Anunciaré tu nombre a mis hermanos; en medio de la asamblea te cantaré himnos." Y además: "Pondré en él mi confianza." Más todavía: "Henos aquí a mí y a los hijos que Dios me ha dado."

La incredulidad israelita y nuestra fe. Por eso, como dice el Espíritu Santo: "Hoy, si oís su voz, no endurezcáis vuestros corazones, como ocurrió en la rebelión, el día de la tentación en el desierto, cuando vuestros padres me tentaron poniéndome a prueba y experimentaron mis obras por espacio de cuarenta años[2]. Por eso me irrité contra aquella generación y dije: 'Su corazón siempre anda extraviado; nunca conocen mis caminos'. Y juré en mi indignación: No entrarán en mi reposo." Tened cuidado, hermanos, que no haya entre vosotros un corazón tan malo e incrédulo que se aparte del Dios viviente. Más bien, animaos mutuamente cada día mientras dura este "hoy", de modo que ninguno de vosotros se endurezca por la seducción del pecado. Porque hemos llegado a ser partícipes de Cristo, si seguimos manteniendo inquebrantable hasta el fin nuestra fe inicial.

Y como, por una parte, es cierto que algunos deben entrar en él, y, por otra, los primeros que recibieron la buena nueva no entraron a causa de su desobediencia, de nuevo Dios fija un día, un "hoy", diciendo por David, después de tanto tiempo, lo que ya ha sido dicho: "Hoy, si oís su voz, no endurezcáis vuestros corazones…" Pues si Josué les hubiese procurado el reposo, (David) no hubiese hablado, después de esto, de otro día.

Existe, pues, un reposo reservado para el pueblo de Dios. Pues aquel que entre en el reposo de Dios descansará, también él, de sus obras, como Dios de las suyas. Esforcémonos, pues, por entrar en este reposo para que nadie sucumba, imitando este ejemplo de desobediencia[3].

La palabra de Dios es Cristo sacerdote. Pues la palabra de Dios es viva y eficaz y más aguda que espada de dos filos: ella penetra hasta la división del alma y del espíritu, de las articulaciones y de la

---

1. Jesús se ha hecho hermano nuestro para salvarnos.
2. El tiempo en que peregrinaron por el desierto.
3. El lugar de reposo para los hebreos peregrinantes por el desierto era la Tierra Prometida. Para nosotros los cristianos es la patria del Cielo.

médula, y es capaz de distinguir los sentimientos y pensamientos del corazón. Y no hay criatura alguna que esté oculta ante ella, sino que todo está desnudo y descubierto a los ojos de Aquél a quien debemos dar cuenta[1].

Jesucristo, verdadero pontífice. Porque todo pontífice, tomado de entre los hombres, es constituido para intervenir a favor de los hombres en sus relaciones con Dios, para que ofrezca dones y sacrificios por los pecados. Capaz de mostrarse comprensivo con los ignorantes y extraviados, ya que también él está rodeado de debilidad, y por su causa debe ofrecer sacrificios por sus pecados, así como lo hace por los del pueblo. Y nadie puede arrogarse este honor si no es llamado por Dios, como Aarón. Así también Cristo no se atribuyó la gloria de constituirse sumo sacerdote, sino que la recibió de aquel que le dijo: "Tú eres mi Hijo, yo te he engendrado hoy"; como dice también en otro lugar: "Tú eres sacerdote para siempre, según el orden de Melquisedec." Él, que en los días de su vida mortal, habiendo presentado con violento clamor y lágrimas oraciones y súplicas al que podía salvarle de la muerte y habiendo sido escuchado por su piedad, aunque era Hijo, aprendió, por lo que padeció, la obediencia; y hecho perfecto se convirtió para todos aquellos que le obedecen en principio de salud eterna[2].

Superioridad del culto, del santuario y de la mediación de Cristo sacerdote[3]. El punto capital de lo que estamos diciendo es que tenemos un sumo sacerdote tal, que está sentado a la derecha del trono de la Majestad en los cielos, como ministro del santuario y del verdadero tabernáculo erigido por el Señor, no por un hombre.

Pero ahora Cristo ha obtenido un ministerio tanto más excelente cuanto mejor es la alianza, de la cual es mediador[4], y más ventajosas las promesas sobre las que está fundada. Porque si la primera alianza hubiese sido perfecta, no hubiese habido lugar para buscar una segunda. Sin embargo, les dice en tono de recriminación:

"Mirad que vienen días, dice el Señor, y yo concluiré con la casa de
    Israel y con la casa de Judá una alianza nueva.

---

1. Ante Dios todas las conciencias son patentes y diáfanas.
2. El supremo Sacerdocio lo ha recibido directamente de su Padre Celestial, pero entresacado de los hombres a quienes representa. Se compadece porque antes ha padecido Él.
3. Jesucristo está a la derecha del Padre en el Cielo para interceder por nosotros.
4. Jesús es el más perfecto Mediador, porque es Dios y hombre verdadero que nos representa a todos los hombres.

Ésta es la alianza que yo haré con la casa de Israel, después de
aquellos días, dice el Señor; pondré mis leyes en su mente,
las grabaré en su corazón, y yo seré su Dios y ellos serán mi
pueblo.
Porque yo perdonaré sus iniquidades y no volveré a acordarme de
sus pecados[1]."

Al hablar de "alianza nueva", Dios ha declarado anticuada la primera. Ahora bien, lo que es viejo y anticuado está a punto de desaparecer.

Necesidad de la muerte de Cristo. Por eso es el mediador de una
nueva alianza, a fin de que, interviniendo su muerte para redimir las
transgresiones cometidas en la primera alianza, aquéllos que son llamados reciban la herencia eterna prometida. Porque donde hay testamento es necesario que sea constatada la muerte del testador. Un
testamento no es válido sino en caso de muerte; porque no entra en
vigor mientras vive el testador. Por eso ni siquiera la primera alianza
fue inaugurada sin efusión de sangre. Porque Cristo no entró en un
santuario hecho por mano de hombre, simple figura del verdadero,
sino en el mismo cielo, para presentarse ahora ante la faz de Dios en
favor nuestro. No para ofrecerse a sí mismo más veces, como lo hace
el sumo sacerdote que entra cada año en el santuario con sangre ajena,
porque, de otro modo, hubiese tenido que padecer muchas veces desde
la creación del mundo; pero ahora se ha manifestado una sola vez, al
fin de los tiempos, para abolir el pecado por su sacrificio. Y del mismo
modo que está establecido para los hombres que mueran una sola vez,
y después hay un juicio, así también Cristo, después de haberse ofrecido una sola vez "para quitar los pecados del mundo", aparecerá una
segunda vez, sin pecado, para dar la salud a los que la esperan.

Cristo, ofrecido como víctima voluntaria[2]. Por eso, al entrar en
este mundo, Cristo dijo:

"No has querido ni sacrificio ni oblación; en cambio me has
formado un cuerpo.
No te has complacido ni en los holocaustos ni en los sacrificios por
el pecado;

---

1. Mediador de la Nueva y definitiva Alianza con su nuevo Pueblo, la Iglesia.
2. Jesucristo es Sacerdote, Víctima y Altar, del único Sacrificio, el de la Cruz, que se repite
   en todos nuestros altares.

entonces dije: Heme aquí; vengo, como está escrito de mí en el
volumen del Libro, para hacer, oh Dios, tu voluntad."

Diciendo primero: "No te has complacido en los sacrificios, obla-
ciones, holocaustos, ni en los sacrificios por el pecado", que se ofrecen
según la Ley, y añadir después: "Heme aquí; vengo para hacer tu
voluntad", Él abroga el primer régimen para fundar el segundo. Y en
virtud de esta voluntad somos nosotros santificados, de una vez para
siempre, por la oblación del cuerpo de Jesucristo[1].

Eficacia del sacrificio de Cristo. Tal es la alianza que haré con
ellos después de estos días, dice el Señor:

Pondré mis leyes en sus corazones y las grabaré en su mente.
No volveré a recordar ni sus pecados ni sus iniquidades."

NECESIDAD DE LA FE Y DE LAS OBRAS

Exhortación a la perseverancia. Mantegamos firmemente la esperanza que profesamos, pues el que ha prometido es fiel, y miremos
los unos por los otros para estimularnos en la caridad y en las obras
buenas.

Peligro de la apostasía. Pues el que viola la Ley de Moisés "es
condenado irremisiblemente a muerte por el testimonio de dos o tres
testigos", ¿de cuánto mayor castigo pensáis vosotros que será digno,
quien haya pisoteado al Hijo de Dios y haya tratado como cosa profa-
na la sangre de la alianza, por la cual fue santificado, y haya ultrajado
el Espíritu de la gracia? Porque conocemos a aquel que ha dicho: "A
mí la venganza; yo retribuiré." Y también: "El Señor juzgará a su
pueblo." ¡Es espantoso caer en las manos del Dios viviente[2]!

Recordad, en cambio, aquellos primeros días en que, después de
haber sido iluminados, sostuvisteis grandes luchas de sufrimientos[3]; ya
expuestos públicamente a oprobios y tribulaciones, ya haciéndoos so-
lidarios de aquellos que eran así tratados. Porque, en efecto, vosotros
habéis tomado parte en las penas de los prisioneros; habéis aceptado
con alegría el despojo de vuestros bienes, siendo conscientes de que

---

1. La Nueva Alianza ha anulado la antigua; el Culto y la Ley Mosaica han caducado con la
   Nueva Ley del Evangelio.
2. Si el que quebrantaba la antigua Ley era castigado, ¡cuánto más lo merecerá el que
   desobedezca la Nueva Ley!
3. Las persecuciones.

estáis en posesión de una riqueza mejor y permanente. No perdáis, pues, vuestra esperanza cierta, que tiene una gran recompensa. Tenéis, pues, necesidad de perseverancia, para que, cumpliendo la voluntad de Dios, obtengáis lo que os está prometido. "Porque todavía un poco, muy poco tiempo, y aquel que viene llegará y no tardará[1]. Pero mi justo vivirá por la fe[2], pero, si se retira cobardemente, mi alma no se complacerá en él." Nosotros, sin embargo, no somos de aquellos que se retiran cobardemente, para la perdición, sino hombres de fe para la salvación del alma.

El ejemplo de Cristo, aliento en la lucha. Precisamente por eso, también nosotros, envueltos como estamos en una gran nube de testigos, debemos liberarnos de todo aquello que es un peso para nosotros, y del pecado que fácilmente nos seduce, y correr con perseverancia en la prueba que se nos propone, fijando nuestra mirada en Jesús, el autor y consumador de la fe, quien, para obtener la gloria que se le proponía, soportó la cruz, aceptando valientemente la ignomicia, y "está sentado a la diestra del trono de Dios". Pensad, pues, continuamente en Aquél que soportó tan grande contradicción de parte de los pecadores, para que no desfallezcáis perdiendo el ánimo. Todavía no habéis resistido hasta el derramamiento de sangre en la lucha contra el pecado.

Las dos alianzas. Vosotros, en cambio, os habéis acercado a la montaña de Sión, a la ciudad del Dios viviente, la Jerusalén celeste, a miriadas de ángeles, a la asamblea festiva, a la congregación de los primogénitos que están escritos en los cielos, y a Dios, juez universal, y a los espíritus de los justos que han sido hechos perfectos, a Jesús, mediador de una alianza nueva y a la sangre de la aspersión, que habla más elocuentemente que la de Abel.

Fidelidad en el seguimiento de Cristo. Acordaos de vuestros jefes, aquellos que os anunciaron la palabra de Dios y, considerando el fin de su vida, imitad su fe. Jesucristo es el mismo ayer y hoy, y lo será por siempre. No os dejéis seducir[3] por doctrinas distintas y extrañas; porque es mejor afianzar el corazón con la gracia que con alimentos que no son de provecho alguno para quienes se aferran a ellos. Por eso, también Jesucristo, para santificar al pueblo por su propia sangre,

---

1. La segunda Venida de Jesucristo.
2. El cristiano vive de la Fe, que tiene su sólido fundamento en la Palabra de Cristo que, como Dios, no puede ni quiere engañarnos. Es Palabra de Dios.
3. A los neoconversos pone en guardia contra las intrigas y engaños de las sectas, sembradoras de cizaña, y les ruega que se unan en el mutuo amor por Cristo Jesús.

sufrió fuera de la puerta. Salgamos, pues, a su encuentro, fuera del campamento, llevando su oprobio. Porque no tenemos aquí abajo ciudad permanente, sino que buscamos la futura. Por Él, ofrezcamos a Dios sin cesar "un sacrificio de alabanza", es decir, "el fruto de los labios" que confiesan su nombre. No os olvidéis de la beneficiencia y de la mutua ayuda, porque Dios se complace en tales sacrificios.

Obedeced a vuestros jefes y estadles sumisos; porque ellos velan por vuestras almas de las cuales deberán dar cuenta, para que lo hagan con alegría y no gimiendo por ello. Porque esto no os sería ventajoso.

EPÍLOGO

El Dios de la paz[1] que, por la sangre de la alianza eterna, suscitó de entre los muertos al gran Pastor de las ovejas, Nuestro Señor Jesús, os haga aptos para cumplir su voluntad en toda clase de obras buenas, obrando en vosotros lo que le es agradable por Jesucristo, a quien sea la gloria por los siglos de los siglos. Amén.

CARTAS CATÓLICAS[2]

CARTA DE SANTIAGO[3]

Dirección y saludos. Santiago, Siervo de Dios y del Señor Jesucristo, a las doce tribus de la Dispersión, salud.

Consejos para el tiempo de pruebas. Tened, hermanos míos, como suprema alegría las diversas pruebas a que podéis ser sometidos, sabiendo que la fe probada produce la constancia, pero que la constancia vaya acompañada de obras perfectas, para que seáis perfectos, irreprochables, sin dejar nada que desear. Bienaventurado el hombre,

---

1. Ayudar y servir a los hermanos es amar al Padre.
2. Así llamadas a partir de Orígenes y santos Padres, por ser más universales, pues las de San Pablo iban dirigidas a iglesias particulares.
3. Santiago el Menor, primo de Jesús, fue obispo de Jerusalén y murió mártir en la misma ciudad.

que soporta la prueba; porque si la ha superado, recibirá la corona de la vida, que Dios ha prometido a los que le aman.

La tentación y la gracia. Nadie diga en la tentación que es tentado por Dios. Porque Dios ni puede ser tentado al mal, ni tienta a nadie. Sino que cada uno es tentado por su concupiscencia, que le atrae y seduce. Después la concupiscencia, una vez consentida, engendra el pecado y el pecado, una vez cometido, produce la muerte. No os engañéis, pues, mis queridos hermanos. Todo don excelente y toda donación perfecta viene de lo alto, del Padre de las luces, en el que no hay cambio, ni sombra de variación.

No hay fe verdadera sin obras[1]. Hermanos, ¿de qué le sirve a uno decir que tiene fe, si no tiene obras? Si un hermano o una hermana están desnudos, y les falta el alimento cotidiano, y uno de vosotros les dice: "Id en paz, calentaos, y alimentaos", sin darles lo necesario para los cuerpos, ¿de qué le sirve esto? Lo mismo es la fe: Si no tiene obras está muerta en sí misma.

Paciencia en la espera del Señor. Tened, por tanto, paciencia, hermanos, hasta la venida del Señor. Ved cómo el labrador espera el precioso fruto de la tierra, aguardando pacientemente hasta que caigan las lluvias tempranas y las tardías. Aguardad también vosotros pacientemente, fortaleced vuestros ánimos, porque la venida del Señor está próxima[2].

La Santa Unción. ¿Está afligido alguno de vosotros? Ore. ¿Está alegre? Entone Himnos. ¿Enferma alguno de vosotros? Haga llamar a los presbíteros de la Iglesia y oren por él, ungiéndole con óleo en nombre del Señor. La oración de la fe salvará al enfermo, y el Señor le restablecerá, y le serán perdonados los pecados, que hubiese cometido[3].

La conversión de los pecadores. Hermanos míos, si alguno de vosotros se desvía de la verdad y otro le convierte, sepa que el que convierte a un pecador de su extraviado camino libra su alma de la muerte y cubrirá la muchedumbre de sus pecados.

---

1. La fe sin obras es muerta. La fe viva se demuestra con las obras; si no se practica muere, como cualquier oficio o carrera.
2. Entonces confirmará, en el Juicio Universal, los destinos y sentencias recibidos en el día de nuestro tránsito o muerte.
3. El Sacramento de la Santa Unción para los enfermos.

1ª CARTA DE SAN PEDRO

ENCABEZAMIENTO

Pedro, apóstol de Jesucristo, a los peregrinos en tierra extranjera, en el Ponto, en Galacia, Capadocia, Asia y Nitinia, elegidos según la presciencia de Dios Padre para ser santificados por el Espíritu, para obedecer a Jesucristo y ser rociados con su sangre: ¡La gracia y la paz abunde en vosotros[1]!

Himno de alabanza. Bendito sea Dios, Padre de nuestro Señor Jesucristo, que llevado de su gran misericordia nos ha hecho nacer de nuevo mediante la resurrección de Jesucristo de entre los muertos a una esperanza viviente, a una herencia incorruptible, incontaminada e inmarcesible, la cual os está reservada en el cielo a vosotros los que mediante la fe os veis custodiados por el poder de Dios en vistas a la salvación que está pronta a manifestarse en los últimos tiempos. De lo cual os alegráis ya aunque de momento os veáis obligados a sufrir diversas pruebas para que la pureza de vuestra fe, mucho más preciosa que el oro, que aunque acrisolado por el fuego se corrompe, aparezca digna de alabanza, de gloria y de honor cuando tenga lugar la manifestación de Jesucristo; al cual amáis sin haber visto, en el cual ahora sin verlo creéis y os alegráis con gozo inefable y glorioso seguros de recibir el objeto de vuestra fe, la salvación de las almas.

EXHORTACIONES GENERALES

Exhortación a una vida cristiana santa. Por lo cual, ceñidos los lomos de vuestro espíritu, permaneced impeturbables y poned toda vuestra esperanza en la gracia que os será otorgada el día de la manifestación de Jesucristo[2].

Exhortación al amor fraternal. Depuesta, pues, toda maldad, todo engaño y toda clase de hipocresía, envidia o maledicencia, como niños recién nacidos anhelad la leche espiritual no adulterada[3] para que alimentados con ella crezcáis en orden a la salvación, si es que

---

1. Es una carta circular para todos los de la dispersión, desde Roma la "Babilonia", para confirmarlos en la Fe. A su lado tiene a Juan Marcos el Evangelista amanuense y a Lucas.
2. San Pedro inicia sus exhortaciones para los neófitos y catecúmenos.
3. La leche espiritual es la doctrina del Evangelio.

gustáis cuán bueno es el Señor. Llegándoos a Él, piedra viviente, desechada de los hombres pero escogida y apreciada[1] por Dios, disponeos de vuestra parte como piedras vivientes a ser edificados en casa espiritual y sacerdocio santo para ofrecer víctimas espirituales aceptas a Dios por mediación de Jesucristo, pues se dice en la Escritura: "He aquí que pongo en Sión una piedra angular, escogida, preciosa; el que creyere en ella no se verá confundido." A vosotros, pues, los creyentes corresponde el honor. Para los incrédulos, en cambio, la piedra desechada por los constructores ha venido a ser cabeza angular, ocasión de tropiezo y causa de escándalo." Tropiezan precisamente porque rehusan creer en el Evangelio para el que habían sido destinados. Vosotros, por el contrario, sois "linaje escogido, sacerdocio real, nación santa, pueblo peculiar" para anunciar las grandezas del que os ha llamado de las tinieblas a su maravillosa luz: los que en un tiempo no erais pueblo de Dios, ahora habéis venido a ser pueblo suyo, habéis conseguido misericordia los que en otro tiempo estabais excluidos de ella.

EXHORTACIONES ESPECIALES

En medio de los paganos. Amadísimos, os exhorto como peregrinos y extranjeros que sois a que os abstengáis de los apetitos carnales que combaten contra el alma. Conducíos ejemplarmente en medio de los paganos de manera que viendo vuestras buenas obras glorifiquen a Dios[2] el día de la visitación en aquello mismo en que ahora os calumnian como a malhechores.

Sujetos a toda autoridad. Esta es la voluntad de Dios que reduzcamos al silencio la ignorancia de los insensatos con nuestra conducta ejemplar. Siendo libres en vuestra calidad de cristianos, usad de libertad, no como pretexto para encubrir la malicia, sino sabiendo que sois siervos de Dios[3]. Respetad a todos, amad a los hermanos, temed a Dios, honrad al rey.

Ejemplo de Cristo[4]. Más aún, ésta es vuestra vocación, pues también Cristo sufrió por vosotros y os dejó ejemplo para que sigáis sus pasos. Él, en quien no hubo pecado y en cuyos labios no se encontró engaño; Él, que, siendo ultrajado, no respondía con ultrajes; siendo

---

1. Todos nosotros somos las piedras vivas de las que se compone el edificio de la Iglesia.
2. Aconseja el desprendimiento de las cosas pasajeras, porque aquí estamos sólo de paso, camino de la Patria.
3. El abuso de la libertad se convierte en libertinaje.
4. La imitación de Cristo que es nuestro modelo.

maltratado, no amenazaba, sino que se abandonaba en manos del que juzga con justicia; Él, que expió en su propio cuerpo nuestros pecados sobre la cruz para que muertos para el pecado viviésemos para la justicia: "con sus heridas fuisteis curados." Pues erais como ovejas descarriadas, mas ahora os habéis vuelto al pastor y guardián de vuestras almas.

A las mujeres. Vosotras, mujeres, vivid sometidas asimismo a vuestros maridos para que si algunos de ellos se muestran reacios a la Palabra, sin palabras sean conducidos a la fe por vuestra conducta viendo vuestro respetuoso y casto comportamiento. Vuestro adorno no sea el externo, hecho de rizos y trenzados, de oro y de vestidos, sino el interior que radica en la integridad de un alma dulce y tranquila: he ahí lo que tiene valor ante Dios.

A los maridos. Igualmente, vosotros, varones, tratad con conciencia a vuestras esposas como a seres más débiles, honrándolas como a coherederas de la vida de la gracia, para que no encuentren estorbos vuestras oraciones.

EXHORTACIONES ESCATOLÓGICAS

Proximidad de la Parusía. Se acerca el fin de todas las cosas, sed sobrios y velad en la oración. Ante todo insistid en la caridad mutua, pues la caridad cubre muchedumbre de pecados. Sed hospitalarios unos con otros sin murmurar. Ponga cada cual al servicio de los demás los dones recibidos como corresponde a buenos administradores de los distintos carismas de Dios: si uno tiene el don de la palabra, que use de él como conviene a los oráculos de Dios; si alguno tiene un ministerio, que lo ejerza como mandatario de Dios, de manera que en todo Dios sea glorificado por Jesucristo, al cual se debe la gloria y el poder por los siglos de los siglos. Amén[1].

Ante las persecuciones. Dichosos vosotros si sois ultrajados en nombre de Cristo, pues el Espíritu de la gloria, que es el Espíritu de Dios, reposa sobre vosotros[2]. Ninguno de vosotros se vea obligado a sufrir por homicida, ladrón, malhechor o por mezclarse en asuntos ajenos, mas si padece por ser cristiano no se avergüence, antes bien glorifique a Dios porque lleva este nombre. Pues es llegado el tiempo de comenzar el juicio de Dios por la casa de Dios! Y si el juicio

---

1. El servicio a Dios ha de ser según el don que cada uno haya recibido.
2. Dios permite las persecuciones de la vida para probar nuestra virtud y podérnosla premiar.

empieza por nosotros, ¿cuál será el fin que aguarda a los que se han mostrado rebeldes al Evangelio de Dios? Pues si el justo se salva a duras penas, ¿dónde irán a parar el impío y el pecador? Así, pues, incluso los que padecen por voluntad divina encomienden al Creador fiel sus almas y continúen en la práctica del bien.

A los pastores y fieles. Y cuando aparezca el supremo pastor recibiréis la corona inmarcesible de la gloria. De igual manera, vosotros jóvenes, vivid sumisos a los ancianos: revestíos todos mutuamente de humildad porque Dios resiste a los soberbios y da su gracia a los humildes. Humillaos, pues, bajo la poderosa mano de Dios para que os ensalce a su tiempo. Descargad sobre Él todas vuestras preocupaciones, pues Él se cuida de vosotros. ¡Sed sobrios y estad en guardia! Vuestro enemigo, el diablo, como león rugiente da vueltas y busca a quién devorar[1]. Resistidle firmes en la fe, sabiendo que vuestros hermanos, esparcidos por el mundo, soportan los mismos padecimientos. El Dios de toda gracia, que os llamó en Cristo a su eterna gloria, Él mismo os perfeccionará después de un breve padecer, os confirmará, os fortalecerá y os consolidará. A Él la gloria y el poder por los siglos de los siglos. Amén.

Os saluda la iglesia de Babilonia[2], elegida por Dios lo mismo que vosotros, y Marcos mi hijo. Saludaos mutuamente en ósculo de caridad. La paz sea con todos vosotros, los que estáis en Cristo.

2ª CARTA DE SAN PEDRO[3]

ENCABEZAMIENTO

Simón Pedro, siervo y apóstol de Jesucristo, a los que han alcanzado una fe, no menos preciosa que la nuestra, mediante la justicia de nuestro Dios y Salvador Jesucristo. ¡La gracia y la paz abunde en vosotros mediante el conocimiento de Dios y Jesús nuestro Señor.

---

1. El llamamiento es para todos. A fin de llegar al pleno conocimiento de Dios y ganarse su favor y amistad.
2. Roma, capital del paganismo, de la idolatría. Había una pequeña comunidad.
3. San Pedro se dirige a los judíos en general, como Primado de los Apóstoles, para que crezcan en la Fe, e insiste contra los que se burlaban de la Parusía. Los nicolaítas, gnósticos, etc.

EXHORTACIONES Y SU MOTIVACIÓN

Dones divinos. Puesto que su divino poder nos ha otorgado lo necesario para la vida y la piedad mediante el conocimiento del que nos ha llamado para manifestación de su propia gloria y virtud, y por haber derramado con este fin sobre nosotros preciosas y ricas promesas en orden a hacernos participantes de la naturaleza divina una vez hayamos escapado de la corrupción que existe en el mundo por causa de la concupiscencia.

Consiguientemente, hermanos, esforzaos más y más por asegurar vuestra vocación y elección[1]; de esta manera no tropezaréis jamás. Y se os abrirán de par en par las puertas del Reino eterno de nuestro Señor y Salvador Jesucristo.

La futura venida de Cristo. Por más que ya las sepáis y estéis incluso afianzados en la presente verdad, nunca cesaré de recordaros estas cosas, pues considero un deber estimularos con mis exhortaciones mientras habito en esta tienda[2], que pronto abandonaré según revelación recibida de nuestro Señor Jesucristo. Porque no os dimos a conocer el poder y la venida de nuestro Señor Jesucristo basados en fábulas artificiosamente combinadas[3], sino como testigos oculares de su majestad. Él recibió de Dios Padre el honor y la gloria cuando desde la grandiosa gloria se le hizo llegar esta voz: "Este es mi Hijo querido en quien tengo todas mis complacencias[4]." Esta voz bajada del cielo la oímos nosotros cuando estábamos con Él en el monte santo, con lo cual nos confirmamos más aún en la palabra profética. Sabiendo ante todo que ninguna profecía de la Escritura es objeto de interpretación personal, ya que tampoco han sido proferidas por humana voluntad en los tiempos pasados sino que impulsados por el Espíritu Santo hablaron los hombres de parte de Dios[5].

LA SEGUNDA VENIDA DE CRISTO ES CIERTA

Amadísimos, ésta es la segunda carta que os escribo. En ambas cartas mi propósito es el mismo: excitar con mis exhortaciones vuestra

---

1. La vocación, como la Gracia, hay que cultivarla para que no muera.
2. Cuerpo mortal.
3. No son cuentos.
4. La Transfiguración.
5. La interpretación privada no se hace sin caer en muchos errores. Ése es el origen de las sectas. Por eso manda la Iglesia poner notas en la Biblia.

sana inteligencia. Recordad las palabras predichas por los santos profetas y el mandamiento del Señor y Salvador transmitido por vuestros apóstoles. Amadísimos, no se oculte, sin embargo, una cosa: un día es ante Dios como mil años y "mil años como un día". No retarda el Señor el cumplimiento de la promesa como creen algunos que le acusan de tardanza, sino que usa de paciencia con vosotros, pues no quiere que nadie perezca, sino que todos alcancen el arrepentimiento. El día del Señor vendrá como ladrón[1]: los cielos se desintegrarán entonces con gran estrépito, los elementos incendiados se disolverán y la tierra con todo cuanto hay en ella tampoco escapará.

Si todo ha de desaparecer de esta manera, ¿cuáles no debéis ser vosotros en las santas costumbres y obras de piedad, mientras esperáis y aceleráis la venida del día de Dios cuando los cielos incendiados se desintegrarán y los elementos abrasados se disolverán? Mas según su promesa nosotros esperamos nuevos cielos y nueva tierra en los cuales habita la justicia.

EXHORTACIÓN FINAL

Por lo cual, amadísimos, en espera de todas estas cosas, esforzaos por encontraros sin mancha, sin culpa y en paz en presencia del Señor. Tened por medicinal y salvadora la paciencia de nuestro Señor, como ya os lo escribió nuestro amadísimo hermano Pablo, según la sabiduría a él otorgada. De hecho así se expresa en todas las cartas cuando trata de este tema. Es cierto que en éstas se encuentran algunos puntos difíciles que los indoctos y poco asentados tergiversan para su propia perdición, lo mismo que hacen con el resto de la Sagrada Escritura[2]. Vosotros, sin embargo, amadísimos, avisados de antemano, estad en guardia, no sea que arrastrados por el error de los licenciosos decaigáis de vuestra firmeza. Creed más bien en la gracia y conocimiento de nuestro Señor y Salvador Jesucristo. ¡A Él la gloria ahora y hasta el día de la eternidad!

---

1. Vendrá pronto, y de improviso, cuando menos lo pensemos. Para cada uno de nosotros la venida del Señor es la hora de nuestra muerte.
2. La Biblia es difícil, necesitamos el magisterio de la Iglesia para su correcta interpretación.

1ª CARTA DE SAN JUAN

Exordio. Lo que era desde el principio, lo que hemos oído, lo que hemos visto con nuestro propios ojos, lo que hemos contemplado, lo que han tocado nuestras manos, acerca del Verbo de la vida, sí, la vida se ha manifestado, la hemos visto, damos testimonio de ella y os anunciamos la vida eterna, que estaba junto al Padre y se nos ha manifestado; os anunciamos lo que hemos visto y oído para que estéis en comunión con nosotros. Nuestra comunión es con el padre y con su Hijo Jesucristo. Os escribimos todo esto para que vuestro gozo sea completo[1].

La comunión divina y el pecado. He aquí el mensaje que le hemos oído a Él y os anunciamos a vosotros: Dios es luz y en Él no hay tinieblas. Si decimos que estamos en comunión con Él, y andamos en tinieblas, mentimos y no obramos la verdad. Pero si andamos en la luz, como Él está en la luz, estamos en comunión los unos con los otros, y la sangre de Jesús, su Hijo, nos purifica de todo pecado. Si dijéramos que no tenemos pecado, nos engañaríamos a nosotros mismos y no estaría con nosotros la verdad.

La comunión divina y los mandamientos. Sabemos que le conocemos en que guardamos sus mandamientos. El que afirma que le conoce, pero no guarda sus mandamientos, es un mentiroso y la verdad no está en él. Pero el que guarda su palabra, en él verdaderamente es perfecto el amor de Dios. He aquí por lo que sabemos que estamos en Él: el que afirma que permanece en Él, debe conducirse como Él se condujo.

El amor del mundo y el de Dios. No améis al mundo, si alguno ama al mundo, el amor del Padre no está en él. Porque todo lo que hay en el mundo, la concupiscencia de la carne, la concupiscencia de los ojos y el orgullo de las riquezas, no provienen del Padre, sino del mundo[2].

La verdad y los anticristos. Han surgido de entre nosotros, pero no eran de los nuestros. Porque si hubieran sido de los nuestros, hubieran permanecido con nosotros. Pero ha sucedido esto para que se manifestara

---

1. El apóstol San Juan escribió a las iglesias de Asia Menor desde Éfeso, hacia el año 98, para defenderlas de los herejes que negaban la divinidad de Jesús. Eran los gnósticos.

2. No es el mundo material, sino el espíritu mundano corrompido por los vicios, errores, escándalos y pecados, porque el universo, la naturaleza, son hermosos.

que todos estos no eran de los nuestros. Os he escrito esto acerca de los que quieren seduciros. Pero vosotros haced que la unción, que habéis recibido de Él, permanezca en vosotros; y no tenéis necesidad que os enseñe nadie. Y ahora, hijitos, permaneced en Él, para que cuando Él venga, podamos sentirnos seguros y no nos avergoncemos de encontrarnos lejos de Él en su venida. Si sabéis que Él es justo, reconoced también que el que practica la justicia, ha nacido de Él.

Derechos y deberes de los hijos de Dios. Ved qué grande amor nos ha dado el Padre al hacer que nos llamemos hijos de Dios y en efecto los seamos[1]. Si el mundo no nos conoce es porque no le ha conocido a Él[2]. Queridísimos, desde ahora somos hijos de Dios, y aún no se ha manifestado lo que seremos. Sabemos que cuando se manifieste, seremos semejantes a Él, porque le veremos tal y como es. El que tiene esta esperanza en Él, se purifica a sí mismo, como Él es puro. Pero el que peca, obra la iniquidad y el pecado es la iniquidad. Hijitos, que no os seduzca nadie. El que obra la justicia es justo; quien peca es del Diablo, porque el Diablo es pecador desde el principio. El Hijo de Dios se ha manifestado para destruir las obras del Diablo. Porque éste es el mensaje que habéis oído desde el principio: Que nos amemos los unos a los otros.

No os admiréis, si el mundo os odia[3]. Nosotros sabemos que hemos pasado de la muerte a la vida, porque amamos a los hermanos. El que odia a su hermano es un homicida y vosotros sabéis que ningún homicida tiene la vida eterna permanente en sí mismo. En esto hemos conocido el Amor, en que Él ha dado su vida por nosotros. Y nosotros debemos dar también la vida por nuestros hermanos. Si alguno tiene bienes de este mundo y ve a su hermano en la necesidad, y le cierra su propio corazón, cómo puede estar en él el amor de Dios? Amémonos no de palabra ni de lengua, sino con obras y de verdad. Todo lo que pidamos, lo recibiremos de Él, porque guardamos sus mandamientos y hacemos lo que le agrada.

El amor de Dios y el amor del prójimo. Queridísimos, amémonos los unos a los otros, porque el amor es de Dios. En esto se ha manifestado el amor de Dios por nosotros, en que ha mandado a su Hijo único al mundo para que nosotros vivamos por Él. En esto consiste su amor: No somos nosotros los que hemos amado a Dios, sino

---

1. Nuestra filiación divina por la Gracia nos hace hermanos de Jesús y herederos del Cielo.
2. Los adoradores de ese mundo paganizado están deslumbrados por los placeres, honores y riquezas.
3. Este mundo es enemigo de Dios y de nuestra alma.

Dios el que nos ha amado a nosotros[1] y ha enviado a su Hijo como víctima propiciatoria por nuestros pecados[2]. Queridísimos, si Dios nos ha amado de este modo, también nosotros debemos amarnos los unos a los otros. El que confiese que Jesús es el Hijo de Dios, Dios mora en él y él en Dios. Nosotros hemos conocido el amor que Dios nos tiene y hemos creído. Dios es amor y el que está en el amor está en Dios y Dios en él[3]. En esto consiste la perfección del amor en nosotros, en que tenemos confianza absoluta en el día del juicio; porque como es Él, así somos nosotros en este mundo. En el amor no hay temor; por el contrario, el amor perfecto desecha el temor, pues el temor supone castigo y el que teme no es perfecto en el amor. En cuanto a nosotros amémonos, por que Él nos amó primero. Si alguno dice que ama a Dios y odia a su hermano, es un mentiroso. El que no ama a su hermano, que ve, no puede amar a Dios, que no ve. Este es el mandamiento que hemos recibido de Él, que el que ame a Dios, ame también a su hermano.

La fe en Jesucristo. El que cree que Jesús es el Cristo, ha nacido de Dios. En esto conocemos que amamos a los hijos de Dios, en que amamos a Dios y guardamos sus mandamientos. Porque el amor de Dios consiste en guardar sus mandamientos. Porque todo lo que ha nacido de Dios vence al mundo. Y ésta es la victoria, que ha vencido al mundo, nuestra fe.

El que no cree en Dios, le considera mentiroso, porque no cree en el testimonio, que Dios ha dado de su Hijo. Este es el testimonio, que Dios nos ha dado, la vida eterna y esta vida está en su Hijo[4]. El que tiene al Hijo, tiene la vida; y el que no tiene al Hijo de Dios, no tiene la vida. Os escribo esto, para que sepáis que vosotros, que creéis en el nombre del Hijo de Dios, tenéis la vida eterna.

La oración y el pecado. Ésta es la seguridad que tenemos en Dios, que si pedimos algo según su voluntad, nos escucha. Y si sabemos que nos escucha en todo lo que le pedimos, sabemos también que poseemos ya lo que hemos pedido. Si alguno ve a su hermano cometer un pecado, que no merece la muerte, ore, y Dios le dará la vida; esto para los que pecan sin merecer la muerte. Hay un pecado que merece

---

1. Antes que nosotros existiéramos nos amó Dios. En el pensamiento de Dios ya existíamos desde toda la eternidad, porque en Dios todo está presente.
2. Jesucristo, el Hijo de Dios.
3. Es la fuente del amor. El que ama según Dios está en Dios.
4. La Fe se funda en la palabra de Cristo, que no quiere ni puede engañarnos porque es bueno y lo sabe todo.

la muerte[1]; yo no digo que pidan por éste. Toda injusticia es un pecado, pero hay pecados, que no merecen la muerte. Sabemos que el que ha nacido de Dios no peca.

2ª CARTA DE SAN JUAN[2]

Saludos y felicitaciones. Yo, el Presbítero a la Señora Elegida[3] y a sus hijos, que amo en la verdad —no sólo yo, sino también todos los que han conocido la verdad.

Exhortación a la caridad fraterna. Me he alegrado grandemente al encontrar que tus hijos caminan en la verdad, conforme al mandamiento recibido del Padre. El amor consiste en que caminemos según sus mandamientos. Y este mandamiento, tal y como lo habéis recibido desde el principio, es que caminéis en el amor. Porque han irrumpido en el mundo muchos seductores, que no confiesan a Jesús, como el Cristo venido en carne. He aquí el Seductor, el Anticristo. Velad sobre vosotros mismos, para que no perdáis el fruto de vuestros trabajos, sino para que recibáis una recompensa plena. Te saludan los hijos de tu hermana Elegida.

Conclusión. Tengo muchas más cosas que escribiros, pero no he querido hacerlo en papel y tinta, pues espero ir pronto a vosotros y hablaros de viva voz, para que vuestra alegría sea completa. Te saludan los hijos de tu hermana Elegida.

3ª CARTA DE SAN JUAN

Saludos y felicitaciones. Yo, el Presbítero[4], al queridísimo Gayo, a quien amo en la verdad. Queridísimo, deseo que prosperen todas tus cosas y tú que goces de buena salud, de la misma manera que está tu alma. Me he alegrado grandemente cuando han llegado los hermanos y han testificado acerca de tu verdad, es decir, cómo tú caminas en la verdad. Mi mayor alegría está en oír que mis hijos andan en la verdad. Queridísimo, obras fielmente en todo lo que haces por los hermanos,

---

1. El que merece la muerte eterna; es el pecado mortal.
2. San Juan (Presbítero = anciano) es el principal de las Iglesias de Asia.
3. La Señora Elegida es una comunidad desconocida amenazada por las doctrinas de los falsos doctores.
4. Presbítero, así se llamaba Juan por ser un título reservado a los jefes de las comunidades.

aunque sean extranjeros; ellos han dado testimonio de tu caridad ante la Iglesia. Harás una obra buena proveyéndoles para el viaje de una manera digna de Dios. He escrito algo a la Iglesia, pero Diofretes que ambiciona ocupar el primer puesto, no nos admite[1].

Conclusión. Tengo muchas cosas que decirte, pero no quiero hacerlo con tinta y pluma. Espero verte pronto y hablaremos de viva voz. Que la paz sea contigo. Te saludan tus amigos. Saluda a los amigos nominalmente.

CARTA DE SAN JUDAS

Dirección, saludo y motivo de la carta. Judas, siervo de Jesucristo, hermano de Santiago, a los llamados, amados en Dios Padre y conservados para Jesucristo; que la misericordia, la paz y la caridad os sean copiosamente otorgadas[2]. Queridísimos, tenía un gran deseo de escribiros acerca de nuestra común salvación y me he visto obligado a hacerlo para exhortaros a combatir por la fe, que de una vez para siempre ha sido transmitida a los santos. Porque se han introducido furtivamente[3] entre vosotros algunos hombres, ya de antiguo predichos, impíos, para hacer en esta condenación, impíos, que han convertido en libertinaje la gracia de nuestro Dios, y niegan a nuestro único dueño y Señor, Jesucristo.

Éstos son murmuradores descontentos, que viven a capricho de sus pasiones; su boca profiere fanfarronadas, adulando a las personas con vistas a su interés.

Exhortación a los cristianos. Pero vosotros, queridísimos, acordaos de las palabras, que os predijeron los apóstoles de nuestro Señor Jesucristo. Éstos son los que provocan discordias, hombres sensuales, privados del Espíritu. Vosotros, en cambio, queridísimos, edificaos sobre vuestra santísima fe, orando en el Espíritu Santo; conservaos en el amor de Dios, aguardando la misericordia de nuestro Señor Jesu-

---

1. El Apóstol contrapone la conducta ejemplar de Gayo con el insubordinado y ambicioso Diofretes.
2. Judas Tadeo, hermano de Santiago el Menor, el obispo de Jerusalén, y primo de Jesús, escribe a los judíos cristianos.
3. Tadeo les avisa de que en algunas comunidades cristianas se habían infiltrado algunos elementos perturbadores.

cristo para la vida eterna. A los que vacilan, convencedlos; a otros, salvadlos, arracadlos del fuego[1].

Doxología. Conclusión. Al que es poderoso para guardaros sin pecado y presentaros intachables con alegría ante su gloria; al único Dios, nuestro Salvador por Jesucristo Nuestro Señor, sea la gloria, la majestad, la soberanía y el poder, antes de todo tiempo, ahora y por todos los tiempos. Amén.

APOCALIPSIS[2]

CARTAS A LAS SIETE IGLESIAS DE ASIA

Visión preparatoria. Yo, Juan, vuestro hermano y vuestro compañero en la tribulación, en el reino y en la constancia, en Jesús. Yo me encontraba en la isla de Patmos, por causa de la palabra de Dios y del testimonio de Jesús. Caí en éxtasis el día del Señor y oí detrás de mí una voz potente como de trompeta, que decía: "Lo que ves, escríbelo en un libro y mándaselo a las siete Iglesias, a Éfeso, Esmirna, Pérgamo, Tiatira, Sares, Filadelfia y Laodicea." Me volví para ver la voz, que me hablaba, y apenas vuelto, vi siete candelabros de oro[3] y en medio de los candelabros como un Hijo del hombre[4], vestido con una larga túnica y ceñido con un cinturón de oro alrededor de su pecho. Su cabeza y sus cabellos eran blancos, como la lana blanca, como la nieve; sus ojos, como una llama de fuego; sus pies, como el auricalco cuando se le purifica en el fuego; su voz, como el rumor de muchas aguas. En su mano derecha tenía siete estrellas y de su boca salía una espada aguda de dos filos; su cara era como el sol que brilla en todo su esplendor. Las siete estrellas son los ángeles de las siete Iglesias y los siete candelabros son las siete Iglesias.

---

1. A todos, con gran celo apostólico, los incita a perseverar y ayudar a los hermanos para ganarse el Reino Eterno.
2. Apocalipsis significa revelación. El marco histórico es de confusión, persecución violenta de Nerón. El mismo Juan, el autor, salió incólume del martirio. Su mensaje es "Jesús vendrá" y su lenguaje esotérico lo hurtará a las pesquisas de los perseguidores. La Iglesia es inmortal, triunfará.
3. Las 7 Iglesias.
4. Jesús.

Carta a la Iglesia de Éfeso. Escribe al ángel[1] de la Iglesia de Éfeso: Conozco tus obras, tus fatigas y tu constancia. Sé que no puedes soportar a los malos; que has puesto a prueba a los que se llaman apóstoles, sin serlo, y los has encontrado mentirosos; que eres constante y que has sufrido por mi Nombre sin desfallecer. Pero tengo esto contra ti: Has perdido la caridad del principio. Acuérdate, pues, de dónde te has caído, arrepiéntete y vuelve a obrar como antes. Porque, si no te conviertes, iré a ti rápidamente y te quitaré el candelabro de su puesto. El que tenga oídos, oiga lo que el Espíritu dice a las Iglesias.

Carta a la Iglesia de Esmirna[2]. Escribe al ángel de la Iglesia de Esmirna: He aquí lo que dice el primero y el Último, el que murió y ha vuelto a la vida. Conozco tu tribulación y tu pobreza (aunque eres rico) y las calumnias de parte de los que se llaman judíos, sin serlo, pues son más bien una Sinagoga de Satanás. No temas lo que vas a sufrir. El Diablo va a encarcelar a algunos de vosotros; es para poneros a prueba, sufriréis una prueba de diez días. Sé fiel hasta la muerte y te daré la corona de la vida. El que tenga oídos, oiga lo que el Espíritu dice a las Iglesias. El vencedor no será herido con la segunda muerte[3].

Carta a la Iglesia de Pérgamo. Escribe al ángel de la Iglesia de Pérgamo: Esto dice el que tiene la espada aguda de dos filos. Sé dónde vives. Allí está el trono de Satanás; pero permaneces fiel a mi Nombre y no has renegado de mi fe. Pero tengo algo contra ti: Así también tú tienes adeptos a la doctrina de los Nicolaítas[4]. Arrepiéntete, pues de lo contrario iré a ti cuanto antes y combatiré contra ti con la espada de mi boca. El que tenga oídos, oiga lo que el Espíritu dice a las Iglesias. Al vencedor le daré el maná escondido[5] y una piedra blanca. Y en la piedra escribiré un nombre nuevo, que sólo conoce el que la recibe.

Carta a la Iglesia de Tiatira[6]. Escribe al ángel de la Iglesia de Tiatira: He aquí lo que dice el Hijo de Dios, que tiene los ojos como una llama y los pies como el auricalco. Conozco tus obras, tu amor, tu fe, tu servicio, tu constancia; tus últimas obras son más numerosas que las primeras. Pero tengo esto contra ti: Dejas que Jezabel, esa mujer

1. Es el obispo de cada iglesia.
2. Ciudad de Asia.
3. La eterna.
4. Herejes de libertinas y desenfrenadas costumbres.
5. El alimento de la vida eterna.
6. Ciudad de Asia Menor.

que se dice profetisa, enseñe y seduzca a mis servidores[1]. Al vencedor, al que permanezca fiel a mi servicio hasta el fin, le daré poder sobre las naciones, y los apacentará con vara de hierro, como se rompen los vasos de arcilla. Así he recibido también yo este poder de mi Padre. Y le daré la estrella de la mañana.

Carta a la Iglesia de Sardes. Escribe al ángel de la Iglesia de Sardes: He aquí lo que dice el que tiene los Siete Espíritus de Dios y las siete estrellas. Conozco tus obras. Tú pasas por vivo, pero estás muerto. Vigila y reafirma lo que queda y está a punto de perecer. Porque no he encontrado tus obras perfectas delante de Dios. Acuérdate cómo recibiste y oíste la palabra; guárdala y arrepiéntete. Porque, si no vigilas, caeré sobre ti como un ladrón, sin que sepas a qué hora te voy a sorprender. Pero tienes todavía en Sardes algunas personas, que no han contaminado sus vestidos. Ellas caminarán conmigo con vestiduras blancas, porque son dignas de ellos. El vencedor será revestido de vestiduras blancas[2], y yo no borraré jamás su nombre del libro de la vida y confesaré su nombre delante de mi Padre y de los ángeles. El que tenga oídos, oiga lo que el Espíritu dice a las Iglesias.

Carta a la Iglesia de Filadelfia[3]. Escribe al ángel de la Iglesia de Filadelfia: He aquí lo que dice el Santo, el Veraz, el que tiene la llave de David, el que abre y nadie cerrará, el que cierra y nadie abrirá. Conozco tus obras. He aquí que tengo abierta delante de ti una puerta, que nadie puede cerrar[4]. Porque a pesar de tu debilidad, has guardado mi palabra y no has negado mi Nombre. Mi venida está próxima. Guarda bien lo que tienes para que nadie te quite tu corona[5]. Al vencedor le haré columna del Templo de mi Dios, y no saldrá más. Escribiré sobre él el nombre de mi Dios, el nombre de la Ciudad de mi Dios —la Nueva Jerusalén, que baja del cielo de mi Dios— y mi nombre nuevo. El que tenga oídos, oiga lo que el Espíritu dice a las Iglesias.

Carta a la Iglesia de Laodicea[6]. Escribe al ángel de la Iglesia de Laodicea: He aquí lo que dice el Amén, el testimonio fiel y veraz, el principio de la creación de Dios. Conozco tus obras: No eres ni frío ni caliente. Ojalá fueses frío o caliente. pero porque eres tibio, y no eres

---

1. Jezabel, la perversa mujer del rey Acab.
2. Símbolo de pureza y victoria.
3. Ciudad helenística de Lidia.
4. Puerta abierta al apostolado.
5. Por el valor demostrado en la persecución judía.
6. Ciudad de Frigia.

ni frío ni caliente, te voy a vomitar de mi boca. Estás diciendo: Yo soy
rico, yo me he enriquecido, a mí no me falta nada; y no sabes que eres
desdichado, miserable, pobre, ciego y desnudo. Yo, al que amo, re-
prendo y castigo; ten, pues, celo y arrepiéntete. He aquí que estoy a la
puerta y llamo. Si alguno oye mi voz y me abre, entraré en su casa[1];
cenaré con él y él conmigo. Al vencedor le daré el sentarse conmigo
en mi trono, igual que yo, que he vencido, me he sentado con mi Padre
en su trono. El que tenga oídos, oiga lo que el Espíritu dice a las
Iglesias.

LOS SIETE SELLOS

El trono de Dios y la corte celeste. Después de esto tuve una
visión. He aquí que una puerta estaba abierta en el cielo; y la voz del
principio, a la que oí hablarme como con sonido de trompeta, me dijo:
Sube aquí y te mostraré lo que va a suceder en seguida. Al instante caí
en éxtasis. Y he aquí que había en el cielo un trono y sobre el trono
Uno sentado[2]. El que estaba sentado tenía el aspecto de una piedra de
jaspe y de sardónica. El trono estaba rodeado de un arco iris parecido
a la esmeralda. Alrededor del trono había veinticuatro tronos, sobre
los que estaban sentados veinticuatro ancianos[3] vestidos de blanco y
teniendo sobre sus cabezas coronas de oro. Del trono salían rayos,
voces y truenos. Siete lámparas de fuego ardían delante del trono (que
son los Siete Espíritus de Dios[4]). Delante del trono había como un mar
de vidrio, como de cristal. En medio del trono y alrededor, cuatro
animales llenos de ojos por delante y por detrás. El primero parecido
a un león; el segundo, a un toro; el tercero, tiene la cara parecida a la
de un hombre y el cuarto, parecido a un águila que vuela. Los cuatro
Animales tiene cada uno seis alas y alrededor en el interior están
llenos de ojos. Y repiten sin cesar día y noche: "Santo, Santo, Santo es
el Señor Dios, el Omnipotente, El que era, El que es, El que viene".
Cada vez que los Animales dan gloria, honor y acción de gracias a
Aquel, que se sienta en el trono y que vive por los siglos de los siglos[5],
los veinticuatro Ancianos se prosternan delante de Aquel que está

1. Llamar a la puerta de la conversión.
2. Uno sentado: el Soberano del Universo.
3. Estos ancianos ejercen funciones sacerdotales y reales, pues llevan coronas. Su número
   quizás corresponde a las 24 clases sacerdotales.
4. Ángeles, seres vivientes.
5. Derivan de Ezequiel (1, 5 ss y 10, 12 ss).

sentado en el trono, adoran al que vive por los siglos de los siglos y arrojan sus coronas delante del trono, diciendo: "Tú eres digno, Señor, Nuestro Dios, de recibir la gloria, el honor y el poder. Porque tú has creado todas las cosas y por tu voluntad existen y han sido creadas!".

El libro de los siete sellos. Vi en la mano derecha del que está sentado en el trono un libro escrito por dentro y por fuera, sellado con siete sellos. Vi un ángel poderoso, que exclamaba con fuerte voz: ¿Quién es digno de abrir el libro y de romper los sellos? Y nadie en el cielo y en la tierra y sobre la tierra podía abrir el libro y leerlo. Yo lloré mucho, porque no se había encontrado a nadie digno de abrir el libro y de leerlo. Uno de los Ancianos me dijo: "Deja de llorar. He aquí que ha vencido el León de la tribu de Judá, el vástago de David, de suerte que él abrirá el libro y sus siete sellos." Vi entonces entre el trono y los cuatro Animales por una parte y los Ancianos por la otra, un Cordero en pie, como degollado. Tenía siete cuernos y siete ojos (éstos son los Siete Espíritus de Dios enviados por todo el mundo). Se acercó y tomó el libro de la derecha del que estaba sentado en el trono. Cuando hubo tomado el libro[2], los cuatro Animales y los veinticuatro Ancianos se prosternaron delante del Cordero[3], teniendo cada uno en la mano un arpa y copas de oro llenas de perfumes (las oraciones de los santos). Ellos cantaban un cántico nuevo: "Tú eres digno de tomar el libro y de abrir sus sellos, porque has sido degollado y has rescatado para Dios con tu sangre a los hombres de todas las tribus, lengua, pueblo y nación. Tú has hecho para nuestro Dios un Reino de Sacerdotes reinando sobre la tierra." Después yo vi y oí la voz de una multitud de ángeles, que estaban alrededor del trono, de los Animales y de los Ancianos. Su número, miríadas de miríadas y millones de millones. Y decían con fuerte voz: "Él es digno, el Cortero degollado, de recibir el poder, riqueza, sabiduría, fuerza, gloria y alabanza."

Apertura de los cuatro primeros sellos. Caballos y jinetes[4]. Tuve una visión en el momento en que el Cordero abrió el primero de los siete sellos. Oí al primero de los cuatro Animales, que gritaba como con voz de trueno: "Ven". Vi aparecer un caballo blanco. El jinete tenía un arco; se le dio una corona y salió como vencedor y para

---

1. Los 4 seres vivientes sostienen el trono del Dios omnipotente.
2. El Libro de los siete Sellos. Un rollo de pergamino que contenía decretos divinos.
3. Cristo, el Cordero de Dios, señalado por el Precursor.
4. Los 4 caballos (Zac. 6, 1-7). El blanco: victoria y salvación. El rojo: guerra y justicia. El negro: hambre. El pajizo: muerte.

vencer. Cuando el Cordero abrió el segundo sello, oí al segundo Animal gritar: "Ven". Y salió otro caballo rojo; a su jinete le fue dado el poder quitar la paz de la tierra, de hacer que se degollasen los hombres; se le dio una gran espada. Cuando el Cordero abrió el tercer sello, oí al tercer Animal gritar: "Ven". Y vi aparecer un caballo negro, cuyo jinete tenía en la mano una balanza. Y oí como una voz en medio de los cuatro Animales, que decía: "Dos libras de trigo por un denario, pero el aceite y el vino, ni tocarlo." Cuando el Cordero abrió el cuarto sello, oí el grito del cuarto Animal: "Ven". Y he aquí que apareció un caballo pajizo, cuyo jinete se llamaba Muerte. Le fue dado el poder sobre la cuarta parte de la tierra para matar con la espada, con el hambre, con la peste y con las fieras de la tierra.

Apertura del quinto sello. La oración de los mártires. Cuando el Cordero abrió el quinto sello[1], vi debajo del altar las almas de los que habían sido degollados a causa de la palabra de Dios y por el testimonio que habían dado. Ellos gritaron con gran voz, diciendo: "¿Hasta cuándo, Tú, el Maestro, el Santo, el Veraz, vas a esperar a hacer justicia y a vengar nuestra sangre sobre los habitantes de la tierra?" Y le fue entregada a cada uno una vestidura blanca y se les dijo que tuvieran paciencia aún por un poco tiempo, hasta que se completase el número de sus compañeros de servicio y de sus hermanos, que debían ser matados como ellos. Cuando el Cordero abrió el sexto sello[2], se produjo un terremoto violento, el sol se oscureció como un saco de crin, la luna se hizo toda como de sangre, y las estrellas del cielo se cayeron sobre la tierra, como una higuera deja caer sus higos verdes, sacudida por un viento fuerte. El cielo desapareció como un volumen, que se enrolla, y todas las montañas y todas las islas fueron removidas de su sitio. Los reyes de la tierra, los príncipes, los tribunos, los ricos, los poderosos, todos los esclavos y todos los hombres se escondieron en las cavernas y en las rocas de las montañas. Y decían a las montañas y a las rocas: Caed sobre nosotros y ocultadnos lejos de la cara del que está sentado en el trono y de la ira del Cordero. Porque ha llegado el gran día de su cólera ¿y quién podrá subsistir[3]?

---

1. El quinto sello son los mártires que piden justicia. Las vestiduras blancas son símbolo de pureza.
2. Trastornos cósmicos.
3. Desesperación de los malvados.

Los sellados. Después de esto vi cuatro ángeles en pie en los cuatro ángulos de la tierra que retenían los cuatro vientos de la tierra para que no soplase el viento ni sobre la tierra, ni sobre el mar, ni sobre ningún árbol. Después vi otro ángel que subía del Oriente y llevaba el sello del Dios Viviente y gritó con gran voz a los cuatro ángeles a los que se les había dado el poder de dañar la tierra y el mar: "No toquéis la tierra, ni el mar, ni los árboles hasta que hayamos sellado en la frente[1] a los servidores de nuestro Dios". Y oí el número de los sellados de todas las tribus de los hijos de Israel, ciento cuarenta y cuatro mil.

Los elegidos. Después de esto vi aparecer una gran multitud, que nadie podía contar, de toda nación, tribu, pueblo y lengua[2]. Estaban en pie delante del trono de Dios y delante del Cordero, vestidos con vestiduras blancas y con palmas en sus manos[3]. Gritaban con gran voz, diciendo: "Salud a nuestro Dios, que se sienta sobre el trono, y al Cordero." Todos los ángeles estaban en pie alrededor del trono, de los Ancianos y de los cuatro Animales. Cayeron de bruces ante el trono y adoraron a Dios, diciendo: "Amén. La bendición, la gloria, la sabiduría, la acción de gracias, el honor, el poder y la fuerza a nuestro Dios, por los siglos de los siglos. Amén."

Uno de los Ancianos, tomó la palabra y me dijo: "Estos vestidos con vestiduras blancas, ¿quiénes son y de dónde han venido?" Yo le respondí: "Señor mío, tú lo sabes." Él me dijo: "Éstos son los que vienen de la gran tribulación y han lavado sus vestiduras y las han blanqueado en la sangre del Cordero. Por eso están delante del trono de Dios y le sirven día y noche en su Templo.

El séptimo sello. Cuando el Cordero abrió el séptimo sello, se hizo en el cielo un silencio como de media hora. Yo vi entonces a los siete ángeles, que están en pie delante de Dios; y se les dieron siete trompetas[4]. Después vino otro ángel, que se paró de pie junto al altar, con un incensario de oro. Se le dieron muchos perfumes, para que los ofreciese juntamente con las oraciones de todos los santos, sobre el altar de oro colocado delante del trono. Y de la mano del ángel, el humo de los perfumes se elevaba delante de Dios, con las oraciones de los santos.

---

1. La señal de los escogidos.
2. Es decir, de todo el mundo.
3. Las vestiduras blancas y las palmas son señal de victoria y triunfo.
4. El número 7 es indefinido en la Biblia.

La mujer y el dragón[1]. Una gran señal apareció en el cielo: Una mujer revestida del sol, con la luna bajo sus pies y una corona de doce estrellas sobre la cabeza. Estaba encinta y gritaba con los dolores de parto y las angustias de dar a luz. Otra señal apareció en el cielo: Un Dragón, color de fuego, con siete cabezas y diez cuernos; sobre sus cabezas, siete diademas. Su cola arrastraba la tercera parte de las estrellas del cielo y las lanzó sobre la tierra.

Entonces hubo una batalla en el cielo. Miguel y sus ángeles lucharon contra el Dragón[2]. El Dragón y sus ángeles combatieron, pero no pudieron prevalecer y no hubo puesto para ellos en el cielo. Y fue precipitado el gran Dragón, la Serpiente antigua, que se llama "Diablo" y "Satanás", el seductor del mundo entero, y sus ángeles fueron precipitados con él. Oí una fuerte voz en el cielo, que decía: "Ahora ha llegado la salvación, el poder, el reino de nuestro Dios y la soberanía de su Cristo, porque ha sido precipitado el acusador de nuestros hermanos, el que día y noche les acusaba ante nuestro Dios. Ellos le han vencido por la sangre del Cordero y por las palabras de su testimonio y han despreciado su vida hasta sufrir la muerte. Por eso, alegraos, oh cielos, y vosotros, los que habitáis en ellos. Maldición a la tierra y al mar, porque el Diablo ha descendido hacia vosotros con gran furor sabiendo que le queda poco tiempo." La Serpiente arrojó de su boca como un río de agua detrás de la mujer, para que el río se la llevase. Pero la tierra vino en ayuda de la mujer, abrió su boca y se tragó el río que el Dragón había arrojado de su boca. El Dragón se irritó contra la mujer y se fue a hacer la guerra al resto de su descendencia, a los que guardan los mandamientos de Dios y tienen el testimonio de Jesús[3].

El Cordero y las vírgenes. Después vi al Cordero, que estaba en pie sobre el monte Sión, acompañado de ciento cuarenta y cuatro mil personas que tenían escrito en las frentes su Nombre y el Nombre de su Padre. Oí una voz que venía del cielo semejante a la voz de grandes aguas y al ruido de un gran trueno. El sonido que oí era como el de citaristas que tocan sus cítaras. Cantaban un cántico nuevo delante del trono, delante de los cuatro Animales y de los Ancianos. Ninguno

1. La mujer anunciada en Génesis 3.15.
2. Dios puso a prueba a los ángeles y algunos se insubordinaron, el dragón y sus ángeles; y fueron arrojados al infierno convertidos en demonios.
3. Triunfó el Mesías y su Madre desde su Concepción Inmaculada. Ahora lucha el dragón contra sus hijos.

podía aprender el cántico, a excepción de los ciento cuarenta y cuatro mil, rescatados de la tierra. Éstos son los que no se han manchado con mujeres, porque son vírgenes; éstos siguen al Cordero adondequiera que va; fueron rescatados de entre los hombres como primicias para Dios y para el Cordero; en su boca no se ha encontrado mentira: Son irreprensibles[1].

Los tres ángeles. Vi otro ángel que volaba por medio del cielo y tenía una buena nueva eterna que anunciar a los habitantes de la tierra, a toda la nación, tribu, lengua y pueblo. Decía con gran voz: "Temed a Dios y dadle gloria, porque ha llegado la hora de su juicio; adorad a Aquel que ha hecho el cielo y la tierra, el mar y las fuentes del agua." Y lo siguió un segundo ángel que gritaba: "Ha caído, ha caído Babilonia, la Grande, la que ha abrevado a todos los pueblos con el vino de su ardiente lujuria." Oí una voz que venía del cielo y decía[2]: "Escribe: Bienaventurados desde ahora los muertos que mueren en el Señor. Sí, dice el Espíritu, para que descansen de sus trabajos, porque sus obras les acompañan."

El Hijo del hombre. Después vi una nube blanca y sobre la nube sentado Uno como Hijo del hombre[3], con una corona de oro en la cabeza y una hoz afilada en su mano. Salió otro ángel del Templo gritando con fuerte voz a Aquel que estaba sentado sobre la nube: "Echa tu hoz y siega, porque ha llegado la hora de la siega, pues está seca la mies de la tierra." Salió aún del altar otro ángel, el que tiene poder sobre el fuego, y gritó con gran voz al que tenía en la mano la hoz afilada: "Echa tu hoz afilada y vendimia los racimos de la viña de la tierra, pues la uva está madura." El ángel echó la hoz afilada sobre la tierra y vendimió la viña de la tierra, y arrojó las uvas en la gran cuba de la ira de Dios. La cuba fue pisada fuera de la ciudad y de la cuba salió sangre hasta los frenos de los caballos sobre una distancia de mil seiscientos estadios.

Después de esto oí en el cielo la voz de una gran multitud que decía: "¡Aleluya! La salud, la gloria y el poder a nuestro Dios, porque sus juicios son verdaderos y justos." Después continuaron diciendo: "¡Aleluya! Su humo sube por los siglos de los siglos." Entonces los veinticuatro Ancianos y los cuatro Animales[4] se prosternaron y adora-

---

1. Las vírgenes cantarán un cántico nuevo y acompañarán al Cordero en todas partes.
2. El ángel anuncia el fin y triunfo. La caída de la Roma pagana, símbolo del fin del mundo.
3. Jesucristo.
4. Algunos refieren a los 24 Patriarcas y Profetas y los 4 vivientes a los 4 Evangelistas.

ron a Dios, que está sentado sobre el trono, diciendo: "Amén. ¡Aleluya!" Y una voz, que salía del trono, decía: "Cantad a nuestro Dios todos sus siervos, que le teméis, pequeños y grandes[1]." Luego oí como una voz de una gran multitud y como una voz de muchas aguas, y como una voz de potentes truenos, que decía: "¡Aleluya! Porque el Señor, Nuestro Dios, Omnipotente, ha establecido su reino. Gocémonos y alegrémonos y démosle gloria, porque han llegado las bodas del Cordero; su esposa está ya preparada, y a él le ha sido dado vestirse de lino fino, limpio y puro." (El lino fino son las obras de justicia de los santos.) Y el ángel me dijo: "Bienaventurados los invitados al banquete de las bodas del Cordero." Y añadió: "Estas palabras de Dios son verdaderas." Yo caí a sus pies para adorarle, pero él me dijo: "Guárdate de hacerlo; yo soy un siervo contigo y con tus hermanos, que tienen el testimonio de Jesús; adora a Dios."

ÚLTIMOS ACONTECIMIENTOS

El último juicio. Vi un gran trono blanco y al que estaba sentado sobre él. El cielo y la tierra huyeron de su presencia[2], sin que se encontrase su lugar. Vi los muertos, grandes y pequeños, en pie delante del trono; y fueron abiertos los libros[3]; y fue abierto otro libro, el Libro de la Vida. Y los muertos fueron juzgados según el contenido de los libros, cada uno según sus obras. El mar devolvió los muertos que guardaba; la Muerte y el Hades[4] devolvieron los muertos que guardaban, y cada uno fue juzgado según sus obras. La Muerte y el Hades fueron arrojados al estanque de fuego —el estanque de fuego es la segunda muerte— y el que no fue encontrado escrito en el libro de la vida fue arrojado al estanque de fuego[5].

---

1. El canto es un himno triunfal de victoria de los bienaventurados.
2. Desaparecerán.
3. El de las acciones de los hombres y el Libro de la Vida con los nombres de los elegidos.
4. Hades, así llamaban los judíos al lugar de los muertos.
5. El infierno.

ÍNDICE

INTRODUCCIÓN 7

EVANGELIOS UNIFICADOS 9

HECHOS DE LOS APÓSTOLES 137
    Introducción 137
    La Iglesia en Jerusalén 138
    Propagación del Evangelio fuera de Jerusalén 143
    Propagación del Evangelio entre los Gentiles 147
    Prisiones de Pablo en Jerusalén, en Cesarea y en Roma . . 156

CARTAS DE SAN PABLO 160
  Carta a los Romanos 160
      Introducción 160
      Parte Dogmática 161
      Parte Moral 165
      Epílogo 167
  1ª Carta a los Corintios 168
      Prólogo 168
      Reprueba los Abusos 168
      Solución de diversas Cuestiones 171
      Epílogo 177
  2ª Carta a los Corintios 177
      Prólogo 177
      Defensa de su Apostolado 178
      Pablo refuta a sus Enemigos 180
      Epílogo 182
  Carta a los Gálatas 182
      Prólogo 182
      Apología del Apostolado de Pablo 183
      La Justificación por la Fe 183
      Consecuencias Morales 184
  Carta a los Efesios 185
      El Misterio de Cristo 185
      Normas de Vida Cristiana 186
      Epílogo 189
  Carta a los Filipenses 190
  Carta a los Colosenses 193
      El Misterio de Cristo 193

Normas de los Cristianos 194
1ª Carta a los Tesalonicenses 195
Comportamiento de Pablo en Tesalónica 196
Exhortaciones 197
Epílogo 198
2ª Carta a los Tesalonicenses 199
La Parusía del Señor 199
Trabajo y Obediencia 200
Epílogo 201

CARTAS PASTORALES 201
1ª Carta a Timoteo 201
2ª Carta a Timoteo 203
Carta a Tito 205
Carta a Filemón 206
Carta a los Hebreos 208
Prólogo 208
Excelencias del Nuevo Testamento 208
Necesidad de la Fe y de las Obras 212
Epílogo 214

CARTAS CATÓLICAS 214
Carta de Santiago 214
1ª Carta de San Pedro 216
Encabezamiento 216
Exhortaciones Generales 216
Exhortaciones Especiales 217
Exhortaciones Escatológicas 218
2ª Carta de San Pedro 219
Encabezamiento 219
Exhortaciones y su Motivación 220
La Segunda Venida de Cristo es cierta 220
Exhortación Final 221
1ª Carta de San Juan 222
2ª Carta de San Juan 225
3ª Carta de San Juan 225
Carta de San Judas 226

APOCALIPSIS 227
Cartas a las Siete Iglesias de Asia 227
Los siete Sellos 230
Últimos Acontecimientos 236